JN034503

国際金融取引 2

法　務　編

澤木敬郎・石黒一憲
三井銀行海外管理部　著

はしがき

本書は、一九八五年九月に刊行された「国際金融取引1　実務編」の続編である。同書のはしがきでも述べたように、金融実務と法務をドッキングさせたコンパクトな国際金融の参考書が求められているのではないかという認識が、この企画の出発点であった。そして国際金融実務と個別関係法規を解説する部分が、かなりの分量に達したことなどから、全体を上下二巻に分割し、上巻を実務編、下巻を法務編として刊行することにしたものである。その意味で、この上下二巻は一貫した視点から執筆されており、併せ利用して頂くことを期待したい。

ところで、国際金融取引の背景をなしている国際経済社会の動態や、その中で展開形成されている最新の各種国際金融取引をめぐる実務の諸相については、きわめて高い社会的関心が寄せられ、専門的な経済分析のみならず、一般的な啓蒙報道が広くなされてきた。その結果、このような問題に関心を持たれる限られた方がたの間でしかないかも知れないが、スワップ取引とかEFTというような言葉は、もはや常識となっているといってもよいであろう。むしろ国際金融取引における実務情報の増大は、より精緻詳細な知識の普遍化をもたらしているようにも思われる。

他方、国際金融取引実務と表裏一体をなすべき法務の分野でも、新しい取引実務の出現や、債務超過国問題のような新しい現象の登場によって、新たな法的処理のあり方の検討が要請されることになった。もちろん、これらの検討は、まず伝統的法律学を基礎としてなされるものであり、その検討の上で必要な場合に、新たな法概念や法理論が形成されていくことになるべきものである。しかし一九八四年夏、国際法協会パリ大会の国際通貨法部会が、予定の議題をすべて放棄して、アライド・バンク事件（三〇頁以下）の問題点の討議にあてたことは、これらの新現象の衝撃の強さを示すものということもできよう。このようにして、新たな国際金融取引の法務もまた、生成発展の段階にあるといわなければならないのである。

このような問題意識から、本書は、国際金融取引をめぐる法律問題の体系的分析の上に立った叙述という構成をとっていない。たしかに第三部の冒頭では、裁判管轄権の決定、外国判決の承認・執行、準拠法の決定と適用という伝統的国際私法国際民事訴訟法の体系に即した検討が行われている。しかしそれは、伝統的国際私法学の研究成果を、単純に整理しなおすというだけの目的のものではなく、むしろ、国際金融取引の中で問題となる事項を、その体系に対応させせつつ検討を加えたものである。これに対し、本書の中心をなす第二部は、内外の裁判例、実務例を素材として、主権免除、相殺など、多様な問題を断片的にとりあげているにすぎない。それは、具体的事例を通じての、新たな法的処理のあり方の検討に向けての法的分析のガイドであり、国際金融取引の法務に関する解説というよりはむしろ法律問題の指摘になっている部分も少なくない。このような意味からは、本書は、コンパクトな国際金融法務の参考書というよりは、理論的研究書としての側面が強くなってしまったかも知れない。しかし、生成発展の途上にある国際金融取引の法務において単純な正解は存在しえないのであり、具体的問題に直面された場合、本書に展開されている分析枠組が、何らかの形で示唆を提供しうるものとなっていることを祈るものである。

終りに、御多忙の中、共同研究を継続され、本書の共同執筆にあたられた三井銀行の一沢宏良氏と貝島資邦氏および東京大学の石黒一憲助教授、並びに両者の連絡調整に大変御協力を頂いた米井繁子氏に対し、著者の一人として心から御礼を申し述べたい。

一九八六年六月

澤木敬郎

もくじ

2　発展途上国の累積債務問題とその法的側面 ——アライド・バンク事件をめぐって——

3 国際金融取引における債権の管理・保全　71

4 国際的資金移動と法 ——ＥＦＴの問題を中心に——

第3部 転換期の国際金融法務

〔単行本・雑誌・辞典の略語表〕

石　黒	石黒一憲『金融取引と国際訴訟』昭和五八年、有斐閣。
石黒・上	石黒一憲『現代国際私法』（上）昭和六一年、東京大学出版会。
澤　木	澤木敬郎『新版国際私法入門』昭和五九年、有斐閣。
澤木・争点	澤木敬郎編『国際私法の争点』昭和五五年、有斐閣。
坪　田	坪田潤二郎『国際取引法の基本問題』昭和五七年、酒井書店。
NIRA	総合研究開発機構『多国籍企業の法と政策』昭和六一年、三省堂。
実務編	澤木敬郎・石黒一憲監修三井銀行国際部著『国際金融取引1実務編』昭和六〇年、有斐閣。
Wood	Philip Wood, Law and Practice of International Finance, Sweet & Maxwell, 1980.
ジュリ	ジュリスト
法　協	法学協会雑誌
IFL Rev.	International Financial Law Review.
国際法辞典	国際法学会編『国際法辞典』昭和五五年、鹿島出版会。

〔判例・判例集〕

最判（決）	最高裁判所判決（決定）	民集	最高裁判所民事判例集
最大判	最高裁判所大法廷判決	高民集	高等裁判所民事判例集
高判（決）	高等裁判所判決（決定）	下民	下級裁判所民事裁判例集
地判	地方裁判所判決		

第1部

国際金融と法

FEDERAL RESERVE NOTE
THE UNITED STATES OF AMERICA
THIS NOTE IS LEGAL TENDER
FOR ALL DEBTS, PUBLIC AND PRIVATE
K 79142054 A
WASHINGTON, D.C.
K 79142054 A

1　はじめに

①欠けていた法的分析

「国際金融取引」——世界のトップ水準にあるわが国企業の国際的活動と旺盛な資金需要に支えられて一般の関心を強く集め、一躍脚光を浴びるに至ったこのいかにも華々しいテーマにつき、これまで無数の著書や論文、エッセーの類が世に出されてきた。そして日々現れては消えてゆくマスコミの、正確な、また、場合によって不正確きわまりない報道の数々……。むしろ、われわれは「国際金融取引」に関する情報の氾濫にどう対処すべきかを考える時期に来ているともいえる。けれども、「国際金融取引」に関する多面的な情報の渦の中で、ほとんど欠落している重要な部分のあることを、忘れてはならない。本書における「国際金融取引」の法的側面についての分析・検討は、それをカヴァーし、「国際金融取引」の真の意味での全体像を浮かび上がらせるべく、新たな光を投げかけようとするものである。

たしかに、これまで、そこは一つの闇、ないしは暗闇であった。これは「国際金融取引」の場合に限ったことではない。それは、とりわけ日本人の、法あるいは法律学に対する、ある種の暗いイメージと関係するものでもあろう。経済学の明るい（場合によっては明るすぎる）光のイメージに対して、法律学は、その影のようなものとして認識されることも少なくないし、実際にはこの点が、最も深いところで「国際金融取引」に対する法的分析の立ち遅れの要因となっていたといえよう。誰しもが、できれば一生、裁判所の門をくぐらずに済ませたいと思う、この単一民族神話のいまだに支配する国では、裁判官も弁護士も、また大学で法律学を講ずる者も、裁判所でとことん争うより、できれば和解をして丸くおさめるよう、何となく示唆してしまう傾向が強い。そして、それは日本の社会の中では正しいことかも知れない。このような社会環境（法的環境？）の中で育った者が、外国でいきなり取引相手に訴えられ、それからあわてふためいて事務所の隅から契約書をとり出してむさぼり読む……。それでは遅いのである。

法律学は医学と似ている、と最近つくづく思う。裁判は、たしかに一種の病気である。病気にかかってから、人びとは法律学というこのわずらわしい学問と真に直面する。けれども、賢明な人は、病気になる前につねづね医者と相談し、種々の健康管理をしたり、薬をのんだりするであろう。とくに海外旅行のときには、あらゆる事態にそなえて、いろいろな注射をするなり、薬をトランクにつめこむなどして、あらかじめ準備をしておくだろう。なぜ同じことを、国際的な契約締結についてしておかないのか。まして、病気の場合、医者はそれを治そうと必死になってくれる（はずである）が、裁判の場合、裁判官は原告と被告とのどちらが正しいとしか言ってくれない。自分が正しいことを理路整然といつでも説明できるように契約締結を慎重に行い、あらかじめ準備しておかなければ危い。あとで不都合が生じ、相手方と交渉しても、相手方がウンと言わなければ契約内容の変更はできない。契約は契約として残ることになる。契約書をよくよく読まずにサインするなど、自殺行為に近いことである。

欧米には訴訟マニアの人がいる、と聞く。人のみではなく、欧米の会社にもまた、そのようなものがあるようである。何事にもゆきすぎは問題だが、日本の企業にも、裁判やその前提となり得る種々の正確な法的知識が真に自分自身を守るためのものなのだ、という基本的認識が、従来は、若干欠けていたように思われる。

②国がちがえば法も異なる。また、紛争の生じない契約はありえない

以上のような一般的事情はあったにせよ、最近は、わが国でも、「国際金融取引」に対する法的分析の必要性が、強く意識されつつある。それは、わが国の銀行や証券会社が国際金融界に参入し、着々と地歩を固めてゆく際、はじめは欧米の主力金融機関の影に添う形でそのノウハウを学びとるだけでよかった（それ自体、たとえばロンドンで一から仕事を始めた人々にとっては苦渋に満ちた日々ではあったろうが）。そして、その路線は基本的には変更されていないようではあるが、その間のユーロ市場を基軸とする国際金融取引の展開は、周知のごとく、必ずしも虹を仰ぎ見るような、明るい未来をつねに約束するものとばかりはいえないものとなっていった。ヘルシュタット銀行の倒産は、まだ対岸の火事といい得るものだったかも知れない。だが、ポーランド問題、米・イラン金融紛争、フォークランド紛争、そして、一九八五年輸出管理法改正後の米国による対リビア制裁、再燃したメキシコの危機と共に注目されたフィリピンの対外債務問題といわゆるマルコス資産問題（なおスイスにおけるマルコス資産の凍結については IFL Rev., 42〔June 1986〕）……。因みに、とりわけこの米・イラン金融紛争は、わが国の国際金融界にもさまざまな問題を投げかけ、その一端は、銀行サイドにおける対応に重点を置きつつ、本書三一五頁以下に

示されているが、法理論的にも極めて重要な問題を含むものであった(石黒・一頁以下)。他方、そうした一連の動きの中で、発展途上諸国の累積債務問題の恒常化により半ばルーティーン・ワーク化したリスケジューリング交渉は、ポーランド問題が新聞で大々的に報じられた当時と比すれば、もはやニュースとしてさほどの価値を有しなくなりつつあるともいえる。けれども、マスコミの価値基準は別として、たとえばコスタリカの債務危機のように、ともすれば見落としがちな問題についても、アライド・バンク事件(本書三〇頁以下)など、国際金融界を震憾させた事件が、まさにギリギリつきつめたところでの純然たる法律問題として生じ、海外の法廷で争われているのである。

「国際金融取引」における法と経済は車の両輪のようなものであり、ともすればその経済的側面ばかりが誇大に報道されがちなわが国において、今後いっそう人びとの関心を集めるべきは、その法的側面である。ただ、一口に法といっても、金融機関に限らず種々のわが国の企業が海外に進出する際の、現地およびわが国の行政的な取締・監督に関するものばかりが法ではなく、また、取引類型ごとの典型的な契約条項の解説や取引自体のしくみを説明するのみが法的分析ではない。本書が主眼とするのは、いわばその先の、今日の国際金融界で最も問題となり、しかも基本的には裁判という形をとって最もなまなましく各国の法廷で赤裸々に示されている(あるいはこれから徐々に示されてゆくであろう)亀裂ないし断層を、はっきりと示すことにある。

まったく紛争の生じ得ない契約など、あり得ないと考えた方がよい。たとえば一九八〇年代に入って急速に発展してきたスワップ取引にせよ、実はさまざまな爆弾をかかえているのではないかと筆者は感じている（その一端は、実務編二〇九頁以下にも一応示されている）。もっとも、スワップについては、その取引形態ないし契約内容が今なお流動的であって、本格的な法的検討のためには、なお時日を要する。ただし、これは、新しい病気が発見された場合と同じことである。とかく法律学（あるいは立法）は後手後手で役に立たないといわれる。けれども、これは医学とて同じことであろう。ただ、この場合、医学のように迅速に事が運ばないのは、後述するように（本書八頁）、法的分析、とくに国際的な法律問題の分析には、各国の国境というものが、大きく影を落としているからである。国が違えば法が異なる、というこの冷厳な事実を踏まえつつ、われわれは一歩一歩、進まねばならない。いずれにしてもスワップ取引（なお、スワップ関係の訴訟につきIFL Rev., 3〔Oct. 1985〕; Id. 3〔March 1986〕）は絶対安全な取引だといい切ることは、一九八五年の末に、われわれがいまだにジャンボ機神話を信ずるのと同じことだといいたい。たとえば、一九八五年八月一二日の不幸な日航ジャンボ墜落事故の三カ月ほどのちに、EFT（electronic fund transfer）をめぐり、米国ですでに大事件が起きている（本書一九八頁以下）。スワップにせよEFTにせよ、われわれは、単にそれらの新しい言葉をもてあそんだり、その概略を日常会話プラスαのレヴェルで覚え込むのみではなく、われわれ自身の問題として、一歩も二歩も踏み込み、現状と真の問題点とを直視しなければならないのである。

③健全な国際金融取引をめざして

ただし、本書は、「国際金融取引」の多面的な法的分析のためのガイドとして意図されたにとどまることを強調したい。本書は奥深い洞窟の入口と簡略な案内図、あるいは注意すべき若干の落とし穴の存在を示すにすぎない。本格的・体系的な分析は、本書以後の問題なのである（たとえば、石黒・金融取引と国際訴訟、およびその延長線上で書かれた同・現代国際私法上の第2部、ならびにそれらに所掲の諸文献参照）。

そうだとしても、本書を読了された方がたは、何と面倒臭い、難しい問題ばかりなのだろうと嘆くかも知れない。これに対して、私は、こう問いたい。「それならば、あなたはこの洞窟をくぐり抜けずに済ませられるのですか？」と。

健全な国際金融取引の発展なくして今日の日本経済の発展はあり得ない。たとえ一寸先は闇であるとしても、闇を闇としてはっきり認識してはじめて、自信に満ちた第一歩を踏み出せるはずである。本書がそのためのささやかな灯し火たらんことを、執筆者一同、心から祈ってやまない

〔石　黒〕。

2　国際金融をとりまく法

①地球を被う法の網

現在、地球上には約四七億人が一六七カ国を形成して居住している。

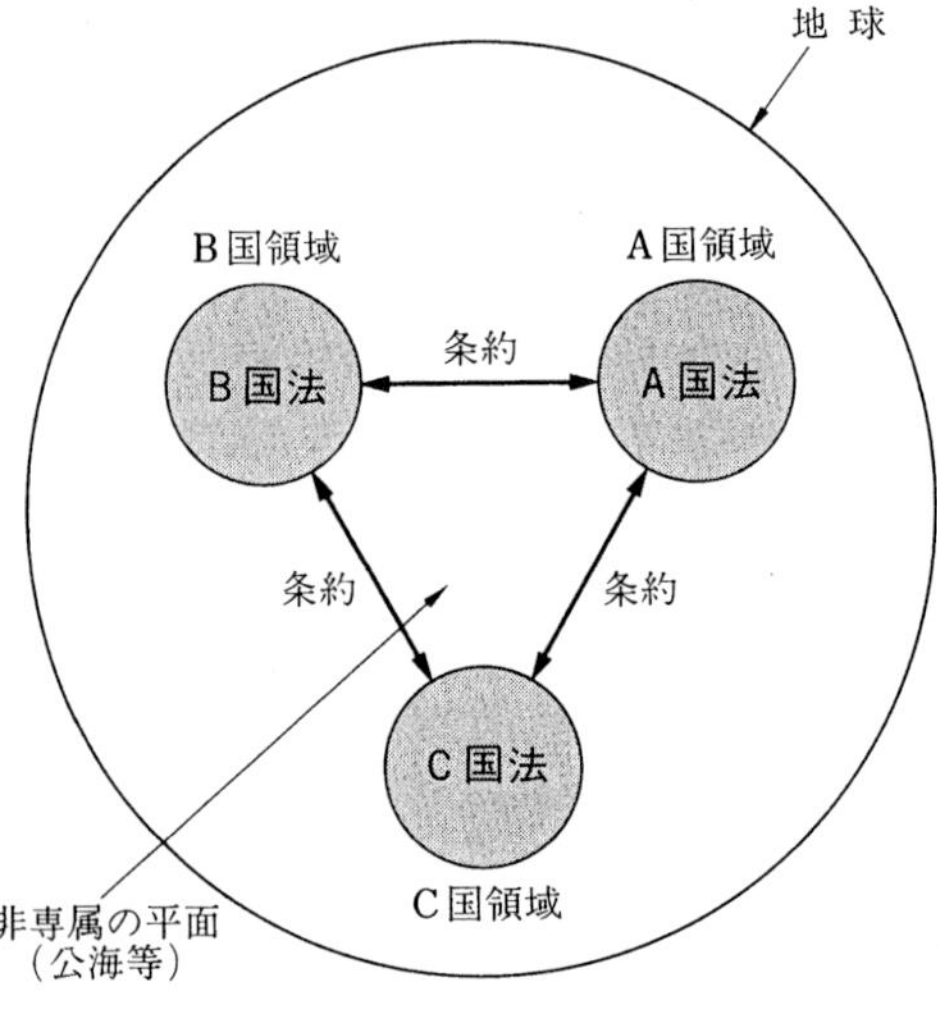

国際法上、主権国家は独立した地的管轄権、人的管轄権が認められ、それぞれの領土（域）内で専属的な立法権、司法権、行政権を行使している。上に理解の便ならしめるため概念図を掲げたが、A国はA国領域内で強制力を持つA国法を立法し、同じくB国はB国領域内で強制力を持つB国法を立法する。C国も同じである。A、B、C各国の法は主権平等の原則から平等であり、優劣はない。法が強制力を持つ範囲を法域（jurisdiction）とすれば、各国法の法域は原則として各国領域と一致する。領域は国際法上認められた地理的概念であるから、地球上A、B、Cいずれの国にも専属しない公海のような平面が存在することにな

る。これらの主権国家に専属しない平面についての取扱いは、各国間の条約や長い歴史を通じて形成されてきた国際慣習法、つまり一般国際法によって決められるとされている。以上でわかるように各国の法域は領域と結合してパッチ・ワークのごとく分立して地球上の平面を被っている有様を呈しているのである。

このような状況下、国際金融を規律する法的原理、原則はどうなっているのかを解明するのが本書の目的である。A国がB国へ政府借款を供与する事例をまず考えてみよう。この場合、借款契約の当事者はA国、B国ともに国家であるから、AB間の契約は主権国家間の契約つまり条約と同一視され、契約内容そのものが最終的な典拠としてお互いの権利義務関係を規律することになる。条約の解釈で紛争が生じる場合互いにその解決手段として合意があれば、国際司法裁判所への提訴が行われ得ることになる。その際の判断基準は条約の解釈に関する国際法ということになろう（たとえば、「条約法に関するウィーン条約」）。

次にA国の私人αからB国の私人βへローンが行われる事例を考えてみる。この場合αとβの間の契約は条約ではないから、いずれかの国の法に準拠して解釈されなければならない。なぜかというと、$\alpha\beta$間に契約をめぐり争いが発生した場合、その争いを裁く超国家的な機関は今のところ存在しておらず、また、所属国を異にする私人間の契約を規律する世界法のごとき普遍的な法が存在していないから、紛争の提訴を行おうとするαもしくはβはいずれかの国の裁判所へなさなければならず、それを受けた裁判所はいずれかの国の法に準拠して事案の審査を行わなければならないからである。

さて、ここで、$\alpha\beta$間の取引を規律する法として、A国にはA′法が、B国にはB′法が存在していると仮定する。A′法とB′法の規律内容は異なるのが普通である。$\alpha\beta$間に契約の効果をめぐり争いが発生し、αがA国裁判所に訴えを提起したとする。かりに、A国裁判所は当該事件に対しA′法を適用して判決を下すことが想定され、B国裁判所に訴えを提起したとするとB国裁判所はB′法を適用して判決を下すことが想定されるならば、同じ案件なのに判決の結果が異なってくることも十分あり得る。このような弊をなくすために、A国とB国は条約により、A′法、B′法を同一なものに統一することがある（実質法の統一といわれる）。また、A′法、B′法はそのままにしておき、$\alpha\beta$間の取引を類型化し、同じく条約により類型ごとに、たとえば本件のごときA国αからB国βへのローン契約については、たとえば常に借主国法に準拠して規律するように合意することもある（国際私法ないし抵触法の統一といわれる）。

以上にみてきたように、地球を被う法の網については、グローバルなものとして国際法があるが、その対象が原則として国家であり、そのファンクションは基本的には国家と国家の関係を規律するものである。間接的に私人の国際取引を規律する条約が存在するが、それとて十分なものではない。結局のところ、私人の国際取引を規律するものは、基本的には憲法から一般の民商法、経済取締法規にまで連なる各国の国家法なのである。

②国際金融を規律する法

〔準拠法の確定〕

国際金融は国境を越えた金融取引と定義したが、最も簡単な事例として、A国の私人αからB国の私人βに対して貸付がC国通貨で行われた場合を設定してみる。C国内における銀行口座の振替によって貸付資金、返済資金の受渡しが実行される約定がなされていたとする。契約どおり貸付資金の振込がC国銀行β勘定へ振込まれ、貸付期間が満了し期日にC国銀行α勘定へ返済資金が振込まれれば何も問題はおきない。あたかも自然現象のごとく事は円滑に流れる。これはその限りで法が介入する必要がなく済んだ状態ともいえる。

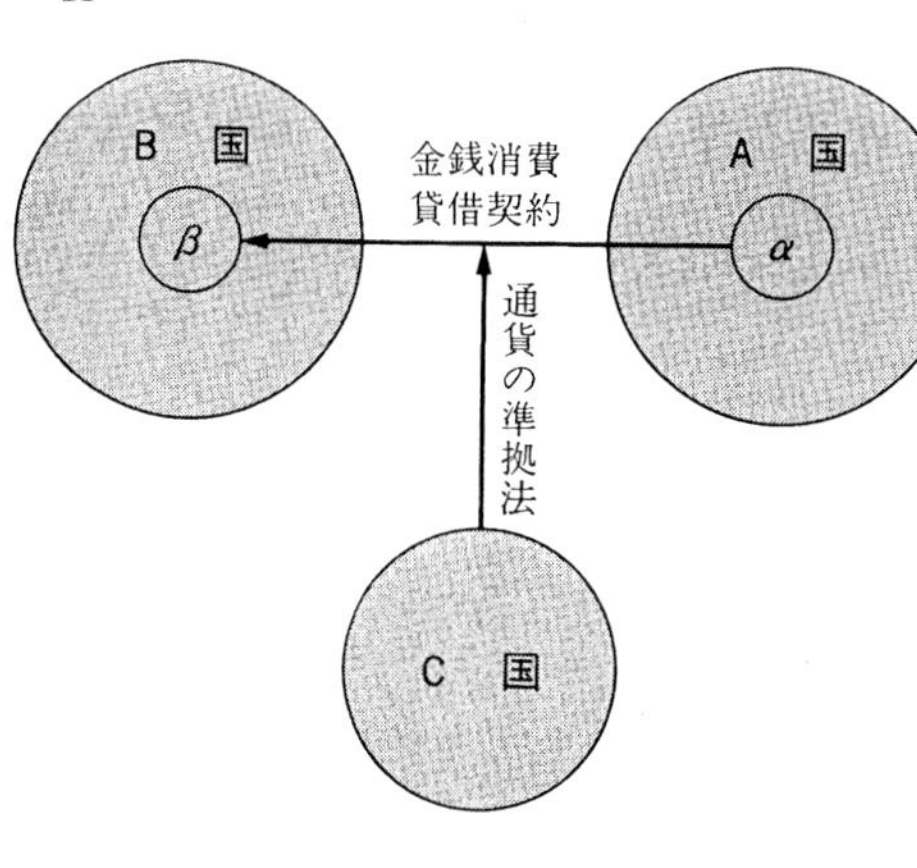

問題は$\alpha\beta$当事者間に何らかの支障が発生し一連の取引が円滑に完了しないときである。貸付契約中に前提条件（condition precedent）となっている為替管理法上の許可がとれずにαが貸付金を振込めないケース、期日にβが返済しようとしたとき同じくB国政府が外貨危機におち入り、外貨送金停止命令を発動し、外貨振込ができなくなってしまうケース、単純にβの財務状態が悪化して債務不履行になってしまうケース等、さまざまな状況が想定される。ここではβが何らかの理由を申立てて貸付の返済をこばむ事態を想定すると、現代社会にあってはαは公権力による法的救済を求めてA国ないし

B国の裁判所に駆込むこととなろう。

α はA国の法域に所在している。また β はB国の法域に所在している。A国裁判所がこの事件を取扱うとすればA国法を適用するのであろうか。また、B国裁判所が取扱うとすればB国法を適用するのであろうか。もしそうだとすればA国法とB国法は通常その内容を異にするから、駆込む裁判所によって判決の結果も違ってくる。また自分に有利な判決が下ると思われる裁判所を α は選んで駆込むことにもなろう。そうなると、いわゆる法廷地漁り（forum shopping）の弊がでて判決の国際的調和を期しえない。ひいては契約の当事者にとって法的予測可能性が得られなくなるばかりか取引の安定性が損なわれることとなる。

この場合、どういう過程を経て紛争の解決が得られるのであろうか、それを概観してみよう。

α から訴えを提起された場合、A国裁判所、B国裁判所とも提起された事案に照らし、自国に当該事件に対する裁判権ないし国際裁判管轄があるか否かをチェックする。チェックの基準は自国法（法廷地国際民事訴訟法）となる。この点が否定されればいわゆる門前払いの扱いとなる。

この点をパスして訴訟がA国裁判所に係属したとすれば、本案訴訟の開始となるが（なお訴状等の国外への送達の問題については石黒・上二一七頁以下）、裁判所はともかくも αβ 間の契約の準拠法の確定に努めることになろう。準拠法が確定しなければ裁判所が事件を審査する基準がなく裁判ができないからである。渉外事件に関する準拠法選定のルールを「国際私法」とか「抵触法」「衝突法」というが（国際私法全般については、たとえば澤木・新版国際私法入門、石黒・国際私法参照）、わが国におけるそれは明治三一年に公布施行された「法例」の第三条から第三一条までを主体とする。国際契約の準拠法に関してわが国では当事者自治の原則（法例七条）を認め、一応、明示の準拠法指定があるときはそれに従い、それがないときは黙示意思の推定を行い、意思不明のときは契約締結地の法によることとなっている（なお当事者自治の原則について詳しくは、折茂豊・当事者自治の原則〔昭四五〕、および石黒・二二二頁以下）。右にはわが国の国際私法の例を引いたが、このルールが万国共通のルールでないことに気をつけなければならない。したがって、当面する問題にたち帰ると、A国裁判所はA国「国際私法」に準拠して αβ 間の契約準拠法を確定することになる。αβ 間の取引が貸付であれば、契約書上 αβ 間の合意として当該契約の準拠法が明示されていることが普通で、この場合それがB国法であったとすると契約債権に関する当事者自治の原則をA国法が採用していれば、B国法が準拠法として確定されることになる。

こうして確定された準拠法に照らしA国裁判所は事案の審理を行うこととなるが、契約の準拠法がすべてを規律するわけではないことに注意しなければならない。契約の成立や効力つまり当事者間の権利・義務関係を規律するものは当然、契約準拠法となるが、当事者の行為能力等が問題となるときには当事者の属人法が問題となる。また、αβ 間の貸付に使用された通貨が貸付期間中に切下げとなったような場合には契約書上に別段の特約がない限り当該通貨の所属国たるC国法がさらに問題となることになる（石黒・一六一頁以下）。

〔手続面と実体面〕

裁判過程には手続面と実体面の二面があり、「手続は法廷地法による」という原則が広く各国にわたり認められているのであるが、手続と実体の区別が各国によって区々である現実にも注視する必要がある。たとえば契約違反の損害賠償に関してはそれを手続問題とする国があり法廷地により賠償の方法、賠償金額等が大きく違ってくるという問題がある（石黒・一八七頁以下）。これに類する扱いを受ける問題としてよく知られているのは消滅時効である。それが手続事項としてとらえられる法制下にあっては訴権の失効として処理されることとなる（石黒・一九六頁以下、および、最近のイギリスの法改正につき・国際法外交雑誌八三巻六号〔昭六〇〕〔高桑〕参照）。したがって、そのような問題が発生するか否かは本事件の場合、A国の法制いかんによるところとなる。

ところで、法廷地たるA国に対外金融を規律する外為管理法や利息制限法のようないわゆる強行法規が存在する場合、その効果は$\alpha\beta$間の取引にどのように及ぶかが問題となる。これも法廷地がA国、B国、C国、……N国のどこであるかに応じて分けて考えねばならない問題である（本書三〇九頁以下）。まず、A国が法廷地国になるとすれば、強行法規の立法趣旨（いい換えればその強行性の程度）に照らし適用の有無が決定されると考えるべきであるので、この場合、まず外為管理法などの適用は契約準拠法のいかんによらず当然とみられ、利息制限法については若干微妙な問題が残ることになろう（石黒・三一一頁以下）。

また、βの返済遅延が、たとえば外貨準備の払底に陥ったB国の発動したモラトリアム令に原因するものであったとすると、そもそも$\alpha\beta$間の契約準拠法が、この場合B国法とされているならば、モラトリアム令（B国強行法規）は契約の効力を支配することになり、結果としてA国裁判所はβに対して即時支払を命ずることはできなくなる。$\alpha\beta$間の契約準拠法がA国法ないしC国法であってA国が法廷地国であった場合には判決の内容はA国裁判所の国際私法のルールによって変ってこようが、即時の支払を命ずることができても、βは事実上、B国法により対外送金を禁じられているのだからそれだけでは問題は解決しないとみざるを得ない。

さて、本件に関し、格別の強行法規の発動もなく、αが首尾よくA国裁判所から給付判決を得たとしよう。αはその判決の執行を求めようとするが、βはB国に所在し、A国内には何らの財産も保有していない状況にあったとすると、αはB国裁判所へ申出て、A国で得た判決の承認と執行を求めなければならない。その場合、B国裁判所がA国判決の承認・執行の判決をなすか否かはひとえにB国の国際民事訴訟法（広義の国際私法は準拠法の問題のほか国際民事訴訟法上の諸問題も含むものである）にかかっており、国によっては、新たな訴訟の提起と同じ扱いをするところもあり区々である。

ここまでα、βとも私人と想定して説明してきたが、ここでβをB国自体（β'とする）に置き換えてみた場合どういう問題がおきるのであろうか。契約当事者の一方が国家となるので、いわゆる国家契約（state contract）の例となる。$\alpha\beta'$間の契約準拠法がB国法に据置かれている場合を想定すると、β'は国家であるからB国法そのものを改変できる立場にある。契約成立後、B国法がβ'により恣意的に改変されるような事態となれば貸主αはどのような不利益を被るか予想がつかない。また、$\alpha\beta'$間に契約上の争いが発生してαがA国裁判所へ提訴した場合、A国裁判所がβ'に対していわゆる主権免除（sovereign immunity）の原則や、とくに米国で問題とされる国家無答責の原則ないし国家行為理論（act of state doctrine）をどう考えるのかが問題となる（本書三〇頁以下、六二一頁以下）。これにはとくに主権免除について一般国際法の側面からの考察も要求されるが、それとて各国の国際法イメージに左右される問題であり、第一義的には受訴裁判所の見解次第のところが大きいのである。他面、αがB国裁判所へ提訴してしまっていた場合はどうなるか、ということも考えておかねばなるまい。

以上、もっとも簡単な国際金融の事例を設定して適用法規の側面を概観した。これだけみても国際金融の背景には多元的な法秩序が存在し、そのうち当該取引と何らかの関係のあるいくつかの法規がその適用を迫ってくる有様が観察できる。私人間ないし私人・国家間の国際契約に関する法規の選択・適用ルールは既述のとおり国際私法によるところが大であるが、最大の難点は国際私法が、基本的には各国ごとに定立された国内法であることである。国際私法の名称から門外漢にはそれがあたかも私人間の国際取引を一元的に規律する国際法の一分野のごとき印象を与えるのだが、あくまでも各国国内法の一部なのである。したがって、その内容は極端にいえば国ごとに異なるのである。このような法的環境の下で、われわれが国際契約を締結するに際し、将来の訴訟事態をも視野に入れてその完全を期するためには、関係国の一般民商法（実質法）のほか、その国際私法（抵触法）がどうなっているのかも十分理解した上で作業を進める必要があるのである〔一　沢〕。

（参　考　文　献）

◇渡辺誠『国際金融エコノミストの眼』一二八～一三八頁、昭和六〇年、東洋経済新報社。
◇小田滋・石本泰雄・寺沢一『現代国際法』九八～一九一頁、昭和五八年、有斐閣。
◇澤木敬郎編『国際私法の争点』一二～一七頁〔炑場・高桑〕、昭和五五年。
◇寺沢一・内田久司編『国際法の基本問題』一一六～一二四頁〔山本〕、昭和六一年、有斐閣。
◇坪田潤二郎『国際取引法の基本問題』一八九～二四〇頁、昭和五七年、酒井書店。
◇山本敬三『国際取引法』一一～四二頁、昭和五九年、学陽書房。
◇池原季雄『国際私法（総論）』一～二二頁、昭和五五年、有斐閣。

第**2**部

国際金融法務の最前線から

〔はじめに〕

以下、第2部では、1の「序章」において、これから真の意味での国際化を迎えようとするわが国の金融市場において実際に生じてきている問題の一端をまず示し、一般の注意を喚起すると共に、つづいて2章以下においては、広く世界に視野を広げ、今日の国際金融取引の最も核心的な部分で生じ、さまざまな議論を呼んでいる諸問題のうち、重要度の高いと思われるいくつかを選び、検討しておきたい〔石　黒〕。

1 序　章

1　レター・オヴ・コンフォートの法的拘束力

①ニューヨーク州の裁判所に訴えられた事例の教訓

外銀のわが国内での活動が活発化する中、昭和五六年に発生したチェイス・マンハッタン銀行対T銀行の事件は、日本的な取引感覚であいまいな内容の文書を相手方に渡すことの怖ろしさをまざまざと見せつけた、象徴的なケースといえよう。このケースではチェイス・マンハッタン銀行の在日支店が札幌の岩沢グループ内の会社に融資をする際、融資先会社のメイン・バンクの一つであったT銀行が、チェイス側からの依頼を受けて、英文で記載されたいわゆるletter of comfort（A4版タイプ一枚程度の書面）を差出した。そこには、右の融資にT銀行側が同意を与え、かつ、融資先会社におけるメイン・バンクとしての地位と影響力を維持し、しかも、融資先会社の右債務の履行を積極的に支援すべく最大限の努力をし、すでに供された担保の価値の減少に際しては直ちに融資先会社が追加的または代替的な担保を提供することをT銀行として保証(ensure)する旨が記載されていた（実際の文面は、長谷川俊明・法律英語のカギ〔昭六〇〕一三四頁以下にも示されている）。融資先の倒産に際して紛争が生じ、T銀行側はこれを単なる融資先の紹介状であって法的拘束力はないと主張したが、チェイス側は右債務の履行をT銀行側が保証したとして、ニューヨーク州の裁判所に、T銀行を被告として数十億円の支払を求めて訴えを提起した。この事件では結局和解が成立したが、同種の問題は今後もいくらでも生じ得る。

まず、本件訴えがわが国ではなく、外国の裁判所に提起されたことが、注意されるべきであろう。かりにわが国の裁判所に訴えが提起されたのなら、わが国内での融資案件に単に外銀が加わったのみということで、日本法が準拠法とされ（右のレターに準拠法条項はなかった）、日本的な感覚ですべてが処理されたかも知れない（ただし、だからといってT銀行側が勝つとは限らない）。けれども、訴えはニューヨーク州の裁判所に提起された。判例法中心のニューヨーク州における準拠法選択のルール（なお本書二七九頁）が同州裁判所で本件につきどのようにあてはめられるかは、和解で終ってしまった本件については不明なままだが、結論として、アメリカ的な法感覚から本件レターの法的拘束力が肯定される可能性はもとより残る。かりに米国でチェイス側勝訴の判決が確定すれば、T銀行の在米資産に対して執行がなされることになるし（ニューヨーク州以外の他州に執行対象財産があれば、その他州におけるニューヨーク州判決の承認・執行が、比較的スムーズになされ得ることになる）、それで足りなければ、わが国または第三国におけるT銀行の資産が狙われることになり、それらの国々におけるニューヨーク州判決の承認・執行が問題となるのである（なおわが民訴二〇〇条・民執二四条参照）。

②裁判所がどう評価するかが問題

ところで、一口に letter of comfort といっても内容はさまざまであり、具体的な文言や当該取引をめぐる諸般の事情がその法的拘束力を左右するであろうことは、準拠法のいかんを問わず、この種の書面を徴求される側として、当然予測すべきことだが、右のケースでもそうだったように、正式の債務保証を回避しようとして出されることの多いこの letter of comfort につき、注意すべきは、わが民法とも法制の近い西ドイツにおいて、むしろその法的拘束力をはっきり認めた事例が、すでに報告されていることである。ここでも問題の本格的研究（したがってとことん突き詰めたところでの法的解決のありよう）は本書以後の検討に譲るが、西ドイツのドレスナー・バンクのロイヤーが述べるところ（P. Franken, IFL Rev., 14f〔June 1985〕）を左に紹介しておこう。

letter of comfort ないし comfort letter は、西ドイツ法上の保証（Bürgschaften）と損害担保

（Garantien）に近い性格のものとされる。ドイツ民法七六五条以下の規定するのは前者であり、わが民法四四六条以下の保証債務と対応する。この Bürgschaften は英米法上の surety に、Garantien は guaranty にそれぞれ対応するものとされているが（ただし、右のチェイス対T銀行事件に関する金融法務事情九七五号四頁〔桃尾〕の叙述と対比せよ）、それらとの関係で letter of comfort をいかに法的に評価するかが問題となる。

一九八一年、一九八四年に西ドイツの地裁レベルで問題となった letter of comfort は、いずれも近い内容のものであり、『債務者が債務を履行するに十分な資金援助を債務者に対して行う』ことをその主な内容とするものだったが、債務者の倒産に際して、このようなレターを受けとった者からその発給者に対してのちに損害賠償の請求がなされたのである。そして、いずれのケースにおいてもその請求が認められた。つまり、letter of comfort の法的拘束力がはっきりと認められたのである。しかも、letter of comfort が西ドイツ法上の保証・損害担保のいずれかにあたるか否かにかかわらず、その法的拘束力を認め、そこに示されたレター発給者のかかる法的義務の違反に対して損害賠償が認められるとする点では、学説上もかなりのコンセンサスがあるとされる。もとより、統一的な文言があるわけではない letter of comfort については、まずもって個別的考察がなされねばならないことは既述のごとくだが（因みに英国では、はっきりとなんら法的義務を負わぬ旨明示された場合や、letter of comfort の発給者が単に現時点での自己のポリシーを事実としてそのまま記載したにとどまる場合はともかくとして、かなり広くその法的拘束力を認める姿勢が示されている。なお Lingard, Comfort letters under English law, IFL Rev., 36f〔Jan.

1986〕)、われわれとしても注意しておいてよい点である(なお、同種の問題として、たとえば、将来一定の融資がなされるべき旨の representation につきそのとおりに事が運ばなかった場合の表意者の賠償責任の問題がある。オーストラリアにおける最近の動向についてはTonking/Cornwell, IFL Rev., 17f〔August 1985〕)。

③水面下の諸問題の総点検を

ある文書に一体法的拘束力があるのか否かがあいまいなままそれらの交換されることの少なくないわが国の取引風土において、一体どこまでの内容が盛り込まれればそれが契約となるのか、いい換えれば、一連の取引上の交渉の過程において、厳密にどの段階で契約が成立したことになるのかの分析が、取引実務においてのみならず一般にも、若干不足していたような印象を、筆者は受ける。これがヨーロッパの若干の大学における講義やゼミを垣間見て来た筆者の漠然たる印象にとどまるのか、それとも、日本人の契約観として海外でしきりに取り沙汰される、もっと根の深い問題と関係するのかはさらに検討を要するが(NIRA・三頁以下、八二頁以下〔石黒〕)、外国企業との取引においては、いずれにしても十分な注意が必要である。チェイス対T銀行のケースでT銀行の支払った和解金額がいくらかは筆者には分らないが、たった一枚のレターの値段としては馬鹿にならない額だったことはたしかである。

銀行のみならず広くわが国の企業においては、実際のビジネスを担当する部門と法務部門とのフィード・バックが、欧米の企業に比してあまりうまく行っていないようだが、「法的観点の裏づけのない国際取引は橋なくして崖に一歩を踏み出すようなものである。いくら彼方に美しい虹が見えても、崖は崖なのである」(同右・八六頁)。チェイス対T銀行のケースは、実は氷山の一角でしかないのかも知れない。わが国の他の銀行や一般の企業としても、あり得べき水面下の諸問題に対して、総点検を行う必要があろう〔石　黒〕。

2 日本の利息制限法は米ドル建貸付にも適用されるか

①米ドル金利が年利一五%を上下していたこともある

外貨建の貸付（したがって別段いわゆるインパクト・ローン（実務編三五頁以下参照）の場合に限った問題ではないのだが）がなされる場合、しばしばわが利息制限法との関係が問題となる。超低金利時代の昨今においてはさして現実味はないかも知れないが、元本が一〇〇万円以上の場合、一律に年一割五分以上の利息支払およびその旨の約定を無効とする同法が、国際金融取引にとってかなりの足かせとなり得ることは、誰でも想像がつくであろう。純然たる国内での金融取引においても、いわゆるサラ金から一般消費者を守る最後の砦がこの利息制限法（に関する判例理論）であることはたしかだが、反面、同法が足かせとなって大銀行が消費者金融に乗り出せず、そのためにサラ金をのさばらせる結果となった面もたしかにある（ジュリ七九六号〔昭五八〕一八頁以下〔竹内昭夫〕の叙述の背景にも、この点があると思われる）。一般消費者向けの小口金融を別としても、一律一五%という年利率の制限がどこまで現実的なものかは十分な検討を要するところであろう。

ところで、国際金融取引との関係でわが利息制限法の適用がとくに問題となるのは、たとえばインパクト・ローンの場合、適用金利がユーロ市場金利を基準として決定されるからである（〔実務編〕三八頁）。米ドル建インパクト・ローンを考えれば、米国の高金利政策との関係で、それと連動して決定されるユーロ市場での基準となる金利（いわゆるＬＩＢＯＲ――ただし、一般的にはＬＩＢＯＲの地位も昨今若干相対化してきつつある）自体がまさに年利率一五％あたりを上下していた時期もあったし、今後も同種の事態は、各国の金利政策次第で十分に生じ得る。しかも、従来の考え方からすれば、ＬＩＢＯＲの示すレートは、いわばユーロ市場からの資金調達のコストなのであり、銀行の実際の収益はＬＩＢＯＲプラス・アルファの利率で貸出がなされた場合のプラス・アルファの部分に過ぎないのである。

この場合、利息制限法所定の制限超過利息の支払についての著名な一連の最高裁判決（最大判昭和三九年一一月一八日、民集一八巻九号一八六八頁、最大判昭和四三年一一月一三日、民集二二巻一二号二五二六頁、最判昭和四四年一一月二五日、民集二三巻一一号二一三七頁）の論理をストレートにあてはめると、制限超過利息の支払はあくまで無効であって、債務者からの不当利得返還請求がなされ得ることにもなる。消費者金融と異なりいわば大人どうしの取引たるインパクト・ローンなどにおいて、この点が実際に問題となるのは、債務者が倒産したかそれに類する事態に立ち至った場合に限られようが、融資をする銀行側にとっては、いずれにしても頭の痛い問題であろう。

②利息制限法の強行性の程度が問題

もっとも、国際金融取引である以上、準拠法（ローン契約の準拠法）が問題となるのであって、それでは、インパクト・ローンに際して外国法を準拠法として明示しておいたならどうなるか。ここで問題となるのが、利息制限法の強行法規性である（もちろん、居住者向け外貨貸付、つまりわが国企業間のわが国でなされた貸付につき、単に外貨が用いられたということだけで、外国法が契約準拠法として指定され得るかという理論的問題がある（石黒・二二一頁以下、七三頁以下）。

わが国の裁判所で紛争の処理がなされる場合に外国法が準拠法とされたとしても、わが国のすべての強行法規の適用が排除されるわけではない。国際私法的には、いわゆる強行法規につき、さらに、それが準拠法のいかんを問わずに適用されるだけの強い政策的基盤を有するもの（その意味で絶対的な強行法規）か、それとも、準拠法がわが国法となった場合にのみそれが適用されるにとどまるもの（相対的な強行法規）かの区別が必要になる（同右・三一頁以下）。独禁法や外為法が（その規律の主たる部分について）右の前者たることはほとんど自明であるが、利息制限法が右の意味で絶対的な強行法規か相対的なそれかには、わが国際私法上議論の余地がある（同右・三九頁以下）。かりに前者とすれば、わざわざ外国法を準拠法としても、わが国で訴えが提起される限り、わが利息制限法の適用は回避し得ないことになる。

ただ、参考までに一言すれば、かりに利息制限法が適用されたとしても、大人どうしの国際金融取引たるインパクト・ローンについては、わが国法上既にして救いとなる点がないではない。それは、消費者金融問題を軸に展開してきた、ほかならぬ利息制限法に関する判例理論、とりわけ前記の一連の最高裁判決後の下級審判例の中に示されている。すなわち、最高裁の判例により過払利息についての不当利得返還請求が認められる際、制限超過利息の支払は、あくまで債務が存在しないのに払った点で非債弁済（民法七〇五条）として扱われた。債務者が債務の不存在を知りつつ任意に支払ったのなら非債弁済としてもはやその返還を請求し得ないが、それを知らずに支払ったのだから不当利得が成立する、とされたのである。そのため、その後の下級審判決においては、非債弁済法理の枠組の中で、債務不存在についての債務者の知・不知、および、たとえそれを知りつつ支払ったにせよ、そのような支払をなすにつきそれなりの客観的・合理的事情があったか否か(それがあるならば、やはり不当利得返還請求が認められる)、といった点が問題とされた。注目すべきは、そこにおいて、借り手たる債務者が金融のプロである場合には、結局不当利得返還請求が否定され、制限超過利息の支払が、まさに非債弁済として結論的に支持される、といった判断枠組が示されていることである〔ジュリ八五二号〔昭六一〕〔石黒〕二一四頁以下〕。インパクト・ローンのような場合、典型的にはわが国大企業間の外貨建貸付であることを考慮すれば、少なくともすでに支払われた制限超過利息の返還請求は、右のような判例理論からは拒めそうである。ただ、利息の支払がいまだなされていない段階で融資先企業が倒産をしたような場合、債権者たる銀行は、依然として救われない。この点は利息制限法について新たな解釈を施すか、または立法によって解決するほかない。だが、利息制限法に関する最高裁の判例理論を骨抜きにすべく意図された貸金業法(とりわけその四三条――同条の下においても前記の判例理論を基本的に維持し得ることにつき同右評釈の三参照)のような、あとあとに種々のしこりを残す安易な立法は、ここでもなすべきではなく、インパクト・ローンをはじめとする国際金融取引をも十分に視野に入れた適切な立法がなされるまでには、なおかなりの年月を要すると見ざるを得ないであろう〔石　黒〕。

2 発展途上国の累積債務問題とその法的側面
――アライド・バンク事件をめぐって――

1 序説

国際金融取引の円滑な流れを最後のところで支えるものは契約であり、個々の契約条項のドラフティング技術がいかに重要であるかは、本書の随所でも示されるところであるが、具体的な紛争が起きたときにそれらの契約条項が実際に各国の裁判所でどのように評価されるかは、別問題である。民間の銀行からの種々の融資案件につき仲裁合意のなされることは、現状ではあまり見られず、そこで各国の裁判所において、国際的な事件(渉外事件)としてそれらが処理されることになる。問題は、法廷地国を含めた関係諸国における、種々の強行法規と、国際的な当該金融取引契約との関係である。契約に対し一国だけが国家的規制を加えることは、むしろ例外的な、幸運なことであり、現実にはあまり期待できない。関係諸国の、競合し、ときに矛盾する強行法的規制の中で、それらの適用関係につき、契約準拠法の決定を基軸としつつある種の交通整理をするのが国際私法の任務ともいえるが、国際契約法の現段階における問題枠組と実際に生じてきている種々の問題については、石黒・二一頁以下で論じた。

ところで、国際金融取引の実際においてしばしば問題となるのは、累積債務をかかえる発展途上諸国における外為規制が、国際的な金融取引契約に、いかなるインパクトを与え得るかの点である。この点をも含めて国際私法（さらには、広義の用語法においては国際私法の中に含まれる国際民事手続法）によるしかるべき処理がなされるのだが、米国の裁判所で事案が処理される際には、さらにそれらに加えて、注意すべきいくつかの点がある。その中で最も大きな問題をはらむものが、これから論ずる、いわゆる国家行為理論（act of state doctrine）であり、とりわけこの点は、契約の履行を求めて米国で訴えを提起しようとする側の者にとって、はっきりと法的リスクの一つとして認識しておく必要がある。準拠法選択のなされ方一つをとってみても、米国では、日本やヨーロッパ諸国の伝統的な国際私法理論と基本を異にする、いわゆる抵触法革命が進行中であり（石黒・上六〇頁以下）、関係諸国（州）の強行法的規制の間の調整のなされ方をも含めて、十分な注意を要する。だが、米国の国家行為理論（その理論的検討についてはアライド・バンク事件、リブラ・バンク事件に焦点をあてつつ、石黒・上二四一頁以下参照）は、具体的な準拠法の選択とその適用に至る前に、契約の履行等を求めて訴えを提起する当事者に対して門前払いを食わせる性格のものであり、深刻な問題となる。

ここでは、ヘルシュタット銀行倒産事件に匹敵し得るほどの大きな関心をもって各国の国際金融界から、その動向が（ただしかなりネガティヴな意味で）注目された最近の事例たるアライド・バンク事件について、やや詳細に見ておくことにしよう。そして、この点についての実務家の立場からの検討のあとで、研究者の立場から、最低限のコメントを加え、今後わが国においてもなされるべきいっそうの研究のための、いくばくかの橋渡し的な任務を終えたいと考える（石黒）。

2　アライド・バンク事件の全貌

①事件の背景――為替管理の強化で米ドル払いが停止された

一九七六年、コスタリカの某倒産銀行の債務継承をめぐり、アライド・バンク（Allied Bank International）をエージェントとするシンジケートが組まれ、手形貸付の形でリスケジュールが行われた。シンジケートは三九の銀行で構成され、約束手形の支払人はコスタリカ中央銀行が一〇〇%出資する三つのコスタリカ商業銀行であった。融資契約は英語、スペイン語双方で作成され、どちらが正本かの指定はなかった。契約上、ニューヨークにおいて米ドルで無条件に期日返済をなすとの約定はあるものの準拠法の明示指定はなされていなかった。ニューヨークとコスタリカの双方が裁判管轄地として合意されていた（非専属的な国際裁判管轄の合意）。当該債務は米ドル建債務であるため、外貨手当の都合からコスタリカ中央銀行に登録された。債務不履行時の治癒期間として三つのコスタリカ商銀レベルで三〇日、コスタリカ中央銀行レベルで一〇日のグレース・ピリオドが置かれていた。

一九八一年まで、当該手形債務は三つのコスタリカ商銀により約定どおり返済が進んでいたが、融資残高が当初の半分程度（約五〇〇〇万米ドル）となったところで返済が停止された。経済危機に見舞われたコスタリカ政府が為替管理を強化、民間に対する米ドル供給（ドル売り）を停止せざるを得なくなったためである。コスタリカの外貨準備が事実上涸渇してしまったので、同国公的対外債務とあわせ民間債務のリスケジュール交渉が始まった。アライド・バンクもシンジケートのエージェントとしてリスケ交渉に入ったわけであるが、リスケ案の合意が成る前に、シンジケートの一員であるFidelity Union Bank of New Jerseyが繰り延べに反対、履行請求の訴えを起すべしと強硬に主張する事態となった。実は、同行も口頭ベースではあらかじめリスケに原則同意の態度を示していたのであるが、内部で本件強行措置をとった場合どうなるのか事前調査に要した弁護士費用約一〇万米ドルをコスタリカ側が負担するのであればリスケに応じるとの個別方針を打出したため、コスタリカ側の応諾が得られず、結局、アライド・バンクはシンジケートのエージェントとしてニューヨーク連邦地裁にコスタリカ三銀行の債務履行請求の訴えを起さざるを得なくなったものである（本件は事実に関する争いはなく、法律に関する争いをもっぱらとするためアライド・バンクは略式判決［summary judgment］を求める訴えの提起をした）。

②債権者側が敗訴

ニューヨーク南部地区連邦地裁は本件に対して国家行為理論が適用されることを理由にアライド・バンクの訴えを却下した（Allied Bank International et al v. Banco Credito Agricola de Cartago, 566Supp 1440 SDNY 1983）。この第一審判決は金融界をはじめとする大方の予想を裏切るものであり、驚きの目で受止められた。とくに、本判決の三日後に同裁判所のモトレイ主席判事により下された類似事件に対する判決（いわゆるリブラ・バンク事件）が全く逆の結果を示しただけに

(Libra Bank Ltd. v. Banco Nacional de Costa Rica, 570F Supp 877 SDNY 1983)、原告側の納得を得るに至らず、アライド・バンクは第二巡回区連邦控訴裁へ控訴した。

一九八四年四月二三日に下された控訴審判決は再び大方の期待を裏切って原告敗訴とするものであった（Allied Bank International et al v. Banco Credito Agricola de Cartago et al, 733 F 2d 23, 2nd Circuit 1984）。判示は第一審で棄却理由とされた国家行為理論には言及せず、国際礼譲（comity）の原則が本件に適用されること、およびその前提としてコスタリカ政府のとった措置（為替管理を通じた対外支払の停止）が米国の法と政策に反しないと解釈されることの二点を柱とするものであった。

国際礼譲とは本来「各国の君主は礼譲のため互いに他国の法律を尊重し、自国の権利・利益を害せられない限り、その効力を有せしめるべきである」という国際法上のコンセプト（澤木・九頁、国際法辞典二三二頁）である。この事例では、コスタリカの大統領令（一九八一年一一月に出された外貨払を許可制とする為替管理）とそれに基づくコスタリカ中央銀行の諸措置はコスタリカの対外支払を停止せしめる事実上の効果をもったのであるが、同国経済危機とそれへの緊急対策——ＩＭＦと諸外国の協調も得た——が不可欠であった状況を勘案すると、かかる措置は米国の法と政策に背反するものでないから、是認されるべきだとの筋になる。米国の法に背反しない論拠として、控訴審判決は倒産法（そのチャプター・イレブン）における債権者の扱いが、コスタリカに対する債権者に対しても類似的に適用されるべきだとの見解を示し、その見解の妥当性を補強すべく、一八八三年のカナダ南部鉄道事件（Canadian Southern Railway Co. v. Gebhard, 109

US 527 1883. ニューヨーク州民が保有していたカナダ南部鉄道債のリスケジュールを是認した連邦最高裁の判決，内容後述）を援用した。また，米国政府がコスタリカの対外債務繰延べ意思を承認したことの証左として，控訴審判決はレーガン政権のコスタリカに対する援助計画の続行，シュルツ国務長官によるコスタリカ債務繰延べ措置を承諾する書簡，米国政府によるパリ・クラブにおける合意（コスタリカの政府間債務繰延べを決めた）等を列挙した。

③ニューヨーク交換所協会と米国政府も控訴審判決に不満

控訴審判決の行方に驚愕したニューヨーク交換所協会と米国政府（国務省）は即座に同事件の再審理の申請手続をとった。両者とも控訴審における大法廷再審理（rehearing en banc）を申請し，アライド・バンクをして連邦最高裁への上告の途を選ばせなかったのは，金融と商業とくに国際銀行業の分野における訴訟の多くが第二巡回区連邦控訴裁に集中しており，そこの方が連邦最高裁より本件事案の審理にふさわしい裁判所であるとの考えを持ったからであるとされる。

ニューヨーク交換所協会は同地の一流法律事務所の一つである Sullivan & Cromwell を本件顧問弁護士として起用，その再審理申請理由書（brief）において，控訴審判決の不当性とそれが米国にもたらすであろう深刻な影響を指摘した。深刻な影響とは，このさき債務不履行が行われても迅速な司法的サンクションが確実視できないことから，債務国のデフォールトが頻発化する可能性があること，また，リスケジュール交渉に際して貸手銀行のバーゲニング・パワーが失われることがまず懸念され，その結果として，ニューヨークを組成地・支払地とするシンジケート・

ローンが嫌われ、ロンドンやその他欧州市場へ国際金融の中心が移動してしまうかも知れないというものである。ニューヨークから欧州への金融シフトはニューヨークひいては米国全体の公益・商業利益を害することになる。

ニューヨーク交換所協会加盟銀行はいうまでもなくシチー銀行、モルガン銀行、マニュファクチャラーズ・ハイヴァー・トラスト銀行、バンカース・トラスト銀行、ケミカル銀行等のいわゆるマネー・センター銀行で構成されている。中南米諸国の債務危機に直面して、そのリスケジュールに積極的なリーダーシップを発揮してきたのは、これらのマネー・センター銀行であった。フィデリティ銀行のごとき米国の地方銀行（regional bank）が国際金融から手を引きたいとするとき、なだめすかしてリスケジュール・シンジケートにとどまるよう説得したのもマネー・センター銀行である。一行でも我意を通すべく司法的解決を求めると、クロス・デフォールト条項が作動して、連鎖的な請求訴訟が波及して、リスケジュールが崩壊する可能性があり、マネー・センター銀行の抱える膨大な中南米諸国宛債権が一ぺんに問題化するからである。しかし、だからといって司法的サンクションが不要では決してなく、それは抜かずの銘刀のようにして背後にもっていなくては銀行団は力を失うシチュエーションにある。フィデリティ銀行の行動はマネー・センター銀行の意に反するものではあるが、自らの力の基盤を失うことになっては一大事であるから、マネー・センター銀行はフィデリティ銀行に組して、再審理申請の挙に出ざるを得ないという皮肉な破目におち入ったのである。

そこで持ち出されたのが「契約の不可侵性」の主張である。銀行業における契約の不可侵性の重要さはあたかも米国民主主義政体において権利の章典（Bill of Rights）が占める重みと同じものがあり、融資はすべからくこの基本原則が守られるという前提にたってなされているのだから、他国が自国ないし自国民の権益擁護のために公益を理由に打出すモラトリアムは認められるべきでないと、ニューヨーク交換所協会は主張する。

同協会は控訴裁が後進国債務のリスケジュールに米国倒産法チャプター・イレヴンにおける債権者・債務者の関係と類似した扱いを導入してよいではないかとする考えを排斥する。カナダ南部鉄道事件は他国の債権者をまき込んではいるものの、あくまでも、一民間企業の債務不履行にかかわる民商事の倒産事件であり、その財務再建にあたって、内外の債権者が公平かつ無差別に扱われるという手続上の保証が確保されたため、米国最高裁もカナダ側の措置を承認したものであると、同協会は説明する。

〔カナダ南部鉄道事件〕

右に引用されたカナダ南部鉄道事件を概観しておこう。カナダ南部鉄道は一八六八年に鉄道業を運営すべくカナダに設立され、一八七〇年代に設備資金に充当するため、担保付社債を発行したが、後年に至り財務内容が悪化、社債の期日償還が不能の事態に陥った。社債権者と同社取締役が合同再建委員会を組成し、既存社債権者へ借替のための新社債を権利者割当の方式で割当て、急場をしのぐという計画が提案されるところとなった。新発債のほとんどに、New York Central and Hudson River Railroad Company の保証が付され、再建提案は社債権者の四分の三超の賛成も得られ、英国議会の承認も与えられた。公告も適法になされた。もっとも、四分の三の多数の賛成をもって社債権者全員の賛成が得られたとみなす規定は旧社債についてはなく、再建提案の中に新たに盛込まれたものである。事件は、再建案に反対し、旧社債の償還請求を求める米国社債権者により引き起されたものであるが、米国連邦最高裁は、①社債権者は当該社債の購入以前から、英国議会が正当な手続を経た社債の書替を合法化する権能を有していることを存知していること、②当該社債の書替を承認する英国議会の行為はいわば倒産法立法行為とみられ、米国においても、倒産法立法権限は連邦議会に専属的に与えられていることから類推して、それは米国連邦憲法の精神に合致すること、③また、旧社債権者の扱いが内外にわたり平等になされていること、等を理由に、英国の措置は国際礼譲の原則から承認されなければならず、原告の請求を棄却すると判示した。

〔ニューヨーク交換所協会の主張〕

さて、アライド・バンク事件に関するニューヨーク交換所協会の主張に話を戻す。同協会は、コスタリカがとったような一方的な為替管理導入という国家行為は民商事倒産における司法的国家行為とは性質を異にするものであるとする。つまり、後者は私人間の権利・義務関係を正義と公平の見地からいわば仲裁・調停するものであるのに対し、前者は国家自体の当事者利益を直接保護するものとみる。この見地から、協会は、控訴審でアライド・バンク側が持出した援用判例（Central Hanover Bank & Trust Co. v. Siemens & Halske A. G. 1936）を再度蒸し返す（同事件は第一次大戦後のドイツ経済の混乱に遭遇ジーメンス社の社債償還不能事態が発生、その再建計画に関連引き起された訴訟であるが、ドイツ側の措置が外国社債権者に対し差別的であったため米国裁判所で承認されなかったもの）。控訴裁はコスタリカのケースとこのCentral Hanoverのケースは差別性の点で異なるからアライド・バンク側に援用はできぬとしたのであるが、コスタリカの為替管理はまさしく外国債権者を差別扱いする点でCentral Hanoverのケースと一致するのだと、協会は反論する。アライド・バンク事件における融資契約は米国内で締結され、ニューヨークを支払地（義務履行地）とし、履行の態様はニューヨーク州法によって律せられる形となる。コスタリカが為替管理という強行法規を持出して債務者側から縛ろうとしても、その措置が外国債権者に対して差別的に働く限り、米国の公序観念、契約原則重視の観念に反することになるから、米国の裁判所によって承認されるべきでないと協会は主張する。

確かに米国政府はコスタリカ債務のリスケジュールに関し、パリ・クラブで政府間信用の繰延べに合意し、その他コスタリカ宛援助計画も進めており、また、米国の民間銀行が対コスタリカ債権を繰延べすることも慫慂しているのであるが、そのことをもって、融資契約当事者間の債権債務関係（法律関係）の解釈にまで影響させるのは裁判所の行き過ぎであると協会は批判する。

控訴審で採用された国際礼譲の原則に関しても協会は最近のレイカー航空事件の判例を引き、裁判所は自国民ないし自国法の保護下にある市民の権利が害される場合には国際礼譲の原則といえどもそれを採用する義務はないのだと論ずる。また、協会は第一審で原告請求の棄却理由となった国家行為理論についても以下のとおり言及する。そもそも国家行為理論の現代的解釈が形成されたのはサバチーノ事件（Banco Nacional de Cuba v. Sabbatino et al, 376 U. S. 398［1964］）においてであるが、そこでは米国の裁判所が外国のとった国家行為が国際法原則に合致するか否かの判断をまかされると、そのイエス、ノーにより米国政府（行政部、とくに国務省）は当該外国との外交関係に甚大な悪影響を受ける可能性があり、結果として米国の国益を損なう恐れがあるから、米国の裁判所は三権分立（separation of powers）を犯すような行為をすべきでないと連邦最高裁の基本的な考えが述べられている。アライド・バンクのケースはまさしくサバチーノ事件において示された連邦最高裁の考えに添って判断されるべきであって、米国政府の方針を確認してから判示すべき事件であると協会は論ずる。サバチーノ事件判決（一九六四年）は三権分立を犯すような行為をすべきでないから米国の裁判所は外国国家行為の有効性につき審査をしないと結論したのであり、それ自体は政府の方針を照会せよとしたのではないが、協会は最高裁の結論の前提を借用しているのである。

（なお、米国の国家行為理論のリーディング・ケースたるサバチーノ事件自体については、国際法辞典二九一頁以下〔堀部〕、この事件が米国の国家行為理論において占める重要性につき、この事件ののちに、米国の裁判所におけるあまりにも広汎な国家行為理論の適用を制限すべく議会によって行われたいわゆるサバチーノ修正や、アライド・バンク事件との関係を含めて、石黒・上二四一頁以下をそれぞれ参照せよ。それらに加えてここで一言のみすれば、複雑な経緯を辿って決着を見たこのサバチーノ事件の差戻後の一審において連邦地裁が最終判決まで六〇日間の間を置いたのは、サバチーノ修正中に大統領が米国の対外政策上の利益に鑑み国家行為理論の適用が必要だと判断し、彼の代理人を経由して裁判所にその趣旨が伝えられるときは国家行為理論を適用しなければならない——つまり当該国家行為の有効性を審理しない——という規定があるからである。このため、サバチーノ修正は米国裁判所にあまり受けがよくない様子で修正条文の扱いは字句どおりの厳格解釈が行われている模様である)。

〔米国政府の見解〕

ニューヨーク交換所協会の動きに呼応して、米国政府も本事件には積極的な動きをみせた。米国政府は控訴裁がコスタリカのとった為替管理措置を米国の政策に合致すると判断するにあたり米国政府へ照会することをしなかった点を遺憾とし、加えて、控訴審判決は米国の政策に関する裁判官の誤った理解に立脚して下されたと批判する。米国政府はその再審理申請理由書において、以下の趣旨を陳述する。なるほど、米国政府や米国議会においてとられた諸措置はコスタリカに対して好意的なものであるが、だからといって、そのことが米国における民商事債権の強制執行力を失わせしめる効果を持つものでなく、契約は契約として不可侵性を維持されなければならない。現経済状況下にあっては、債務国の債務リスケジュールは不可避であり、その際、債権者銀行による債権繰延べ合意、場合によってはニュー・マネーの供与が不可欠である。そうしたリスケジューリングが円滑になされるためには支払地を米国とする融資契約が、米国で強制執行可能であることが制度的に保証されていなければならない。もしそうした枠ぐみがアライド・バンク事件控訴審におけるがごとくあてにならないとすれば、民間商業銀行による融資繰延べないし新規追加融資は頓挫せざるを得ない。米国上院委員会公聴会で述べられた米国政府の累積債務国問題対応策の中でも、民間銀行による債権繰延べ合意の確保が重要な位置を占めている。したがって、そうした施策の推進を阻むような効果を持つような行為は米国の政策に合致しないとみなさなければならない。

以上のようなニューヨーク交換所協会と米国政府の意見に支えられて、アライド・バンクは本件再審理を控訴裁に申立てた。制度上、控訴裁が再審理請求を受理するか否かは裁判所の裁量にゆだねられる事項であるが、本件の場合は、米国政府も乗出してきたことからもわかるように相当に重大な事案であるので再審理が認められた。再審理被控訴人であるコスタリカ側はその代理人 White & Cae を通じて次のように抗弁した。

まず、控訴審判決は外国債務者の米国内における債務履行の義務を免除したものではなくて、外国債務者が債権者の大方の協調を得て債務リスケジュールをなそうと努力している最中に自欲に駆られてその協調をぶち壊そうとする悪徳銀行の動きを封じようとしたものである。次に、ニューヨーク交換所協会は本事件の背景にある特別な事情、つまり一国による処理可能の次元を超えた世界的な累積債務問題の存在や代替策がなく止むを得ず導入される為替管理の緊急性等を無視して、債務は債務、契約は契約といったむごいルールを押しつけようとしている。また、債務履行に関し、司法的強制が認められないと、債権者銀行は債務国に対し圧力をかけることができないと言われるが、そうではない。現に、リブラ銀行事件（前出）で勝訴判決をかちとったにもかかわらず銀行団は事件の現実的解決を図るべく、当該融資の繰延べ契約に合意している。控訴審判決における国際礼譲原則の適用は妥当である。なぜなら、米国の裁判所は自国法を強行することが友好関係にある外国の法を破る結果となる場合にはそうすることを控えるべきであり、本事件で問題となっているコスタリカの政府命令（為替管理）は米国債権者が保有する契約上の債権を没収したり、収用したり、否認したりするものではないからである。

④控訴審再審理判決――アライド・バンク側が勝訴

一九八五年三月一八日、第二巡回区連邦控訴裁判所は事案再審理の結果、前判決は米国政府方針の誤解に立脚して国際礼譲原則を適用して下されたがそれは誤りであり、アライド・バンク側の請求（略式判決）は認められるべしと自判し、連邦地裁へ事件を差戻した。判決要旨は以下のとおりである。

当裁判所は再審理前の判断において連邦地裁の結論（原告請求の棄却）を支持したのであるが、その際、国家行為理論の該当するかどうかには言及しなかった。コスタリカの銀行を債務不履行状況に余儀なく追いやったコスタリカ政府の行為が米国の法と政策に完全に合致していると判断したからである。その結果、当裁判所は国際礼譲の原則からコスタリカ政府の命令（為替管理）は有効なものとして承認せざるを得ないと結論したわけである。当裁判所は米国行政部および立法部の行動から米国政府の政策を解釈したのであるが、実は誤った解釈をなした。今回再審理にあたり、米国行政部（国務省）は法廷助言者（amicus curiae）として意見を開陳し、米国はコスタリカの対外債務問題改善に全面的な協調を惜しむ者ではないが、対コスタリカ融資契約上の基本条件（返済期日等融資条件の変更はあくまで債権者、コスタリカの二者間の合意があってはじめて有効になる。それまで米国における既存の契約債務履行の司法的強制のしくみは維持されるのが当然とする）にいささかの揺らぎがあってはならぬと述べた。本事案に関して、コスタリカ政府がとった措置は海外民間債権者に対する限り一方的なものであり、国際協調と問題は交渉によって解決されるべしとする精神にも反する。結果として、米国の政策にも反する。したがって、国際礼譲原則は本事案には適用されない。

次に、第一審で採用された国家行為理論であるが、このドクトリンの適用可否は外国の国家行為の有効性をもっぱら当国の裁判所にゆだねたのでは政府の当該国との円満な外交関係維持を期し得ないとの観点から本来判断さるべきである。とくに外国においてその領土内で国家収用がなされた場合、当国裁判所がその措置は無効であると判示するならば、それは当該外国政府に対する侮辱となろう。また、当該国がそのような米国判決を承認することは決してあり得ないであろう。こうした見地に立つと、外国政府により収用措置がとられた時点で収用対象とされた財産が何処に存在していたか（situs of the property）が国家行為理論の適用に際して重要な決め手となる。本事件における当該財産はアライド・バンク側のコスタリカ側に対する弁済請求権であり、その場所的位置づけは契約上米国内にあると判断される。したがってコスタリカ政府の収用ないし収用類似措置は自動的には当該財産に及ばない。国家行為理論が適用される前提には当該財産が収用措置をとる国家領土内に存在することが必要である。もっとも、当該財産が領土外に存在する場合でも国際礼譲の原則から域外的収用措置が認められることもないではない。しかし、その場合には収用措置が米国の法と政策に合致していることが前提となる。コスタリカ政府の措置がそうした条件を満たしていないことは、すでに検証した。

⑤再審理後の控訴審判決に関する四つの問題点

控訴審再審理判決により、国家行為理論と国際礼譲の原則に関する混乱は一応解消され、米国裁判所の見解は統一の方向にむかったと理解される。とくにアライド・バンク事件第一審と時を同じくして下されたリブラ銀行事件判決は本件再審理判決と同一のスタンスに立ったものであったことを想起すると、統一的方向が出て米国銀行界には安堵の気持をかくせない様子がうかがわれる。

しかしながら事案の現代的性格を深く吟味すると、アライド・バンク事件再審理判決において行われたある種の割切りめいた判断が真に妥当なものであったかどうか、その後かなりの批判も出ているので、その大略を紹介して論述を締めくくりたい。

論点をまず列挙すると、

第一に、再審理判決の鍵ともなった財産の所在地概念がアライド・バンク事件におけるがごとき債権が問題となるときにはクリアーたりうるかの点、第二に、いわゆるIMF協定八条二項bとの関係、第三に米国の政策を裁判所が判断するにあたって行政部の見解に依存することの是非の点、第四に、国際金融契約において借入人があらかじめ国家行為理論の援用をしないと約定できるものかどうかという点、の四つである。

〔債務の所在地概念〕

控訴審再審理判決が国家行為理論の適用可否の基準を当該国家行為が領域内に存在する財物を対象にしてなされたか否かの点に求めたのは従来のこの理論の一般的な適用のなされ方に復帰したものである。しかし、アライド・バンク事件におけるがごとき無形資産（intangible asset）が問題となる場合には、その存在場所の確定がきわめて困難となる。歴史的に観察して、国家行為理論はたとえば革命政権による外国資産の収用行為の効力をめぐって展開されてきたのであるが、その場合、当該資産は有形資産（tangible asset）か有形資産でなくとも容易に現金化し得る債権（たとえば米国人への売掛金債権等）が想定されていた。その想定に立脚して裁判所は資産の所在地またはその裏面である負債の所在地（situs of debt）の判定に際し、当該債務につき司法的にその履行ないし取立を強制し得る権限を持った国が所在地であるとの見解をとってきた。だが、国際的融資のごとく資産が無形で、しかも、借入人が外国に所在している場合には、このルールの適用が容易でない。連邦控訴裁判所（再審理）はコスタリカの銀行の債務がニューヨークに存在すると判断する理由を、①コスタリカは期日にニューヨークでアライド・バンク側に米ドルを返済すべき自国の銀行の義務を完全には消滅せしめることができなかった(Costa Rica could not wholly extinguish the Costa Rican banks' obligation to timely pay United States dollars to Allied in New York）こと、②当該取引がニューヨークと密接に牽連している（借入人がニューヨークを裁判管轄地として合意している、融資の弁済地がニューヨークになっている、弁済通貨が米ドルと指定されている、エージェント銀行の所在地がニューヨークである、当事者間の交渉が米国内で行われてきている）こと、の二点に求めているが、どうもはっきりとしない。というのは、米国国内法の原則に照らしてみると、無形資産に関しては債務の場所（situs of debt）は、その当否は別として、一般に債務者の住所地であると観念されているからである。また、債務の履行ないし取立を強制し得る権限を持った国がその債務の所在地であるとする物差しにしても、アライド・バンク事件では米国は債務の履行強制はできるが（ニューヨークを合意管轄地としている)、取立は強制できない(コスタリカの被告銀行は米国で事業を営んでおらず、在米資産も保有していない)から、必ずしもうまくあてはめることができないという批判がある。本事案に対する国家行為理論の適用可否の判断はむしろ抵触法的アプローチからなすのがスッキリするとの意見がある。単純化していうと、ニューヨークを支払地とする約束手形の支払問題はニューヨーク法のみに服するから、コスタリカの法は及ばず、したがって、国家行為理論は適用されないと論じるやり方がそれである。

〔IMF協定との関係〕

IMF協定八条二項b(加盟国の通貨にかかわる為替契約であって、この協定の趣旨に沿うその加盟国の為替規制に違反するものは、いかなる加盟国の領域内においても執行され得ないものとする)は、アライド・バンク事件において直接論及されなかったが、検討を要する(石黒・五一頁以下)。いうまでもなく米国とコスタリカは両国ともIMFの加盟国である。したがって、IMF協定にしばられる立場にある。そして、コスタリカの導入した為替規制はIMF理事会の承認を得ていたとすると、協定にいう「為替規制」である。となると、連邦控訴審は米国の裁判管轄下にあって契約の不可侵性を期待する者を保護することが米国の政策と利益に適うから原告の請求は認められなければならないと判示した趣旨と抵触を生ずる。IMFに承認された他国の為替規制に違反するものは米国の領域内において執行されえないはずだからである。もっとも、IMF協定八条二項bが対象とするのは「加盟国にかかわる為替契約」であってアライド・バンク側の対コスタリカ融資は為替契約ではないとする抗弁もあり得る(リブラ銀行事件ではそう認定された）ので、ことはそう単純明快でないのも事実である。ともあれ、ＩＭＦ協定の条件に一致する事態が発生する場合には契約は不可侵といっても限界がある（強行法規の特別連結）ことは認められなければなるまい。

アライド・バンク事件においては、コスタリカ側はこのＩＭＦ八条二項ｂを抗弁として持ち出すことをしなかった。リブラ銀行事件でその抗弁が認められなかったためと説明されているが、融資契約は為替契約と異なるとする判断は実は相当議論の余地のあるものである。当該条項でいう為替契約とは、一国の国際収支に影響を与える契約であり、国際融資契約もその契約の一種であると解釈することも可能であるからである。「為替契約」という表現のあいまいさは、実は永年にわたり国際金融にたずさわる銀行家を悩ませてきた。解釈によっては自らなした契約の内容変更を強制される可能性があると考えられるからである。そこで、銀行家としては、「為替契約」の定義の明確化を図りたいと望んでいるのだが、各国政府の思惑もあって一本調子には行きそうもない。イラン資産の凍結措置につき米国が諸外国に認知を求めたときに準拠したルールがこのＩＭＦ協定条項であったことはわれわれの記憶に新しい。米国政府としても国際戦略上このフレキシブルなルールはむしろ温存しておこうと欲しているとみるのが正確な観察と思われる。

〔行政部見解への依存〕

連邦控訴審の急転回は米国の法と政策に対する判断の逆転によってもたらされたわけだが、その逆転はもっぱら法廷助言者として登場した連邦政府（国務省）の意見開陳に影響を受けておきたものと観察できる。控訴審は、外国の国家行為を司法的判断の対象とすべきか否かはつまるところその判断結果が（行政部の責任である）外交関係を損ねる可能性があるかないかによるのだと述べ、国務省の意見を容れて再審理判決を下した。

だが、そのような行政部見解への依存は国家行為理論をめぐる有名なベルンシュタイン例外（Bernstein exception――Bernstein v. N. V. Nederlandsche-Amerikaansche Stoomvaart-Maatschappij, 210 F 2d 375 (2d Cir. 1954）において連邦第二巡回区控訴裁判所が国務省の意見を容れてナチス・ドイツの国家行為を従来の例に反して審理対象とした事件）への回帰とも解釈されうる。ベルンシュタイン例外はその後 First National City Bank v. Banco Nacional de Cuba, 406 U. S. 759 (1972) rehearing denied 409 U. S. 897 (1972) 事件において連邦最高裁により否定されていることをみると、今回の控訴審再審理の方法がどれだけの先例性を持ち得るか疑問である。

米国の政策を判断するにあたって行政部見解にそのつど依存する方法は実際的でないばかりか、かえって困難な状況を惹起しうることは容易に想像し得る。国際金融がらみの事件であれば、行政部として、国務省、財務省、連邦準備委員会等が見解を示すこととなろうが、それらの機関がいちいち安定した意見を表明するとは限らず、また、むしろ行政的理由から意見開陳を控えることもあり得る。また、複数の機関の意見が統一的でない場合もあり得る。そうした事実上の不都合を別にしても、行政部の裁判への介入ないし影響行使があれば、かえって、そのことが米国の外交関係に悪い影響すら及ぼし得る。だから、行政部の影響を排して裁判所は純粋に司法的に判断すべきであるとの考えも有力である。そのような考えは一九七六年の外国主権免除法（Foreign

Sovereign Immunities Act）の立法動機の一つでもあったはずである。

〔契約不可侵性と米国の国家行為理論の関係〕

連邦控訴裁判所はアライド・バンク側とコスタリカ側の間の融資契約を審理し、当事者間には、たとえ弁済用の米ドルをコスタリカ中央銀行が供給できなくとも債務者は弁済義務を免れ得ない（デフォルト条項に記載）との合意があったと指摘し、もし、当裁判所がコスタリカ政府の命令（為替管理）の効力が当該事案に及ぶと判断すると、当事者間の合意を無効視する結果につながり、承認された契約法の一般原則（recognized priciples of contract law）に背反し、ひいては米国の法と政策に反することになると判示した。このロジックは国際融資契約の私人たる当事者間で国家行為理論の適用免除をあらかじめ契約し得るとの考えにもつながってくるように思われないではない。国家行為理論の成立基盤（国家の外交責任と司法責任の調整）を考慮すると、この見方と妥当性は疑問である〔一　沢〕。

（参 考 文 献）

◇C. R. Brown, Enforcing sovereign lending, IFL Rev., 5—8〔July 1984〕.

◇T. W. Cashel, Allied Bank case reversed on rehearing, IFL Rev., 7—8〔April 1985〕.

◇H. J. H. Dijkhof, Allied Bank : the reasoning behind the recent decision, IFL Rev., 24—25〔May 1985〕.

◇G. Kahale III, D. R. Lindskog, Act of State doctrine considered again, IFL Rev., 30—31〔July

1985〕.
◇A. C. Quale, Jr., R. E. Herzstein, B. R. Campbell, Allied Bank's effect on international lending, IFL Rev., 26—31〔August 1985〕.
◇D. T. Wilson, International Business Transactions 2d Ed, West Publishing Co. 1984, pp.335—382.
◇アンソニー・サンプソン著、田中融二訳『銀行と世界危機』二〇一〜二〇四頁、昭和五七年、TBSブリタニカ。
◇西村厚『ソブリン・ローンに挑む』五〜二一頁、昭和五五年、日本経済評論社。
◇布目真生『インターナショナル・バンキング』二一〇〜二五四頁、昭和六〇年、有斐閣。
◇国際法学会編『国際法辞典』二六九〜二七〇頁〔畝村〕、昭和五五年、鹿島出版会。
◇M・D・グリーン著、小島武司・椎橋邦雄・大村雅彦共訳『体系アメリカ民事訴訟法』一七八〜七九頁、二八三〜八八頁、昭和六〇年、学陽書房。
◇伊藤正己・木下毅『新版アメリカ法入門』一七一〜七九頁、昭和五九年、日本評論社。
◇澤木敬郎編『国際私法の争点』八〜九頁〔山本〕、昭和五五年。
◇田中英夫『英米法総論　下』五二四頁、昭和五九年、東京大学出版会。

3　アライド・バンク事件の意味するもの――より広い理論的視座の下で――

①米国の国家行為理論はすべての国に通用するものではない

アライド・バンク事件（というよりはそれについて米国の裁判所の下した判決の内容）は国際金融界にとってきわめてショッキングなものであり、国際金融取引の法的側面の分析にとって、今日必須の情報源たる International Financial Law Review 誌上でも、事件の展開に応じて種々のコメントがなされてきている（たとえば Id. 4ff (Dec. 1983); id. 2 (May 1984); ic. 5ff (July 1984); id. 7f (April 1985); id. 24f (May 1985) 等々）。前節における多面的な検討は、それらをも十分踏まえつつなされたものだったわけだが、最終的に、アクト・オブ・ステート・ドクトリンの従来の適用のなされ方と同様の線まで問題を押し戻せたことは、国際金融界にとっても慶賀すべきことである。だが、それでは、この米国の国家行為理論を従来どおりの形で温存することが妥当かとなると、別問題である。若干の点は、前節にも示されているが（詳細は、石黒・上二四一頁以下参照）、以下には、最低限必要なことのみを記しておく。

まず、米国の国家行為理論は、すべての国で妥当する普遍的な原則を具体化したものではない、ということが強調されるべきである。すなわち、ある国の領域内でその国の主権の行使としてなされたこと（この理論との関係では、国有化や収用、そして一連の為替規制、等）を他国として当然承認しなければならない、あるいはそれに対して他国が独自の司法審査を行ってはならない、などという一般国際法上の原則は何ら存在しない。この点は、米国で、かのサバチーノ事件に関する合衆国最高裁判決でも明確化された点である。とかく国際法ないし一般国際法（あるいはそれに対する違反）という言葉が、論者の固有の価値判断を背後に有しつつ濫用されがちなことは、ここに限った問題ではないが、米国の国家行為理論の原型は英国にあり、英国で act of state といえば、伝統的にはわが国でいう統治行為論をさしていた。この統治行為論が自国政府の行為から外国政府のそれにまで広げられ、foreign act of state という形で把握されることにより、米国の act of state doctrine が成立するに至るのである。行政部を意識した司法部の自己抑制、という図式でこの理論の把握さるべきことは、もはやアメリカにおいても広く認識されるところとなっているが、たとえば同じことをわが国の裁判所がなすべきかを考えるならば、ほかならぬ統治行為論に対するわが国におけるネガティヴな理論状況を、まずもって思い浮かべるべきであろう。

他面、国際私法（牴触法）上も、たとえば他国でなされた民事判決がわが国でいかなる効力を有し得るかについては、民事訴訟法二〇〇条、民事執行法二四条で、さまざまな承認要件を課した上で、あくまで承認国たるわが国の独自のポリシーから、その承認の可否の決せられていることが想起されるべきである。民事判決についてすらそうであるのに、よりいっそう主権の赤裸々な行使としてなされる外国の国有化や収用、そして種々の為替管理上の措置につき、それらを当然にわが国が承認し、あるいはそれらをそのまま尊重しなければならない（それに対して一切自国として口を出してはならない）とするのは、本来おかしなことのはずなのである。もっとも、ここで問題となるのが、戦後すぐの時期になされたイランの石油国有化措置に絡む、いわゆるアングロ・イラニアン石油事件東京高裁判決（東京高判昭和二八年九月一一日、高民集六巻一一号七〇二頁）の矛盾と混乱に満ちた判断内容である。それに対する理論的批判は石黒・三〇七頁以下、および、米国の国家行為理論との関係を含めて同・上二四四頁以下で行ったが、結論として、外国でなされた国有化・収用、あるいは為替管理上の種々の措置（外国国家行為）のわが国における効力の問題は、国際私法（抵触法）的見地からしかるべく処理すれば足り（詳細は石黒・上三八〇頁以下、とりわけ四七一頁以下の第四節〔承認の対象となる外国国家行為（その二）―外国公権力の域外的執行と外国国家行為承認論〕を参照せよ）、ここに統治行為論的な司法抑制を介在させる余地はないというべきである。

たとえば、昭和五四年になされたイランの銀行国有化措置に際しては、東銀を中心とし、わが国の各大手商社も出資するジル・バンク（JIR Bank――日本イラン国際銀行）に対しても国有化がなされた（ＪＥＴＲＯ・通商弘報八九二五～八九二七号、八九四七号、八九六三号〔昭五四～五五〕を参照せよ）。混乱したイラン革命下の事態ゆえ、種々の法的問題がさほど顕在化せずに済んだようだが、同種の事態は今後も、いくらでも生じ得る。たとえば右のジル・バンクのケースにしても、イラン側が外為規制をまず行い（つまり他国への資産の逃避をまず押さえ込み）、それからおもむろに国有化や収用の措置を実行した際、それによるイラン国内のジル・バンク資産についての所有名義の変更を、他国（たとえばわが国）としていかに考えるか、また、イラン側が、ジル・バンクのイラン領域外の資産にまで手をのばそうとした場合、それに対してどのような法的手段で対抗すべきか、等々、問題は尽きない（たとえば石黒・二九〇頁以下、ＮＩＲＡ・六二頁以下〔石黒」)。われわれとしては、そのような一連の事態に柔軟に対処するための法理論的な枠ぐみが国際私法(抵触法)に内在的なものであることを直視し、その上で、特殊米国的な発展を見たアクト・オブ・ステート・ドクトリンと対処し、そうした全体的視野の中で、かのアライド・バンク事件を考察することが必要なのである。とかくジャーナリスティックな発想から、海外で著名な新しいケースを単に紹介し、簡単なコメントを付しただけで能事終れりとするかのごとき風潮があるが、もとよりそれでは不十分であり、中途半端な(いい換えれば徹底した理論的分析のメスを介在させない)情報紹介は、かえって危険でさえある。本書におけるアライド・バンク事件に対する検討も、解決さるべき厖大な問題群の、ほんの入口を素描したものでしかないことを、あえてここで強調しておきたい。

②国際金融不安の下では誰もが暗中模索

ともあれ、アライド・バンク事件は、日常化しつつある累積債務諸国とのリスケジューリング交渉にあって、個々の契約条項の有する基本的意味を浮き彫りにした、象徴的なケースといえよう。とかく、融資者がすべて一致してリスケジューリング交渉のためのテーブルにつくことが紳士的なふるまいであって、融資者の一部が別行動をとって訴えを提起することは危険であり、全体の利益を踏みにじるものだ、といった見方がなされやすいのは、企業間の横並び意識の異常なまでに強いわが国の場合に限ったことではない。けれども、リスケジューリングは基本的利害を異にする債権者団と債務者側との交渉の場なのであって、ギリギリの場面での妥協がそこで辛うじてなされうるにとどまるのである。

債権者団内部の一部の者の個別的な訴え提起を防ぐべく、とくに国際的債券発行の場合に多用されるノー・アクション・クローズの問題点についても論ずべき点は多々あるが（さしあたり石黒・八四頁以下、九五、二七五、二八〇頁、その他 IFL Rev., 10〔Sept. 1985〕等）、いずれにしてもリスケジューリング交渉が真に円滑になされるためには、伝家の法刀を抜き、債権回収のための訴え提起（およびそれを引き金とするクロス・デフォルト条項の発動）をしようとすればいつでも出来るという状況を確保しておくことが必須の前提となる。それがそもそも出来ないのであれば、とりわけソヴリン案件について細かな契約条項をローン・アグリーメントなどに置いておくことは、限りなく空しい営みとなるであろうし、主権国家を相手とした民間融資者の交渉上の地位は、著しく脆弱なものとなる。アライド・バンク事件の真の核心は、ここにある。

他面、個別的な訴え提起を禁止するための契約条項があり、はじめから、そのような条件の下で融資がなされていたのなら、個別的訴え提起の適否が、当該契約条項との関係で裁判所によって判断されるにとどまるが、いくらでも個別的訴え提起をなし得る旨の契約であったのに、裁判所がそれに門前払いを食わせるべきかも、後述の如く問題となる。米国の従来の国家行為理論において、債務の所在地（situs of debt）のいかんが問われるという形で、この理論の国際金融取引に対して及ぼす（悪？）影響が多少なりとも制約されていたことには注意を要するが、さらにアライド・バンク事件を契機として、そもそも債務の所在地を問題とすること自体おかしいのではないかとの見方が、米国内部でもようやく本格的なものとなりつつある（Quale, Allied Bank's effect on international lending, IFL Rev., 27〔August 1985〕）。そして、そこでは、一般的な国際私法（抵触法）の判断枠組の中で自然に問題解決をはかり得るのではないかとの示唆も、不十分ながら若干なされている（Ibid）。

けれども、アライド・バンク事件が一応の決着を見たのちにおいても、メキシコ関係の案件につき債務の所在地がメキシコであることを理由に、国家行為理論に基づき訴えの斥けられたケースが報ぜられているし（IFL Rev., 30f〔July 1985〕; id. 35f〔Sept. 1985〕. その他、たとえばキューバの国有化に関連したケースでやはり債務の所在地がキューバとされたものにつき、IFL Rev., 36〔June 1984〕参照）、国家行為理論について主権免除の場合と同様の、'commercial activity' exceptionを設けるべきではないかという、アルフレッド・ダンヒル事件に関する一九七六年の米国の合衆国最高裁判決に示された見方についても、なお今後の動向を見守らねばならないものがある（Id. 31〔July 1985〕. なお、石黒・上二四七頁以下）。

いずれにしても、リスケジューリング交渉のスムーズな進行とsanctity of contractとの板ばさみ的な病理のはざまに見え隠れするのが、米国の国家行為理論なのである。たしかに、筆者自身としては、既述のごとく、契約の神聖さ（ないし不可侵性）をまずもって重視すべきものと考えるが、国際金融不安（しかも構造的なそれ）の進行しつつある今日、国際金融取引の健全な展開のため最ものぞましい道がいかなるものかは、誰もが暗中模索の段階にある（たとえば、Campbell, A non-US perspective, IFL Rev., 29〔August 1985〕）。アライド・バンク事件の後のニューヨーク州のある判決において、シンジケーションによる融資はジョイント・ヴェンチャーだとして、シンジケーション内の個々の融資者は全融資者の過半数による同意なしには何ら個別の訴提起ができないとされ、国際金融界に新たな驚愕と当惑とをもって迎えられたのも(Buchheit, Is syndicated lending a joint venture ?, IFL Rev., 12ff〔August 1985〕)、こうした背景事情を踏まえてはじめて、それなりに理解され得るといえよう(Id. 14)。この最後のケースはベネズエラに対する融資に関するもので、具体的なローン・アグリーメントのドラフティングにも多少問題があったようだが、判旨のジョイント・ヴェンチャー論はかなり一般的な形のものであり、今後はいっそう慎重な契約のドラフティングによって個別的請求がなされ得ることを明確に示し、こういった裁判所側の、大方の期待を裏切る判断が下されることに対して対処すべきことが、説かれているのである(Id. 13)。いずれにせよ、またしてもニューヨークの裁判所がこの種の意外な判断を下しているわけであり、それを考えると、一般に漠然と考えられているような意味でニューヨーク州がどれほど理想的な法廷地なのだろうかと、ここでも首をひねりたくなるのは、果たして筆者のみなのであろうか。

③ＩＭＦ協定八条二項ｂは問題が多い

ところで、前節においても若干示されていたように、コスタリカに対する同様の融資案件でありながら、リブラ・バンク事件ではＩＭＦ協定八条二項ｂに基づくコスタリカ側の主張があっさりと否定され、そのためもあって、アライド・バンク事件ではコスタリカ側がこの点をとくに強く主張しなかったという経緯がある（Campbell, supra〔IFL Rev., 29 August 1985〕)。けれども、この点についてのリブラ・バンク事件判決の判断については、それがＩＭＦ協定の前記条項における"exchange contract"の文言をかなり狭く解した上でのものであり、それなりに議論の余地は残る（Ibid.）。ただ、ＩＭＦ設立当時とは基本的な問題状況の異なるに至った今日、ＩＭＦに加盟するある国で同協定の趣旨に沿う為替規制がなされた場合にそれに反する為替契約は全加盟国において執行され得ない（unenforceable）とするこの八条二項ｂが、どれだけの政策的根拠を有しているかは極めて疑問である。米・イラン金融紛争に際して米国の行ったイラン資産凍結措置の場合にも、ＩＭＦは、右措置がＩＭＦ協定の趣旨に沿うものか否かを何ら主体的に判断できなかったし（なお、石黒・五二頁以下）、そのような場合のために置かれた同項ａにより、一定期間ののちに当該為替規制がいわば自動的にＩＭＦの精神に沿うものとみなされること（同・五二頁）についても、疑問はつのるばかりである（同・五一頁以下）。また、このＩＭＦ協定八条二項ｂについては当初より解釈上の疑義が極めて多い（同右、およびＮＩＲＡ・五八頁以下〔石黒〕のほか、たとえばBöhlhoff／Baumanns, How might German courts have decided the Allied case ?, IFL Rev., 19〔Sept. 1984〕参照。なお後者においては、アライド・バンク事件がかりに西ドイツの裁判所で裁かれた場合、同国の裁判所は、ともかくもこのケースにつき司法的審査を行い、一国〔この場合にはコスタリカ〕の主権行使に対する属地主義的制約を重んずる見地から、債権者側勝訴の判断を示し得るのであろうが、ＩＭＦ協定八条二項ｂに関する裁判所の判断については、混乱した状況下で予測がつかないとしている。Id. 14ff）。そもそもＩＭＦ協定八条二項ｂは、国際私法（抵触法）的見地からして、また国際金融取引をめぐる現下の情勢に鑑みても、あまりに問題が多く、削除すべきだというのが筆者の従来からの見方であるが、アライド・バンク事件を契機として、各国の金融界がＩＭＦに圧力をかけ、せめて右条項の狭い解釈を認めさせるか、またはその何らかの改正への道を歩むべきことが主張されつつあり（Campbell, supra〔IFL Rev., 29 August 1985〕)、この点は注目されるべきである。このような方向を推し進める際にネックとなるのが、とかく自己に有利なときのためにこの条項を温存させておきたいという、若干身勝手なアメリカの意向であるが（Ibid.)、不明確でありながら使われ方によっては自己にとって致命傷となり得るこの危険な条項に対して、わが国の銀行としても、早急に態度を明確化させておくべきところだろう〔石　黒〕。

4　ソヴリン案件にからむ主権免除とカルボー主義

①はじめに

アライド・バンク事件でも、融資先がコスタリカの公的機関であったために、それを被告とする訴えについては、まず、これから論ずる主権免除が問題となり、そのハードルがクリアーされたのちに、既述の米国の国家行為理論（ないしその延長線上の、不明確なコミティー概念）が問題となっていた。ここでは、主権免除（sovereign immunity）をめぐる諸問題に一瞥を与え、次に、アライド・バンク事件自体とは若干離れるが、中南米諸国に対するソヴリン・レンディングに際してとくに注意すべき、カルボー主義について、一言のみしておこう。

②主権免除をめぐる最近の動き

主権免除（sovereign immunity）についての理論的検討それ自体は本書の射程外に属するが（石黒・上二三四頁以下。なお、その骨子につき同・国際私法一四四頁以下）、今日の主要諸国における制限免除主義の抬頭は、明確な慣習国際法（一般国際法）の変遷が主権免除についてなされたことを物語る反面、旧態依然たる絶対免除主義の典型的な表明たる大決昭和三年一二月二八日、民集七巻一二号一一二八頁がいまだにリーディング・ケースとされるわが国の判例理論の、一刻も早い転換を、強く促すものといえよう。外国国家あるいはそれに類する外国の公的団体の行う商業的活動（commercial activity）に対してはもはや裁判権免除を認めないことを基軸とするこの制限免除主義においても、一九七〇年代半ば以降の英米の新しい制定法において見られるように、外国の中央銀行を若干特別扱いして保護しようとする点が見られるなど、問題とすべき点は残されているが（この点は、石黒・上二三九頁以下）、相当思い切った対応が諸外国でなされていることは、わが国内における問題解決のためにも大いに参考となる。

むしろ、今日における問題の重点は裁判権免除から執行権免除の方に移りつつあるともいえる。つまり、外国自身あるいはそれに類する公的団体を被告とする訴訟につき、それらの免除特権享有主体がとくに免除特権の放棄（waiver）をしなくとも、裁判をし、判決を下すことが、その商業的活動に関する限り可能となった際（制限免除主義）、勝訴判決に基づく執行や、判決前の仮差押等をいかなる程度までなし得るかが焦点となるのである。たとえば、最近のニューヨーク州のあるケースでは、ガテマラ中央銀行がニューヨーク市内の複数の銀行に対して行っていた預金に対して、あるスイスの銀行が仮差押を行った。若干すでに述べたように、米国の一九七六年外国主権免除法の下ではこのようなことが制限されており、結論として仮差押は許されないこととなったが、同法の下では、このような仮差押も免除特権の明示の放棄があれば可能とされる。そこで、このケースを契機として、外国のかかる免除特権享有主体への融資に際しては、免除特権放棄条項の注意深いドラフティングにより、このケースのような判決前の仮差押（prejudgement attachment）をも明示的に含めた放棄条項を作成しておくべきことが示唆されているのである（IFL Rev., 37〔August 1984〕）。

なお、制限免除主義の下でもimmunityの認められる非商業的活動と、もはやそれが認められない商業的活動との限界線が、いまだ流動的である今日、念には念を入れて明示の放棄条項を（放棄がなされるべき場合を細かく記載しつつ）融資先からとりつけておく必要が大きい。だが、法規定において明示の放棄が必要とされる場合はともかく、一般論としては、それと並んで黙示の放棄（implied or implicit waiver）がなされ得ることにも注意すべきである。この黙示放棄のテクニックは、絶対免除主義の支配していた時期にその硬直性を打破すべく活用されたものだが、国ごとの扱いの差に注意すべきはもとよりのことにせよ、制限免除主義下の米国の最近の事例には、この点で注意すべきものがある。従来より、免除特権享有主体たる外国等が他国での仲裁を合意していた場合などには黙示の免除特権放棄がなされたとされるケースはあったが、ここで問題とするケースは、リビア政府の一機関たる某委員会と米国の企業間の、米国で履行される契約の、リビア側からの解除に関連して紛争が生じ、リビア側を被告として米国で訴えが提起された、というものである。ところが、当該契約にはヴァージニア州法を準拠法とする旨の準拠法条項があり、法廷地たるジョージア州の裁判所は、この準拠法条項により免除特権の黙示的放棄がなされたものと判断したのである（IFL Rev., 38〔Feb. 1985〕）。もとより、このケースにおいては、制限免除主義の下での、'commercial activity' exceptionにあたるとの点も、裁判権行使の根拠とされているが、商業的活動か否かの判断が微妙である場合もあり、かりに非商業的活動だとして本来は裁判権免除が認められるにせよ、その放棄がなされた、として二段構えに論拠を補強しておく上でも、このimplied waiverのテクニックは今日なお有用なものなのである。

さて、既述のごとく、主権免除をめぐる最近の主な動きは、むしろ、執行権からの免除をどこまで認めるべきかの点にあると見てよい。まず、ナショナル・イラニアン・オイル・カンパニー（NIOC）に関する西ドイツのケースが注目される（なお、以下引用のもののほか、石黒「渉外訴訟における訴提起」講座民訴二巻三二頁以下をも参照せよ）。執行権免除との関係では、NIOCが西ドイツの銀行に有していた bank accounts に対する仮差押が問題となった。NIOC側は、右のバンク・アカウントは石油売却代金等に関するイラン政府のためのものであり、差押等は許されないとしたが、一九八三年四月一二日に、西ドイツの連邦憲法裁判所は、その主張を斥けた。一般国際法上執行権免除が認められるべきは非商業的活動のために奉仕する当該免除特権享有主体の財産に限られるが、本件で問題となる執行対象財産は商業的活動のためのものである、とされたのである。なお、当該のバンク・アカウントはNIOCの名で保持され、イラン中銀への資金移動に際してのみ中銀の直接的監督下に置かれるものとされていたようである（IFL Rev., 45〔August 1983〕）。因みに、一九七七年に西ドイツ連邦憲法裁判所は、在西ドイツのフィリピン大使館が西ベルリンに有していた銀行口座につき、外交目的で使用される財産だとして執行権免除を認めているが（Smedt, Sovereign immunity in Switzerland and Germany, IFL Rev., 22f〔May 1983〕）、最終的には同様の帰結に落ち着いたものの、同様のケースに関する最近のイギリスの裁判所の判断には、興味深いものがあった。一九七八年の英国主権（国家）免除法は、制限免除主義に基づき、外国の在英大使館等がロンドンに有する銀行口座に対する執行自体は禁止していないが、執行の許されるのは、当該財産が商業的目的のために利用される場合に限られ、かつ、在英の当該外交使節が、それは非商業的目的のためのものだとの言明をすれば、反対の証明のなされない限り、右の言明のとおりに扱われるものとされる。問題となったのは、在英コロンビア大使館がロンドンに有していた銀行口座に対する執行であり、四万ポンドほどの売買代金の引当てとして、それが狙われた。コロンビア大使からの前記のごとき趣旨の言明に対する反証の成否が鍵となり、争点は、当該の銀行口座の使用目的がいかなるものであるかに集中した。そして、Court of Appeal のレベルでは、結論として執行が認められたのである〔IFL Rev., 37〔Nov. 1983〕〕。ただし、この結論は、House of Lords によって覆され、結局、執行は認められないこととなったが〔Id., 39〔June 1984〕〕、裁判権免除の場面で貫かれるべき制限免除主義は、執行権免除についても基本的には同様に貫かれなければならない。たとえば免除特権享有主体が、それに対してなされた融資の担保として、一般の公目的と切り離された預金口座を有していた場合など、これに対する執行は許されてしかるべきである。

大使館等や外国の中央銀行の預金口座などいっさい手を触れるべきではないと、ただ引っ込んでいるのみが賢明な選択なのかは問題である。少なくとも、駄目でもともとと、思い切ってアタックする位の気概は、あってもよさそうである。とりわけ執行面で制限免除主義をどこまで突き詰めてゆけるかは、たしかに諸外国においても今後に残された問題だが、裁判というものを、およそ敗訴したら恥ずかしくて表も歩けない、といったニュアンスでとらえること自体、問題である。かつて日本航空は、米国へのダイヤモンドの国際航空運送につき、貨物の紛失に伴い保険金七二〇万円を支払った東京海上からの保険代位請求に対して、ワルソー条約下で認められる四、四〇七円の責任制限額の支払でよいとした一審判決を不服として控訴し、控訴審判決で一、八四八円に賠償額をまけさせた。のみならず、日航は、その一、八四八円に対して年五分の遅延損害金を附することもワルソー条約との関係で問題だとして上告をし、この点については敗訴した（最判昭和五二年六月二八日、民集三一巻四号五一一頁。その評釈として石黒・法協九五巻一一号一八三一頁以下〔昭五三〕）。「何もそこまでしなくとも」と思ってしまうのは日本人の陥りやすい見方なのであって、重要な点につきあくまで粘った上でガッチリとした先例をつくり上げ、その後はこの点も踏まえつつビジネスを進める、という行動パターンの方が、企業としての合理的なリスク・マネージメントの問題としても、はるかにベターであろう。

とくに主権免除の問題については、既述のごとく、慣習国際法の顕著な変遷を前にして、古色蒼然たる絶対免除主義を、しかも恐らくは最も厳格な形で表明した前記大法廷決定が、いまだにリーディング・ケースとして残っているのがわが国の場合である。一例を挙げれば、ローン・アグリーメント等において、明示的な主権免除特権の放棄条項を置いても駄目なのであって、免除特権の放棄はあくまで国家対国家で行えとするのが大審院の立場である。かりにこの点がクリアーされても、一度なされたこの種の放棄を、当の免除特権享有主体が、裁判所でのちに撤回し得るか否かも、さらに問題となる。このような諸点について、何らかのテスト・ケースをとらえて、誰かがあくまで最高裁段階まで争い、新たな先例づくりをしなければならないはずである。英米のような包括的立法によって基本的な主義の変更を行うことがベストではあるが、かりにそれもままならぬ事情があるならば、とりあえずは判例変更がなされるべきであろう。とにかく、誰かがやらねばならない。しかも、早急に、である。

いずれにしても、今日の円建外国債関係の契約書にも見られるような、債務者たる外国等が〝可能な限り〟免除特権を放棄する、といったあいまいな条項だけでは、実際の紛争に際して、あまり役には立たないように思われる（石黒・二八一頁）

③カルボー主義とは

次に、カルボー主義について、一言のみしておこう。カルボー主義というと、わが国では、国際法上の外交的保護権との関係が主として論じられる傾向にあるが（国際法学会編・国際法辞典一一二頁以下）、それはこの主義の一側面であるにすぎず、中南米諸国とのソヴリン案件としての融資などに関して国際金融取引で問題となるのは、むしろ、他の側面におけるカルボー主義である。つまり、カルボー主義の骨子は三つあり、まず、この主義をとる中南米諸国の政府ないしそれに類する団体と外国側当事者とのいかなる契約においても、準拠法は常にその中南米の国の法でなければならず、しかも、紛争の処理に際しては常にその国の排他的・専属的な国際裁判管轄が認められねばならず、そして、最後に、外国側契約当事者は本国の外交的保護権に基づく保護を、放棄しなければならない、というのである。

準拠法と管轄に関するこのような排他的なカルボー主義は、ボリビア、コスタリカ、エクアドル、ペルー、ベネズエラにおいては憲法上定められており、他のラテンアメリカ諸国の多くにおいては一般の法規のレベルで定められているようである（Leavy, The Calvo doctrine in Latin

American loans, IFL Rev., 31ff〔Oct. 1985〕)。これらの諸国では、先進諸国の民間金融機関からの融資を受ける必要もあり、個々的に、このカルボー主義を緩和する努力がなされてはいるが、なお不十分であり、かつ、実際の取扱いには予断を許さぬものがあり、具体的な取引の態様に応じて、十分な注意を要する。

これらカルボー主義をとる中南米諸国（この主義を採用する旨の明文規定のない国でも、この主義に従った処理のなされる場合がある）は、その多くが累積債務問題をかかえる国々であり、アライド・バンク事件、リブラ・バンク事件で登場したコスタリカもその中に含まれている。一般に、準拠法が融資先発展途上国の法とされる場合には、通常の各国の国際私法上の取扱いとして、当該契約を規律対象とするその国の任意法規・強行法規がワン・セットとなって法廷地国で適用されることになる。そこで、アライド・バンク事件のようなケースでも、例外的に法廷地国(州)の国際私法上の公序に反しない限りは、それらの法規が準拠法として適用されることになり、すでに締結された契約にも遡及的に適用される強行法規が当該準拠法所属国に存在すれば、それもまた、右のような条件の下で、適用されることになる。かくて、準拠法の決定は、先進諸国の融資者側にとって、ほとんど死活問題ともなるのである。他面、専属的・排他的な国際裁判管轄の合意が有効なものとして融資先の当該途上国に対してなされれば、準拠法決定がどのようになされようと、当該法廷地国では、自国自身が強い政策的根拠と共に制定した法令を、契約準拠法と別途に適用することになる（法廷地国の絶対的強行法規の適用の問題。石黒・二一頁以下）。また、そのような自国法令に反する結果を招く準拠外国法の適用が自国の公序に反するとして排斥される可能性も残る。以上のような事情からして、準拠法や管轄に関するカルボー主義のストレートな適用は、国際金融取引上も、警戒すべきものとなるのである。またカルボー主義に対する例外が当該国の法令によって認められた上で取引がなされたとしても、憲法等の上位規範においてこの主義ないし、それに基づく強い内外人平等の要請が定められていたとすれば、あとになって当該国の裁判所において当該法令の違憲性が問題とされることも起こり得る（コロンビア最高裁における最近の事例につき IFL Rev., 32〔Oct. 1985〕)。

もっとも、カルボー主義に基づく準拠法や管轄の定めがかりになされていたとしても、それが常にそのままの形で欧米（や日本）の法廷で有効視されるかは、（外交的保護権に関するカルボー主義ないしカルボー条項と同様）別問題である。けれども、中南米諸国に対するソヴリン案件としての融資に際しては（法廷地国の選択のいかんにもよろうが）、主権免除や米国の国家行為理論などのハードルに加えて、場合によっては、さらにこのカルボー主義が何らかの障害たり得ることにも、あらかじめ十分な注意が向けられるべきであろう〔石　黒〕。

3 国際金融取引における債権の管理・保全

1　国際金融取引における相殺

①はじめに

相殺(set-off)が重要な債権回収手段の一つであることはわが国内の金融取引におけると異なるところはない。だが、基本的に国境を越えた取引たる国際金融取引において、たとえばいわゆる相殺の担保的機能などによるわが国の国内法上認められる手厚い保護が、果たして、また、どこまで認められるかも、相殺の準拠法によることになる。国ごとに法が異なり、もとより相殺の制度に対する見方が異なり得ること、すなわち、この場面でも各国法の抵触の存在とその解決のための国際私法の機能を抜きにして安易に国内法（民商法）的感覚にもたれかかることは、あまりに危険である（なお、参考になる米国の最近の一事例につき、たとえば IFL Rev., 33 〔June 1986〕)。

わが国際私法上の相殺に関する取扱いについて細かく論ずることは本書の目的ではないが（後述の諸点との関係を含めて石黒・二四八頁以下）、国際金融取引における相殺問題の難しさは、まずもって、相対立する自働債権と受働債権との準拠法が異なり得るところにある。わが国際私法上は、自働債権・受働債権それぞれの準拠法を累積適用して、その双方の準拠法の共に認める範囲内でのみ相殺を認めようとする説と、受働債権の準拠法のみで相殺問題を規律する説とが対立しているが、わが国内法上、相殺の担保的機能が問題となるような局面で、自働債権の準拠法が差押債権者を勝たせ、受働債権の準拠法が相殺する側の者を勝たせる立場だとしたら、両債権の準拠法の累積的適用で相殺問題を規律するという前記の立場（従来の通説といえようか）において、これをどう処理するのか、また、多数対立債権間の相殺の順序に関する最判昭和五六年七月二日、民集三五巻五号八八一頁のようなケースで債権準拠法がそれぞれ異なる国の法であったらどうなるのか、といった問題もある。私は、相殺という一個の問題を、相殺権のほか種々の担保権（たとえば、いわゆる債権質）等を有する多数の債権者や担保権者の競合という問題枠組の中で動態的にとらえつつ処理することが、実際にこれから生じ得る複雑な事態に対処する上で必要と考え、そのための判断枠組の構築を行っているのだが（石黒・二二二頁以下、相殺との関係ではとくに二五二頁以下）、このような動態的な処理方法の必要性が真に一般に理解され得るのは、恐らく、そこでの分析の前提とする程度の複雑な紛争が、実際にわが国の裁判所に持ち込まれてからになるであろう。

だが、国際的な相殺問題の処理について従来のわが国際私法上の処理方法が、自働債権・受働債権それぞれの準拠法の累積か後者の準拠法のみによるかといった抽象的なレベルで争われていたのは、実際の国際金融取引において十分おこり得る事態との関係で、すでにして不十分であり得る。ペン・スクエア銀行の倒産や米・イラン金融紛争、英・アルゼンチン間のフォークランド紛争などを通して実際に問題となっていたのは、静態的に（あるいは古典的に）対立する二債権についての相殺ではなく、まさに多数対立債権の一括相殺だったからである。図で示せば左のごとくなり、登場するのがX銀行・Y銀行のみという、ある種の単純化を行った上で考えても、両銀行が国際金融市場でかなり広汎な活動をしているとすれば、通常は一対一の対立債権よりも、相互に複数の対立債権を有し、しかも、それらの準拠法が、$\alpha_1 \alpha_2 \alpha_3$、$\beta_1 \beta_2 \beta_3$と、それぞれ別々の国（州）の法たることは十分に考えられる。それらの相互に準拠法を異にしつつ対立する多数債権債務について、一方当事者のデフォルトや倒産類似の事態に際し、総額につき一括相殺を試みるというのが、国際金融取引においてまずもって覚悟すべき、その意味ではむしろノーマルなシチュエイションだといえるだろう。しかも、それらが米ドル建、円建、ポンド建、等々使用通貨がそれぞれ異なり、あるいは、ある債権につきマルチ・カレンシー・クローズがついていたとしたらどうなるのか。また、それらの債権債務が、たとえば、Y銀行の、それぞれニューヨーク支店、ロンドン支店、東京支店等を通した取引によって成立していたらどうなるのか。

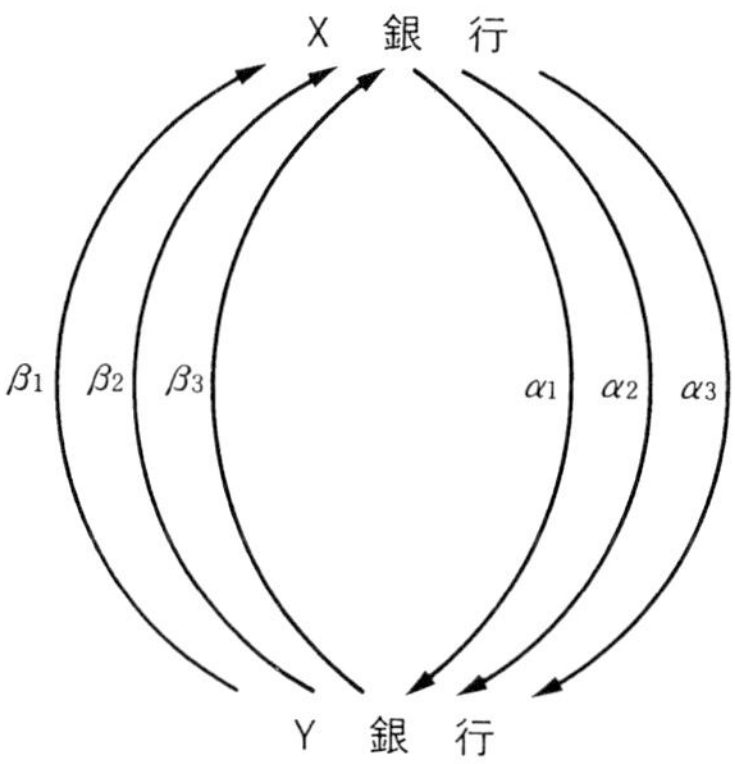

X 銀 行

β_1 β_2 β_3 α_1 α_2 α_3

Y 銀 行

以下には、国際金融取引をめぐって生じてくる相殺の問題のうち、若干のものにつき、一般の注意を喚起する限度での、一応の叙述を試みておこう。

②グローバル・セットオフについて

グローバル・セットオフとは、たとえば、X銀行ロンドン支店がY銀行ロンドン支店との取引で融資をし、他面、X銀行ニューヨーク支店とY銀行ニューヨーク支店との取引で後者が対立債権を有している場合に、X銀行・Y銀行間で右の対立債権債務につき相殺がなされ得るか、といった問題である。単純に考えれば、他に問題のない限り、相殺は可能と思われるであろう。だが問題は、取引がロンドン・ニューヨークと国を異にしてなされている点であり、異なる支店間の相殺（inter-branch set-off）にさらに国境を介在させた形でのグローバルな要素がつけ加わった場合にどうなるかという問題である。取引の実情からしても、この点が相殺を妨げるのは問題だと私は（実質法レベルで――すなわち、わが民商法上の問題として）考えるが、各国法上この点の取扱いは必ずしもいまだ一致していないし、わが最高裁判決も、問題のある立場を若干示している（石黒・二五三頁以下）。

まず、いわゆる債権質の準拠法に関するわが最高裁の昭和五三年四月二〇日、民集三二巻三号六一六頁であるが、バンコック銀行香港支店が香港でのある会社に対する融資につき在日華僑の債務保証をとりつけ、見返りに右の在日華僑が同銀行東京支店に定期預金をした。このケースの主たる争点は、右の預金債権にかかって行ったこの在日華僑の債権者と、右債権を担保にとっていたと主張するバンコック銀行との優先劣後の点だが、バンコック銀行側は、前記保証契約上の債権と当該預金契約上の反対債権との相殺も主張していた。バンコック銀行側のこの相殺の主張（抗弁）を斥けるにつき、最高裁は、「日本国内にある外国銀行支店は、主務大臣の免許を受けて銀行として営業活動を行っているものである」から、東京支店に預金された金員を同支店が香港支店に「送金する手続をとらずこれを保留していた以上……相殺することは許されない」とした。この判断の根拠として挙げられたのはわが銀行法三二条（現在の四七条）であるが、一般論としても、銀行法上の種々の監督等の問題と私法的権利義務との問題とは別個のものであり（この点では、西ドイツの場合に即しつつ Böhlhoff／Budde, The law of set-off in Germany, IFL Rev., 29〔April 1984〕参照）、判旨は疑問である。

ただ、このグローバル・セットオフの問題については、最も国際金融取引に関する訴訟の提起されやすい英米においても、必ずしも解決済みとはいえない不確実な部分が残されている（石黒・二五四頁）。この不確実さに対処するためには、より広く、支店間の問題を越えて、同一企業グループ内の別々の法主体に対して銀行側の有する対立債権債務につき相殺を可能とすることを内容とする group set-off clause を融資契約中に置くことが考えられ、そのような条項も、いわゆる約款としてそれがおかれている場合はともかくとして、少なくとも西ドイツの判例上は有効とされているようである（Böhlhoff／Budde, supra, 29）。

気になるのは、英米での取扱いであるが、ニューヨーク州や他の米国の諸州の裁判所において、このグローバル・セットオフの可能性について、明確な解答は、いまだ与えられていない（Mortimer, The law of set-off in New York, IFL Rev., 27〔May 1983〕）。英国でも、別々の支店間の相殺を認めた判例はあっても、相互に国を異にする支店（overseas branches）間で前記のようなグローバル・セットオフが可能かは、いまだはっきりとはしていない（Ibid）ようである（なお、Hapgood, The law of set-off in England, IFL Rev., 24〔June 1983〕）。アメリカにおいては、契約上の格別の条項（ただし、それを置いた場合のネガティヴ・プレッジ条項、そしてデフォルト条項との微妙な関係については後述）がない場合、グローバル・セットオフの場合の各支店を、Federal Reserve Act に基づき別々の法主体（separate entity）と見る立場（発想は前記のわが最高裁判決と似ている）もあるが、むしろ最近は、この場合の相殺を広く認める傾向が示されつつあるとされ、その傾向は、国際金融市場で自由に活動する銀行のグローバル・ネットワークに鑑みて、政策的考慮からも支持されるべきものとされている（Id. 29）。

この問題の基礎には、米国の銀行の海外支店の負った債権につき、米国の同銀行の本店が履行義務を負うかという問題がある。たとえば、チェイス・マンハッタン銀行サイゴン支店に対してなされた預金につき同銀行本店に対する請求を認めた Vishipco Line v. Chase Manhattan Bank, 660 F 2d 854（2d Cir 1981）が参考となろうし、サンフランシスコの Wells Fargo 銀行のシンガポール子会社がシティー・バンクのマニラ支店に対して行った米ドル建預金につき、一九八三年一〇月にフィリピン政府の行った為替規制に関係して、右シンガポール子会社が米国で、シティー・バンク自身に右預金債権に基づく請求を行ったケース（IFL Rev., 37〔Sept. 1985〕——米国のアクト・オブ・ステート・ドクトリンとの関係でも興味深いものがある）などを通して、この点が法理論的に一歩一歩解明されつつあるのが現状といえる。

③異種通貨間の相殺について

すでに若干述べたように、国際金融取引の実際においては、その相互の相殺が問題となる複数の対立債権が同一通貨建とは限らない。米ドル建の債権とスイス・フラン建の対立債権とを対当額において相殺するというとき、具体的には換算レートとその基準時点が問題となるが、その前に、そもそも、このマルチ・カレンシー・セットオフ（multi-currency set-off）が可能か否かが問題となる。この点も、少なくともそれが可能でなければおかしいようにも私には考えられるが、国ごとに取扱い上の差があり、やはり注意が必要である。

これは、わが民法五〇五条一項の基礎にもある対立債権の同種性ないし同種目的性（homogeneity）の問題である。たとえば西ドイツでは、異種通貨による支払のなされるべき対立債権債務については、原則として債権の同種性がないとされ、ただ、たとえば米ドル建債権とDM建債権とが対立しているときに、西ドイツ民法典（BGB）二四四条の下で、米ドル建債務につき西ドイツでDM建で支払うこと（いわゆる代用給付権の問題である。石黒・一七二頁以下で、わが民法四〇三条との関係を含めてその国際私法上の問題を扱った）ができる場合にのみ、双方ともDM建となるため相殺が可能になるとされる。したがって、そこでは、必ず米ドル建で支払うという、いわゆる特定国通貨現実支払特約（石黒・一七八頁、一八一頁以下）がある場合には、マルチ・カレンシー・セットオフはできないとされるし、西ドイツ国際私法上の取扱いとしてBGBの右規定が適用されるためには、当該他国通貨建債権の準拠法が西ドイツ法とならねばならないし、右規定が適用される際にも、わが国の判例（最判昭和五〇年七月一五日、民集二九巻六号一〇二九頁）におけるわが民法四〇三条の解釈と異なり、このような代用給付権は当該外貨建債権の債権者には与えられず、債務者にのみ認められる（Böhlhoff／Budde, supra〔IFL Rev. April 1984〕, 30. および石黒・一七六頁以下。なお債務の履行地についても細かな、しかし重要な問題が、そこに示したように存在する）。

これと対照的なのはオランダでの取扱いであり、異種通貨間相殺は、双方の通貨がたとえば英国ポンドとオランダのギルダーのように、相互に市場において convertible である以上相殺可能たること（したがって、たとえばギルダーとモザンビークの通貨との間では相殺不能）が、一般に認められているようである（Gerretsen, The law of set-off in the Netherlands, IFL Rev., 30〔May 1984〕）。特定国通貨現実支払特約のあった場合にはどうか、等の情報は私自身得ていないが、どちらかといえば、右のごときオランダでの処理の方が合理的なように思われる。自由で開かれた国際金融市場を前提すれば、（たとえば当該通貨所属国たる外国で外為市場が閉鎖されたようなアブノーマルな場合をも含めて）換算の基準を提供する市場（そこがどこかは理論上も問題であり、若干の点は石黒・一七六頁以下で論じた）での convertibility のある限り、マルチ・カレンシー・セットオフを認めた方が合理的ではあるまいか。

ところで、英米におけるこの問題の取扱い方には、出発点において若干異なるものがある。この点の詳細は、わが民法四〇三条との関係を含めて、currency conversion の問題それ自体を扱う際に項を改めて論ずるが（本書九四頁以下）、英米の裁判所では伝統的に外貨建債権については常に自国通貨（法廷地国通貨）に転換した上で判決する旨のルールがあり、英国（やオーストラリアの一部）ではこのルールが崩れ、裁判所が外貨建支払を命じ得るようになってから、異種通貨間相殺の問題それ自体が大きく浮上したという経緯が、法理論上はある。だが、今なお、米国においては、外貨建支払を定めた契約に基づく請求についても法廷地国の通貨（米ドル）に転換した上で支払を命じなければならないというルールが、合衆国裁判所、州裁判所を通じて残存しているとされ（IFL Rev., 37f〔April 1985〕）、主としてその換算方法をめぐり種々の対立がある。したがって、そこでは異種通貨間相殺の問題はそのような一般的なルールの適用の一場合たるにとどまり、それ自体がとり上げられる必要も、その限りではさほどないことになる（なお Mortimer, supra 参照）。

これに対して、たとえば英国では一九七五年までの四〇〇年近い伝統が右のような形で維持されてきたが（石黒・一七二頁）、その伝統との訣別がなされたのちにおいても、異種通貨間相殺についての明確な解決は、いまだなされていない。裁判所が外貨建て支払を命じ得ることと、たとえば外貨建て・英国ポンド建ての対立債権につき相殺が認められるか否かということでの問題は直結しないものとされるのであろうか。だが、ポンド建に転換した上での相殺をなすべき（should be）ことを要求する見解（Hapgood, supra, 25）があるほか、"Money is money, whatever the currency."として異種通貨建てであるが故に相殺を認めないのはおかしいとする見解（P. Wood, Law and Practice of International Finance, 174〔1980〕）などから推して、結論として、ピタリとあたる判例はないが（ただし、Hapgood, supra, 25）、現状でもグローバル・セットオフは一応可能と見てよいのではないか。なお、たとえばロンドンの裁判所で相殺が問題とされる際には、制定法上の相殺のほか、衡平法上の相殺（equitable set-off）があり、マルチ・カレンシー・セットオフの場合に限らず、まさに事案の個性に応じた解決のなされ得る点が注目される。もとよりそこでの裁判官の広汎な裁量が、相殺を主張する者に有利・不利いずれに働くかは予測できないが、米・イラン金融紛争に際してロンドンでイラン中央銀行と米銀との間で争われた訴訟（石黒・五頁以下）において、かりに相殺が認められるならば、この衡平法上の相殺が活用されるべきだったろうとする指摘（Hapgood, supra, 23）のあることは注目されてよいだろう。

ただし、以上のような各国国内法（実質法）上の取扱いを知ったのみでは、真に動態的な国際金融取引における相殺問題への対応上、十分ではない。国ごとに民商法（実質法）のみならず国（州）際私法上のルールも異なるのであり、どこの国（州）で訴えが提起されるかに応じて、相殺の準拠法の決定が微妙に異なり得るからである。とりわけ、英米においては相殺の問題を手続問題と性質決定して法廷地法上の相殺に関するルールによりこの点を処理する傾向が強いが、かかる相殺問題の性質決定のなされ方自体に、かなり不安定な要素があり、当該対立債権の準拠法が、実際上まったく無視され、法廷地法上の相殺に関する既述のごときルールのみで処理されるのか、それとも、ちょうどわが国でもそうであるように、当該債権の準拠法によってこの点が規律されるのかが、かなり予測しにくい面がある（たとえば米国の抵触法第二リステートメントの§128やWood, 175fを見よ。なお、石黒・二四八頁）。この意味では、概してわが国を含めた大陸法系諸国での訴訟の方が、相殺の準拠法の決定に関する限り、予測され得る裁判所の判断の幅が、相対的には明確とも思われないではないが、実際には好んでロンドンやニューヨークの法廷で訴えを提起しようとする傾向が強い。このあたりの法廷地選択上のリスク計算が実務上どの程度なされているかは、若干興味をひくところである。

ところで、最後に、わが国の国内法上、マルチ・カレンシー・セットオフが、とりわけ銀行実務家によってどのようにとらえられているかについて論じておこう。この点については、実は、相殺に限らず、より広い場面で再考を要すると思われる見方が、実務家によってなされている。つまり、「小麦の給付請求権と米の給付請求権とがともに穀物の給付請求権があるからといって債権の同種性があるものとみることはできないのと同様」に、異種通貨建ての対立債権の間には債権の同種性はない（飯田泰弘・手形研究三二〇号〔昭五六〕一四頁）などとされ、他面、いわゆるインパクト・ローンについても、マルチ・カレンシー・クローズによる別通貨への切換えが即座に更改にあたるとする議論もなされている（石黒・二五三頁）。たとえば〔実務編〕四三頁にも、マルチ・カレンシー条項つきのインパクト・ローンに即しつつ、「記帳上、通貨変更に当っては、いったん旧融資金額を回収した上で、新規資金額を融資する方法」がとられることを前提として、貸付金返済の担保として抵当権の設定されている場合、わが国法上、普通抵当権については当該抵当権の存続につき「改めて登記が必要」との見方が示されている。細かな点は措くとして、まず、更改の点については、そもそもわが民法上の更改の規定の立法論的当否はかなり問題とされ、ここで問題となる「債務内容を変更する更改」についても、更改の成立の余地を狭めるべく慎重な対応が必要とされていること（平井宜雄・債権総論〔昭六〇〕一七五頁）を第一に考えるべきである。更改を安易に認めれば、既存の担保等もすべて消滅するわけであり（ただし民法五一八条）、銀行側が自分で自分の首を好んでしめているかのごときは奇観というほかはない。そこにも、米と麦とを対比する既述のごとき固定観念が影を落としているのであろうが、問題であろう。異種通貨間相殺をはじめから否定しようとするわが銀行実務家の議論が、外貨表示債権と外貨債権の観念的区別に立脚しがちな点も同じであり、本書で論ずるEFTの問題におけると同様の、開かれた国際金融市場の展開を踏まえた政策論的アプローチが優先すべきであろう。少なくともわが民法四〇三条の解釈上は、債務者のみならず債権者にも、日本円での支払を求める権利が前記最高裁判決により認められているし、私としては、債権準拠法のいかんを問わず、また、本来わが国での履行がなされるべき場合だったか否かを問わず、わが国での履行請求においては広く円に転換した上での相殺主張を認めるべきだと考えるが（石黒・一七二頁以下、一七六頁以下）、さらにそれを越えて、直截にわが国法上マルチ・カレンシー・セットオフ自体を広く認めてゆくべきであろうと考える。任意規定たる民法四〇三条との関係でも問題となるのは、特定国通貨現実支払特約があった場合である。たしかに、たとえば現金でなければ困ると債権者が再三言ったのに債務者が履行期日に小切手を持って来たのを有効な弁済となし得るか、といった問題と同種の問題であるが、たとえば必ず米ドルで払えとの契約条項があったとしても、それが当然に相手方からする相殺（たとえば同じく米ドル建の対立債権によるそれ）をも否定する趣旨かは一つの問題であろう。異種通貨間相殺の問題は右の点の延長線上にあるものともいえる。相殺の禁止あるいは制限のためには、原則としてその旨の格別の合意のあることが必要であろう。契約による相殺権の否定ないし制限の問題は異種通貨間相殺の問題とは別個に論ずべきであり、私としては、わが国の国内法上、特定国通貨現実支払特約の存在によって当然に異種通貨間相殺が不可能になるとも考えない（ただし契約の具体的解釈の問題は残り得る）。なお、具体的な currency conversion の方法については、前記のオランダにおける取扱いをも含めて、本書九四頁以下の検討が、参考となるであろう。

④いわゆるソヴリン案件と相殺

発展途上諸国の累積債務問題という爆弾をかかえる今日の国際金融界において、国家またはそれと種々の意味で一体をなす公的団体への融資についてデフォルトが生じた場合、周知のごとく通常はリスケジューリング交渉（アルゼンチン、ブラジル、メキシコ等の例を踏まえつつ、その法的側面を論じたものとして注目すべきは Kohler, Private Banks and the Renegotiation of Public and Private Sector Exposure, in: Adaptation and Renegotiation of Contracts in International Trade and Finance, 317ff〔1985〕である）がなされ、個別的な履行請求はあまりなされない。けれども、本書三三頁以下で論じたアライド・バンク事件やリブラ・バンク事件がその良い例であるように、いわゆるノー・アクション・クローズの問題はともかくとして、個々的な履行請求をしようと思えばそれができるということが、融資者側にとっては重要なネゴシエイション上の手段となるのであって、そのことは、相殺というとり得べき法的手段についても同様である（Mortimer, supra, IFL Rev., 27〔May 1983〕）。

ただ、いわゆるソヴリン案件については、融資者たる銀行が相手国自身に対して対立債権債務を有する場合ばかりではなく、たとえば外国政府に対して融資をしたがその返済がなされず、そこでその外国の中央銀行等の公的団体から当該銀行に対してなされていた預金に着目し、相殺を試みる、といったことが少なからず試みられることになる。形式的に考えればmutualityがないとして相殺はできないはずだということにもなろうが、たとえば米国では、必ずしもそう簡単に割切ることはなされておらず、われわれとしても参考とすべき点がある。もちろん、この点で問題が生じそうな場合のためには、融資をなすにつき、あらかじめ相殺をしやすい相手を選んで債務保証をさせ、その者に別個の債務（保証債務）を負わせておくという手段もあるが（Wood, 173）、つねにできることではない。そこで、裁判所において、ソヴリン案件の融資等につき、いわばギリギリの場面で相殺の成否が、形式的には別個の法主体たるgovernmental or public entitiesとの間で問題となることになる。英国の裁判所は概してこの点につきかなり慎重とされるが（Id. 173f）、米国の裁判所の考え方は、問題を機能的・実質的にとらえており、注目すべきものがある。とくに米国系銀行の資産に対するキューバの収用措置に絡んで興味深いケースがあるが、たとえばBanco Nacional de Cuba v. First National City Bank of New York, 478 F 2d 191（2d Cir 1973）では、シティー・バンクが当該収用措置につきキューバ共和国に対して有する債権と、シティー・バンクがBanco Nacionalに対して負う債務との間での相殺が認められた。その際、裁判所は、キューバ自体とBanco Nacionalとの全体的（overall）な関係が問題となるのではなく、問題は当該収用措置につきBanco Nacionalがキューバ政府の実質的な機関として、それと一体となった役割を演じたか否かにあるとし、相殺の局面におけるその一体性を肯定した。もとより、この点は、形式的には別個の法主体（右のケースではキューバ共和国とBanco Nacional）間の法的・事実的な関係を詳細に検討しなければ結論が出せない（キューバ絡みのその後の同種のケースで逆の結論の出されたものをも含めて、この点についてはMortimer, supra, 29f）。また、右の判例のように当該収用措置自体にあまりにウェイトを置いて判断することが妥当かは、一般の融資案件との関係でいえば多少疑問とも思われるけれども、実質的に見て一方を他方のalter egoと見得る場合には、いわゆる法人格否認論的な視角から、わが国においても若干思い切った対応のなされることが期待されるところである。

⑤パーティシペーションと相殺

いわゆるシンジケート・ローンの場合、リスク分散のためもあり、幹事団の下に多数の一般参加行（パーティシパント――〔実務編〕七一頁以下）が貼りつく形となるが、このようなloan participationによって、パーティシパント（participating bank）が厳密な意味でいかなる法的権利義務を負うかについては、きわめてあいまいな点が多い（本書一一三頁以下）。そして、このことが相殺との関係でも複雑な問題を生じさせる。たとえば米国のペン・スクエア銀行の倒産に際して問題となったのは、次のようなシチュエイションであった（IFL Rev., 36〔August 1984〕）。すなわち、オクラホマのペン・スクエア銀行が一九八二年七月に倒産した際、その管財人が、同銀行の行っていた多数のローンについて、債務者側が同銀行に対して有していた預金債権との間での相殺を意図した。だが、右の各ローンについては一般参加行への切り売りがなされており、そこで、loan participation のなされた部分について、ペン・スクエア銀行（の管財人）とローンの債務者との間で相殺を行うことはできないとパーティシパントたる銀行が主張して、訴訟になったのである。問題となるのは participation agreement において、ローンの債権者たる地位自体がパーティシパントに移転したのか、それともローンの債務者との関係ではペン・スクエア銀行が従前のごとく債権者たる法的地位に立ち、ただ、パーティシパントは、ペン・スクエア銀行の受けたローンの返済額につき一定の割合で権利を主張し得るにとどまるのか、である。けれども、当該パーティシパントがペン・スクエア銀行との間でとりかわした契約上は、右の双方があるとされ、前者についてのみパーティシパントの主張が認められたにとどまったのである（Hibernia National Bank v. FDIC, 733F 2d 1403（10th Cir 1984））。そうなると、パーティシパントは後者の分について、リード・バンク（ペンスクエア）の倒産に際し、きわめて不利な立場に置かれることになり、自己の法的地位の保護を、何とか participation agreement の中ではかっておく必要にせまられることになる。

他面、リード・バンクの倒産（その他、Mortimer, supra, 30 をも参照せよ）ではなく、ローンの債務者のデフォルトに際しても、かりにその債務者がパーティシパントたる銀行に預金をしていた場合、パーティシパントがローンの債務者に対して、自行宛預金とローンへの参加額についての支払分とを相殺できるかが問題となる。そして、とかく不明確な従来の participation agreement において、パーティシパントからするそのような相殺が認められなかった米国のケースもある（Mortimer, supra, 30）。ただ、パーティシパントとして、当該ローンにつき、たとえば債務者へのノーティスなどの法的手続などを踏んだ上で正式の一部債権譲渡を受けておくことが常に得策かは問題であり、そこで、その点はともかくとして、相殺に関してローン・アグリーメント中に、パーティシパントがあたかも債務者との関係で直接の貸し手であるかのごとくローンの債務者との間で相殺をなし得る旨の条項を置くことによってローン債務者のデフォルト等に対処することが試みられることになる（Ibid）。このような契約条項の具体的なドラフティングの問題のほか、その法的効果が、予想される法廷地国ごとに、また、そこで選択される相殺の準拠法ごとに、いかに判断されるかの点までを予期しておかなければ、パーティシパントの側として真に安心はできないはずなのである。

⑥シェアリング・クローズと相殺

巨額の融資に際してシンジケーションが組まれる場合、シンジケーション内部における基本的要請として、融資先からの返済についてはシンジケーションの各メンバーが内部的な融資の分担額に応じて（pro rata）平等に返済額の配分にあずかる、ということがある（Wood, 272; Kohler, supra, 327f）。だが、融資先からの返済自体はなされても、それがシンジケーション内部のすべての銀行に配分される前に、返済・配分システムの過程に介在し、配分されるべき資金を自行内にとどめている銀行が倒産した場合には複雑な法律問題が生ずる。のみならず、融資先から返済がなされない場合に、たとえばローン・シンジケーションの要となる銀行が、融資先から自行に対してなされていた預金に着目し、それと融資返済額とを相殺した場合、シンジケーション内部での pro rata payment をどう確保するかという問題がある。

プロ・ラタ・ペイメントを確保するための契約条項は sharing clause と呼ばれるが、米・イラン金融紛争やフォークランド紛争を通して、この sharing clause のドラフティングには極めて慎重な配慮がなされるに至っている（Kohler, supra;Brown, Sharing strains on Euromarket syndicates, IFL Rev., 4ff〔June1982〕）。

もともとこの条項は、「債務者が支払を行ったならば……（If the borrower pays any amount ……）」それをプロ・ラタの条件で配分する、という形のものであったため、債務者からの実際の支払がなされずにやむなくある銀行が相殺をした場合にまでそれを他行に配分せねばならないかにつき、争いの生ずる余地があった。この点が大きく注目を集めたのは米・イラン金融紛争に際してであって、米銀が相殺によって実質的に得た弁済につきシンジケーション内部の他銀行への配分が危ぶまれたからである（Kohler, supra；Brown, supra, 6）。これは基本的には契約の解釈の問題であり、従来の sharing clause のドラフティングに際して、相殺との関係で必ずしも明示的な契約文言の置かれていなかったことに原因がある。相殺の場合に限らず、ある銀行が裁判所に債務者を訴えて独自に弁済を受けた場合のプロ・ラタ・ペイメントの問題もあり（Kohler, supra, 328）、細かな契約条項の個別的チェックが必要である。

なお、興味深いのはフォークランド紛争に際して、債務者たるアルゼンチン側が、債務の支払自体はつづけながら英国の諸銀行には一切支払をしないとの方針を示したことである。紛争当事国間の相互の経済制裁措置に狭まれて、英国の諸銀行は苦境に立たされたが、そこで頼みの綱とされたのも、この sharing clause であった。この条項に基づくプロ・ラタ・ペイメントを主張するイギリスの諸銀行に対するシンジケートの他のメンバーの対応は、概してその配分要求に応じる旨のものであったが、フランスの銀行の中にはフォークランド紛争はいわゆる force majeure (不可抗力)によるものであって、配分要求には応じないとするものもあった。英国側は、問題となる融資契約の準拠法は英米の法であって、そこにはフランス的な force majeure の観念はなく、それに似たものとしては、英国法上の契約のいわゆる挫折（frustration）の法理があるが、いずれにしてもフランスの銀行側の主張は問題だとして争ったようである（このフォークランド紛争絡みの問題につき Brown, supra, 4f)。けれども、アルゼンチン側からの融資返済額をあっさり英国側に配分した場合、その後のアルゼンチンからの返済に何らかの支障を来すおそれはあり、かなり当面する問題への対応が難しいものとなるであろうことは、容易に想像がつく。そして、それらの種々の矛盾し得る要請が具体的な sharing clause の中に微妙に織り込まれているのであり、その微妙なニュアンスの差に留意しつつ個々の契約を締結する慎重さが必要なことはいうまでもない。sharing clause に限らず、わが国内の融資契約書とは比較にならないほど詳細な契約書を前に、もっと契約書が簡単にならないものかと嘆く実務家もわが国にはいないわけではないが、個々の契約条項は、具体的な事件を一つ一つの教訓としつつ内容豊富なものとなりつつあるのであり、動態としての国際金融取引において自己を最後のどたん場で支え、あるいは奈落の底に叩き落とすのが、たったワン・センテンスの契約条項（その有無）であり得ることに、一刻も早く気づくべきところであろう。

⑦ネガティヴ・プレッジと相殺

以上に論じたように、相殺の問題についても、各国の国内法（準拠法）の規律内容にすべてを委ねることなく、その強行法に反しない限度で個々の契約条項を細かく盛り込んでおいた方が、種々の生じ得るシチュエイションとの関係で、ベターであると一応はいえる。だが、契約上に精緻な相殺条項を置く際に、常にそれとの関係の問題となるのが、いわゆるネガティヴ・プレッジ（negative pledge）条項である（〔実務編〕一〇五頁、一四五頁以下）。ユーロ市場でのシンジケート・ローンや国際的債券発行は基本的には無担保で行われるのが通例であり、そこで、物的担保権の設定を拒むために置かれるこのネガティヴ・プレッジ条項は、国際金融取引上、最もポピュラーな契約条項の一つとなっている。だが、わが民法上の相殺の担保的機能の問題を思い浮かべれば分るように、相殺権は、通常の担保物権に匹敵し得るだけの強い権利たり得る。そして、ネガティヴ・プレッジ条項に対する違反は、図式的に考えればデフォルト事由にあたり（Wood, supra, 165）、しかも、いわゆるクロス・デフォルト条項のドミノ効果により、他の融資案件におけるデフォルトへと発展することになる（Id. 166）。

たとえばスワップ取引（〔実務編〕一六七頁以下）においても、パラレル・ローンやバック・ツー・バック・ローンなどの萌芽的なスワップ形態においては、相殺がきわめて重要な債権保全手段たり得るがゆえに（同一三七頁以下）、契約上の相殺条項の必要度は高いが、それのネガティヴ・プレッジ条項との抵触が懸念されている（同一八四頁。詳しくは Watkins, Legal Issues and Documentation, in: B. Antl (ed.), Swap Financing Techniques, 100 (1983))。だが、問題はもとよりスワップ取引の場合に限られない。英国でも（Wood, 176）、また米国でも（Mortimer, supra, 27）、この点がかなり問題視されており、十分な各国における判例の蓄積を待つ必要がある。ネガティヴ・プレッジもセット・オフも共に必要不可欠な契約条項でありながら、その間の調整がなかなか困難なのである。ただ、一つにはデフォルト条項のドラフティングに際して、（ネガティヴ・プレッジ条項に対する違反との関係で）一定の幅を持たせることも考えられるし、他面、ネガティヴ・プレッジ条項自身に、セット・オフとの関係を明示することも考えられる（後者の例につきMortimer, supra, 27)。いずれにしても、十分な注意が必要である。

⑧専属的な国際裁判管轄の合意と相殺

とくに国際的なローン契約において相殺禁止条項の置かれることはあまり考えられないと思われるし(Wood, 174)、より以上に、国際金融取引の実際においておかれる管轄条項は、通常、複数国の裁判所の国際裁判管轄を合意する旨の、非専属的・非排他的なものである。そこで、相殺に関する問題の最後にこれから論ずる問題が、ユーロ市場を中心とする国際金融取引においてどこまで実際に生じて来るかは多少疑問だが、重要な点であり、一言する。具体的なシチュエイションとしては、ある国で金銭の支払を求めて訴えが提起された場合、たとえば被告が反対債権による相殺を主張したとする。ところが、後者の債権の基礎をなす契約中に、他国裁判所の専属的な国際裁判管轄を合意する旨の条項（それ自体は有効だったとせよ）があったとする。この場合、右条項の存在により相殺が認められなくなるのかどうか。つまり、この種の合意管轄条項に相殺禁止条項と同じ効力が与えられるのか否かが問題となるのである。この点は、国際裁判管轄、そして国際裁判管轄の合意についての基本的な考え方に絡む問題であるが、それ自体を論ずることは、本書の射程の外にある（国際裁判管轄一般については、石黒・上二五六頁以下、国際裁判管轄の合意についても同・三六〇頁以下およびそこに所掲のもの参照）。だが、注意すべきは、西ドイツが法廷地国になった場合の取扱いであり、右のごとき他国の排他的国際裁判管轄の合意（derogation agreement）に相殺禁止条項と同様の効力が認められているのである（Gottwald, Die Prozeßaufrechnung im europäischen Zivilprozeß, IPRax, 10ff〔1986, Heft 1〕. ただし、若干疑問が呈せられてもいる。Id. 11）。簡単にいえば、反対債権につき右条項からして自国での裁判をなし得ない以上、相殺もできないはずだという、いかにも論理的な処理なのだが、国際裁判管轄、そしてそれに関する当事者の意思に対する評価の問題からして、私はかなり疑問を覚える。ユーロ市場における一連の取引は別として、たとえばわが国内に進出する外国企業に対して融資をする際、その外国企業の進出形態等のいかんによっては、わが国で勝訴判決を得た上で、その企業の本国でのわが国の判決の承認・執行を考えておかねばならない場合もないではない。しかも、当該外国が、たとえばスウェーデンのように、従来より他国判決の承認・執行にかなりネガティヴであり、そのためにわが国への専属的管轄合意をしておいた方が安心だという場合もあり得る。その場合、わが国での融資者が逆にたとえば西ドイツで当該外国企業に訴えられ、そこで相殺を主張しようとすると、前記の点がネックとなり得るわけである。また、もっと分りやすい例で一般化して考えれば、相殺の際に対立債権債務につき、それぞれA国、B国の国際的・専属的な管轄合意がなされていたとすると、西ドイツでの取扱いを前提とすれば、他に問題はなくとも、A国・B国（そして当該合意を有効視する限り他の国々）のいずれにおいても、相殺はおよそなし得ないことにもなってしまい得る。少なくとも相殺の局面では別に考えた方がよいように思われるが、いずれにしても、国際金融取引の実務上、非専属的な国際裁判管轄の合意がなされるにとどまるのが通例であるのは、この意味では賢明なことといえる〔石　黒〕。

2 内外通貨の換算と他国での判決執行——動態的債権保全に向けて——

①裁判所が外貨建てで支払を命じうるかがまず問題

以下に論ずるのは、本書で取扱う他の諸テーマに比して、若干特殊といえば特殊であるが、案外盲点となりやすく、かつ、この種の技術に習熟した場合にはいろいろな意味で応用のきく（逆に、知らなければ思わぬ損失をこうむる）、重要な点と考えられるので、一言する。

わが国の国内法上は、裁判所が外貨建ての支払を当事者に命じ得ることにとくに問題はなく、民法四〇三条により邦貨（円）による代用給付を受け得ることが定められているにとどまるが、本書七七頁以下で異種通貨間相殺について論じた際に言及したように、英米では、裁判所が外貨建てで支払を命じ得るかが、すでに問題であった。一九七六年の判決を契機として、まず、英国においてこの点が認められ、つづいて、たとえばオーストラリアでも、少なくともニュー・サウス・ウェールズ州において（IFL Rev., 41〔April 1985〕）、それに従う判例があらわれているとのことである。けれども、カナダでは、裁判所がつねに自国通貨建てでしか支払を命じ得ないとの連邦法がいまだに残っており、これから論ずる内外通貨の換算方法、とりわけ具体的な換算の時点についての従来の取扱いは相互に整合性を欠き混乱していたとされる（オンタリオ州の通貨換算時点に関する最近の立法と共にこの点を論ずる Robinson, Canada adopts a currency conversion code, IFL Rev., 27〔Nov. 1984〕参照）。

最も問題なのは米国における混乱した処理状況であるが、この点をなぜここでとくにとり上げて論ずる意味があるかは、各国通貨の価値が容易に乱高下する昨今において、多くの読者にとっては、ほとんど自明のことであろう。

実際に契約の不履行がなされてから勝訴判決が得られるまでの期間、そして、国際取引でしばしば問題となるように、十分な弁済を得るために、さらに他国で執行をせねばならぬ場合、たとえばわが国でいう執行判決（民執二四条）のようなものを執行国で得るまでの期間――それらは場合によって数年、あるいは十年以上にもなり得る。その間、変動相場制下で、通貨価値はどんどん変動し、乱高下を重ねてゆき得る。一体債権者は最終的にどれだけの価値を自らのものとなし得るのであろうか。それが、ここで扱う問題の基本である。

②米国、英国の動向

米国では外貨建て支払を明示する契約であっても、裁判所においてはつねに一定の時点（それがいつかが大きな問題となるのだが）で自国通貨（米ドル）に換算してから判決を下すという旧時の英国の伝統的ルールの線で、この点が規律されているようである（IFL Rev., 37f〔April 1985〕）。

最近のある事例（Id. 38）でも、西ドイツマルク（ＤＭ）のみによる支払を定めた契約につき、原告たる西ドイツ会社が、契約の履行前に会社更生手続に入ったテキサス州の会社に対して有していた債権に基づき、約一、一〇〇万マルクの支払を求めて米国で訴えを提起した際、この点が問題となった。原告たる西ドイツ会社は、自身の有する右のマルク建て債権の存在が米国の破産裁判所で確認された日（一九八〇年六月一二日）のレートで約六三〇万米ドルへの換算を主張し（judgement date rule）、債権者委員会側は、会社更生手続開始の申請のなされた日（一九七五年一〇月三一日）のレートで約四三〇万米ドルへの換算を主張した（その日に契約不履行がなされたことを理由とする——breach date rule）。破産裁判所では前者の主張が認められ、マサチューセッツ州連邦地裁もこれを支持したが、第一サーキット連邦控訴裁判所は、独自の理論構成の下に、後者の breach date rule があてはまるべき場合であるとしつつ、ただし、具体的には更生計画に基づき正式に履行の拒絶された日（一九八〇年五月九日）のレートによるべきだとし、結果として原告会社の主張するよりも一層多額の米ドルへの換算がなされた（Ibid）。しかし、常にこのような基準で処理されるわけではなく、外貨建て債権の米ドルへの換算をめぐる米国の判例にはかなりの混乱があり、結果についての予測を立てることが極めて困難な状況にある（Freedman, Judgements in foreign currency—when to convert ?, IFL Rev., 23〔Sept. 1984〕. なお、そこでも言及された、南ベトナムでの現地通貨建ての債権にかかわる、若干複雑な問題をはらむケースについては、その他、IFL Rev., 38〔April 1985〕をも参照せよ）。

静態的に、ただ米国で判決をもらうのみの場合にも生じているこの混乱は、他国でなされた他国通貨建ての判決の、米国での執行についても、生じている。たとえば、一九八三年七月一二日に下されたフランス判決に基づき、そこで支払の命ぜられた四〇〇万フランス・フランについて、米国で執行の求められた最近のケースがある（Freedman, supra, 23）。わが国の民事執行法二四条に定められた執行判決の制度とは若干異なる米国での外国判決承認のルールに従い（石黒・上三九一頁以下参照）、一九八四年四月五日に、右のフランス判決に基づく執行を認める米国の判決が言渡された。原告側は breach date rule に基づきつつ、外国判決に基づく執行の場合の breach date は当該外国判決がその外国で下された日（一九八三年七月一二日）だとする見方に立ち、その時点での換算を主張したが、ニューヨーク州南部連邦地裁はこれを容れなかった。ただし、裁判所の判断がアメリカで判決の下された日、または実際の支払のなされる日（payment date）のいずれを基準時点としたものかは若干不明確のようだが（Ibid）、いずれにせよ、基準時点について右のケースともまた異なる判断が、次に見るように、やはり最近の米国で、外国判決承認に絡む同種事例についてなされていることが注意されるべきである（Id. 22f）。

これは、英国判決の執行が米国で求められたケースである。即ち、一九七七年から翌年にかけてのロンドンでの取引に絡んで、スイス会社たる原告（コンペテックス）が、米国の被告を相手に英国で訴え、一九八一年三月一六日に、契約違反に基づく約一八万八千ポンドの支払を命ずる勝訴判決を得た。コンペテックスはニューヨークで右判決の執行を求め、一九八三年一〇月四、五日に審理がなされ、同月一七日、ニューヨーク州南部連邦地裁においてその旨の判決を得た。ところが、米ドルへの換算時点は、もともとの英国判決の言渡時点（それが breach date とされたわけである）とされ、当時の£1＝US$2.20 のレートに従い、（利息は別として）約四一万三千米ドルについての執行が認められた。かりに、米国で英国判決の執行の認められた日を基準とすれば、£1＝US$1.50 のレートで、約二八万二千ドルになったところである（Id. 23）。

このように、外貨建債務の自国通貨への換算をめぐる、とりわけ米国における混乱した状況は無視し得ず（breach date と judgement date とのいずれを基準とするか、また、具体的に、たとえば何をもって breach date と見るか、さらに、外国判決承認に際してどう考えるか、等々についての混乱である）、この点では、英国の方が、一歩先んじた処理方法をとっている。

英国では、従来は、債務の支払われるべき時点における法廷地国通貨（英ポンド）への換算をなすべしとのルール（breach date rule）があったが、このルールが諸国通貨の乱高下に際して容易に不正義をもたらすことが問題とされ、一九七六年の House of Lords の判例（いわゆる Miliangos 事件）を契機に、主義の転換がはかられた。そこでは、payment date rule といって、内外通貨の換算は、債務者が支払をなす時点を基準とし、適時の支払のなされない場合には、判決に基づく執行が公的に認められた時点（the date when enforcement of the judgement is authorized）が基準となるものとされる（Id. 22. 因みに、カナダのオンタリオ州における既述の法改正も、この payment date rule を基本とするものであることにつき、Robinson, supra〔IFL Rev., Nov. 1984〕27ff.）。そして、このルールが、外国判決承認の場合にもあてはめられる結果として、英国では、外貨建ての（英ポンド建てでない）支払を命じた外国判決に基づく執行が同国でなされる場合には、英国での執行の authorize される時点（ただし、その厳密な時点の画定については③で論ずる問題がさらに残る）での換算がなされるべきことになるのである（Freedman, supra, 22.）。

③日本ではどうなっているか

米国を中心とする英米法系諸国における、かかる内外通貨の換算時点をめぐる混乱した状況は、右の最後に述べた英国における新しい取扱いを軸としつつ、徐々に改善されてゆくべきところであろう。

これに対して、わが国においては、英国でいう payment date rule にあたる考え方が、少なくとも原則論としてはすでに定着しているといえる。

民法四〇三条についてのリーディング・ケースたる最判昭和五〇年七月一五日、民集二九巻六号一〇二九頁において、「外国の通貨をもって債権額が指定された金銭債権を日本の通貨によって弁済するにあたっては、現実に弁済する時の外国為替相場によって換算をすべきである」とのルールが原則論として採用されているからである。だが、判旨は、つづいて「外国の通貨をもって債権額が指定された金銭債権についての日本の通貨による請求について判決をするにあたっては、裁判所は、事実審の口頭弁論終結時の外国為替相場によって換算をすべきである」としており、この点は疑問である（石黒・一七二頁以下）。

因みに、この最高裁判決の事案では、昭和四二年、返還前の沖縄での取引に絡んで、二五万米ドルの債権を、名古屋のY会社に対して有すると主張するX銀行が、昭和四三年に名古屋で訴えを提起し、一審判決は同四五年一月三一日、控訴審判決は同四七年一〇月二四日に、それぞれ言渡されている。最高裁が基準とする事実審の口頭弁論終結時（昭和四六年一一月二五日）を含めて、この間の円相場の推移につき、興味深い点があるので、左に示しておこう。

・一ドル三六〇円の固定相場制の時期

・X銀行は一ドル三六〇円で換算し、九、〇〇〇万円を請求して本件訴えを提起。
←・一審判決言渡（内容省略）
・昭和四六年八月二八日、制限付変動相場制採用
←・事実審口頭弁論終結時（一ドル三二九円余……換算額八、二二五万円余）
・昭和四六年一二月一八日、一ドル三〇八円を基準とする固定相場制に復帰
←・控訴審判決言渡（X銀行の請求どおり一ドル三六〇円で換算、九、〇〇〇万円の支払を命じた）
・昭和四八年二月一四日、変動相場制に移行
←・最高裁判決言渡（控訴審判決を支持、Y会社の上告棄却）

本件において、Y会社側の上告理由は、原判決が一ドル三六〇円のレートで九、〇〇〇万円の支払を命じたのは不当であり、原判決言渡期日（昭和四七年一〇月二四日）の一ドル三〇八円のレートで七、七〇〇万円の支払を命ずべきであったとするものであり、それに答えたのが前記の最高裁判決（結論としては原判決を正当とし、上告を棄却した）なのである。だが、どうも、本件の場合、事実審の口頭弁論終結時においては、一時的に変動相場制が採用されており、一ドル三二九円余で換算するのが、最高裁の示した論理からの本来の帰結だったようである（石黒・一七五頁参照）。これは、本判決の結論（一ドル三六〇円換算による原判決の処理が最高裁で支持された）の当否を大きく疑わせる、一つの点である。

この点はともかくとして、本件最高裁判決の示した点のうち、判決をする際の円換算の基準時

に関する部分は、既述のごとく疑問である。果たして、「現実に弁済する時の……相場」を基準とするとの、判旨自体の示した大原則（payment date rule）を、この場合に放棄する必要があるのであろうか。いうまでもなく、事実審の口頭弁論終結時点は、この時点まで訴訟当事者が事実に関する資料を提出することができ、また判決もそれまでに提出された資料を基礎として下される点で、いわゆる既判力の標準時とされる時点である。だが、円換算の基準レートをその時点で固定させねばならぬ必然性がどこにあるのであろうか。石黒・一七五頁にも示したように、判決主文の書き方としては、ちょうど同種事例たる大阪地判昭和三七年一一月一六日、判例時報三三九号三六頁の判決主文が若干そうしたものであったように、「YはXに対して、〇〇米ドルをその支払時の為替相場により日本通貨をもって支払え」といった形での、円建て支払額を必ずしも主文に明示しない形の判決でも十分なのではなかろうか。他面、それによって、前記最高裁判決が原則論として正当に支持するpayment date ruleを貫徹し、さらに執行段階での若干の手当て（石黒・同頁参照。なお、同様の点は、英国の場合に即しつつFreedman, supra〔IFL Rev., Sept. 1984〕, 22 n. 3にも示されている）を施すことにより、「現実支払時点との日時のひらきによる為替差損益は、最小限に防ぐことができる」はずである。そしてそれが、為替相場の容易に乱高下する昨今における問題処理としては、最も妥当なのではあるまいか（なお、米国その他で、payment dateとは別にjudgement dateがとくに一つの基準とされがちな点について一言すれば、英米では、判決言渡前の債務と判決で確定された債務とではその法的性格上若干の区別がなされ、後者はとくにjudgement debtと呼ばれ、利息等を付する際にも取扱いが異なって来ること（石黒・一八四頁以下）

ない)。

が、多少なりとも関係していると思われる。だが、少なくともわが国ではこの点の区別の必要は

さて、前記最高裁判決の線で考えるにせよ、また、右に示した限度での修正をそれに対して加えるにせよ、既述の英米での問題関心をもとに考えれば、次に問題とすべきは以下のことである。すなわち、わが国で、外貨建て支払を命じた外国判決の承認とそれに基づくわが国内での執行が問題となったとする。そして、民事執行法二四条に基づく執行判決訴訟において、たとえば債務者が、あるいは前記最高裁判決によって認められたように債権者の方が、円による代用給付(民四〇三条)を求めたとき、その可否、またそれが可能として、具体的な換算レートは、どうなるのだろうか(他に、換算レートを提供する市場の、国レベルでの特定の問題があるが、ここではこの点を省略して議論を進めている(なお石黒・一七八頁以下参照))。

まず、この点を考える前に、これまでの論述においていまだ触れられていなかった点、すなわち、わが民法四〇三条(ただし、任意規定であり強行規定ではない)は、当該債権債務の準拠法のいかんにかかわらず、およそわが国で事実として履行の請求される場合には適用されると見てよいのか、という問題がある。諸外国の国際私法上は種々議論があるけれども、私としては、一般の履行上の細則ないし履行の態様(mode of performance)の問題として、契約準拠法と切離し、基本的には右のごとく見てよいと考えている(石黒・一六七頁以下、一七六頁以下)。そして、その上で前記の問題に戻ると、この点については、はじめからわが国内で確定判決を得ることによって債務名義(民事執行法二二条)を取得する場合と、わが国で承認要件(民事訴訟法二〇〇条)

を満たす外国判決に基づき執行判決を得るという形で債務名義を得る場合とで、ことさら分けて考えるまでもないように思われて来る（ただし、その結果、たとえば米国の裁判所で本来ＤＭ建ての債権が米ドル建てに換算され、その米ドル建て債権が、さらにわが国で円に換算されるといったことも生ずるが、それ自体は問題とすべきではあるまい）。そこで、わが国での執行判決訴訟においては、債務者のみならず債権者もまた、円による代用給付を求め得ることになる、としてよいであろう。さらに、換算時点についても、前記のごとく考えてよいのではないか――私は、ともかくも以上のごとき見方に立っているのである。この点は、今後、わが国においても十分顕在化し得る問題であろう。

④**判決段階と他国での執行の段階とで為替変動があったらどうなるか**

さて、ここで舞台は再び米国に戻る。詳しくは別の機会に述べたが（石黒・上四二九頁以下）、前記②において論じた問題の、さらに一歩先の（あるいは、ある意味においてそれとは逆のシチュエイションにおける）問題が、米国で多少議論されているので、一言のみしておく。まず、米国で米ドル建ての金銭給付を命ずる判決が下され、フランスで執行がなされたとする。ところが、フランスでの執行に際して右の米ドル建ての給付額からフランス・フランへの換算がなされ、しかも、それに至るまでにフランスの裁判所で数年を要し、かつ、その間にフランス・フランの下落があったため、実際にフランスで得られたフラン建ての額をその時点で米ドルに換算すると、もともとの米ドル建て給付額よりもかなり目減りしてしまうことになったとせよ。このようなシチュエイションにおいて、米ドルに換算した右の差額分につき、再度、たとえば米国で執行がなされ得るかが、問題とされるのである。そして、この点につき米国では立場が分かれている。

これは、外国判決承認の効果論（石黒・上四〇五頁以下）に深くかかわる問題である。この点の取扱いも国ごとに異なり得るが、わが国の国際民事訴訟法に引き直して考えれば、次のごとく取扱うべきものと考える。たとえばわが国で円建てでの支払を命ずる判決が確定し、A国でA国通貨に換算した上で執行がなされたが、その時点で、得られた給付額を円建てに再換算したとする。もとより、もともとの円建て給付額よりも再換算後の方が少ない場合と、逆に、後者の方が多い場合とがあり、変動相場制下のレート変動と、右のごときプロセスが完了するまでの年月とを共に考慮すれば、両者が円建て額においてピタリと符合するケースの方が、むしろ例外といえよう。円への再換算後の目減り額につき再度執行がなされ得るなら、逆に、再換算後の円の余剰分については、債務者側からの不当利得返還請求までも認めなければ片手落ちではないかと感ずる向きも多いであろう。たしかに、実質論としてはそうなるはずだが、むしろ、この問題については、判決効論からのアプローチ（国際民事訴訟法的なそれ）により、右のような再換算後の差額についての再度の執行や返還請求をシャット・アウトする方が妥当ではないかと、私は考える。外国判決承認は、決して承認・不承認の all or nothing で考えるべきものではなく、その中間に、部分承認（Teilanerkennung）の観念があるが、ひとまず、わが国の給付判決がA国で全面的に承認され、換算後のA国通貨建の額の全額について執行がなされ得たとする。その時点で、わが国の確定判決に基づく債務名義は、すでに消滅したと見るべきであろう（ただし、形式的・論理的に考えれば、まず、逆のシチュエイションにおいて、わが国が外国判決を承認する際にも、国内での執行に関する限り、その債務名義は外国判決自体ではなく、少なくともわが国でさらに下される執行判決と外国判決とが合体したものと考えるのが条文上（民執二二条六号）は素直である。そこで、そういった類の分析的アプローチによれば、さらにここでの問題についても、若干異なった帰結が導かれ得ないではないが、私はともかくも前記のごとく考える）。これに対して、A国でわが国の給付判決に対して、部分承認のみがなされ、それに基づく執行のなされたにとどまる場合はどうか。たとえば一億円の給付を命ずるわが国の判決につき、何らかの理由で、そのうち五千万円の部分につき執行が拒絶されたときを考えよ（因みに、逆のケースで、わが国が米国の給付判決を承認する場合、とりわけ、米国の製造物責任訴訟で問題となる懲罰的損害賠償（punitive damages）の部分や、同国の独禁法上の請求などに関して認められる三倍額賠償（treble damages）のうち実損分を越える部分については、わが国において承認がなされるべきではない。（この点は石黒・上四九七頁以下で論じたが、ごく簡単には、NIRA・五一頁以下（石黒））。この場合には、わが国でのもともとの円建て給付額のうち、A国で不承認とされた分については、その割合で、債務名義は残ると見るべきであろう。その中間として、A国でわが国判決が全部承認されたが、A国通貨建てに換算された額のうち、たとえば三割しか同国での執行によって得られなかった場合はどうか。この場合にも、やはり七割相当の円建て額についてわが国での債務名義は残ると考えるべきであろう（なお、多少関連するが理論的には明確に右と区別して論ずべき問題につき、石黒・一八二頁以下をも参照せよ）。

もっとも、この種の問題は、論理必然的に一つの考え方しか成り立ち得ないといった性格のものではない。研究者・金融実務家双方、そして法曹実務家の英知を集め、よりいっそう複雑なシチュエイションにおける問題の妥当な解決や、いっそう説得力のある法律構成を求めて、今後、十分に議論が尽くされてゆくべき性格の問題である（だが、それにしては、すぐ明日にでも実際のケースとしてわが国の裁判所に登場し得る問題のようにも思われるが、どうであろうか）。

⑤世界をとびかうマネーに対しては動態的対応を

以上、内外通貨の換算と他国での判決執行とに関連した、かなり複雑な問題を、あえてここで扱ってみた。既述のごとく、ある国で判決を得れば必ずその国での執行によってつねに全面的な満足を受けられるという保証はどこにもない。債権額に十分見合うだけの土地建物等の不動産が法廷地国にあるという幸運な場合はともかくとして、個人や企業の取引活動上の拠点、そしてそれらの者の有する資産の国際的な移動ないし流動が、比較的容易になされ得る昨今（たとえばEFTによる瞬時の国際的資金移動を考えよ）、そのようなことは、少なくともつねに期待し得ることではないのである。まず、ここで論じたように、A国で判決を得てから、B国、C国でそれぞれ執行する必要の生ずる場合もあろう。だが、さらに困難な問題として、B国で相手方に先を越されて債務不存在確認の訴えのような反対訴訟を提起され、A国裁判所であえて国際二重起訴と承知で後訴を提起するか、それとも相手方に引きずられてB国での訴訟のみに専念するか、といった微妙な選択を強いられる場合もあり得よう（なお、国際的訴訟競合については、石黒・上六〇四頁以下、およびそこに所掲の諸文献参照。また、その骨子につき、同・国際私法一七三頁以下)。

国際金融取引が、通信回線の国際的ネットワークによって瞬時に世界中をとびまわるマネーという生き物を扱う動態として把握されるならば、そこで生ずる種々の債権をいかに管理・保全し、また発生した紛争をどこの国の法廷で、どのような形で処理してゆくかという国際私法・国際民事訴訟法絡みの種々の法理論的テクニックないし戦略も、また、動態的なものとして認識され、活用されてゆかねばならない。とくに、ここでその一端を垣間見た国際民事訴訟法上の種々の法技術(それらについては石黒・現代国際私法上において、数百頁を費して細かな、そして体系的な検討をしておいた)を縦横無尽に駆使し、その場その場のシチュエイションに応じて最も効率よく、短期間に最良の成果を生み出してゆくためには、相当に理論・実務の両面で洗練された国際的頭脳集団の存在が不可欠であろう。多国籍企業における高度の国際租税戦略におけるとほぼ同様の頭脳投資の必要性が、この点について一般に広く認識されるのは一体いつの日のことであろうか(石黒)。

3　貸出債権の流動化の実際と法理

①わが国では貸出債権の流動化がはじまった

わが国の大蔵省は、昭和六〇年一一月金融国際化促進の見地から、銀行同士の対外ローン債権売買に関する規制を緩和、それまで外貨建てに限定していた対象債権を円建て（国内円）およびユーロ円建て債権にまで拡大し、取引のできる銀行として、海外の銀行とコルレス契約を結んでいる地方銀行、相互銀行、商工中金、農林中金などを含めることとした。対象債権と取引銀行の拡大を認めた理由は、欧米の銀行や世銀などの国際金融機関からわが国の金融機関向けの債権売却要請が近年高まってきたことと、地相銀側の資産多様化ニーズに適合するためといわれる。大蔵省はすでに昭和六〇年四月から非居住者向け中長期ユーロ円貸出を解禁するなど円の国際化促進措置を着々ととってきているが、最近では貸出実行後の債権譲渡をあらかじめ予定した融資契約も結ばれはじめている。既存貸出債権の売却に興味を持つところは、外銀、海外の金融会社、世銀、米州開銀等に加え、カントリー・エクスポージャーの改善やALM観点から貸出債権のポートフォリオ再編を目的とする都銀・興長銀等であると考えられた。

この措置を受けて、昭和六一年一月二五日、米国のバンカース・トラスト銀行が欧州某国政府向け円建融資債権の一部約五億円をわが国上位地銀の足利銀行へ売却したと報ぜられた。当該債権の売買はバンカース・トラスト東京支店と足利銀行の合意に基づき、借入人には譲渡の事実を

債権小口販売のしくみ

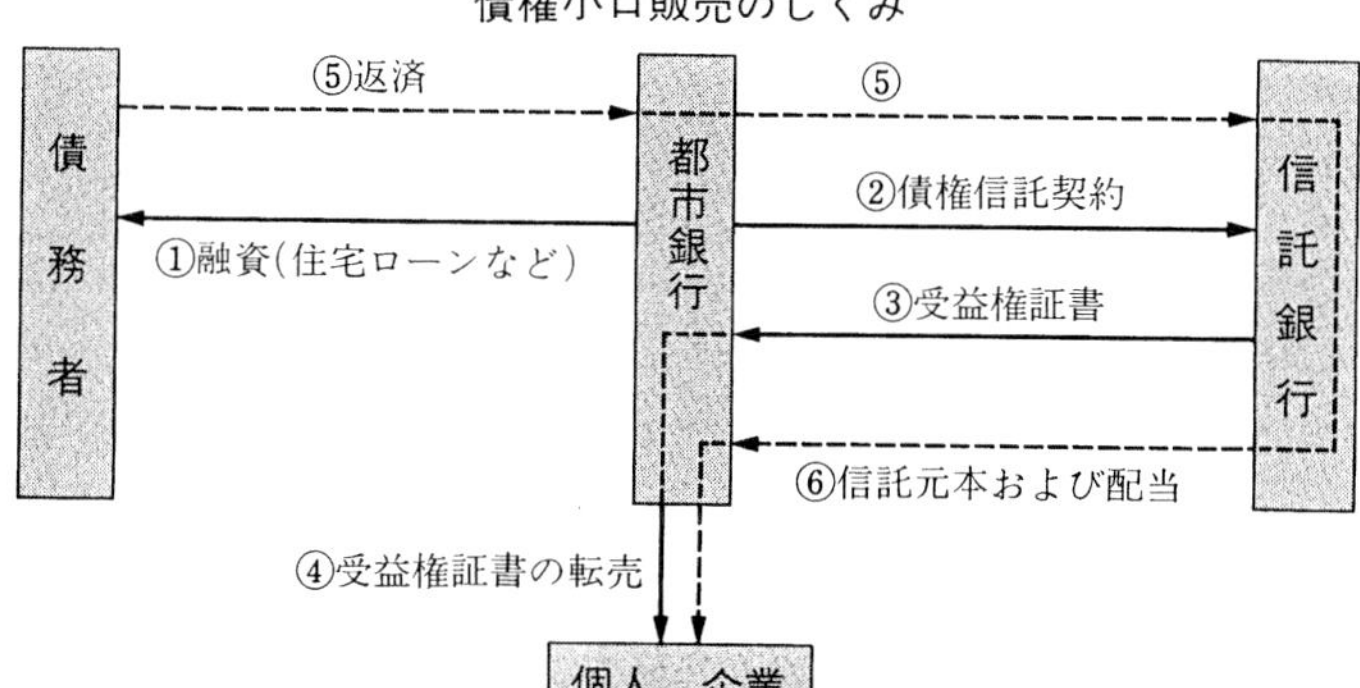

出所：『日本経済新聞』昭和61年1月8日より。

知らせない「サブ・パート方式」により行われた。

一方、事案に渉外性はないが、貸出債権の流動化策として、昭和六一年に入り住友、三和、三井をはじめとする都銀各行が「住宅ローン債権信託」、「貸出金債権信託」等の形で住宅ローンや企業への貸出金債権を資金余裕のある個人や企業へ売却することを構想中と伝えられた。構想の概略は上図に示したとおり信託銀行とタイアップし、固定金利型住宅ローンや企業宛の貸出金のうち返済期間と金利がそろう債権を一定の単位にまとめて信託銀行へ信託し、信託銀行から発行してもらう受益権証書を小口化して投資家へ販売するしくみとなっている。

また、昭和六一年に入り、三井不動産は「パーティシペーティング・モーゲージローン（利益参加権つき不動産抵当融資）」と呼ばれる金融商品を米国で開発、この融資債権をわが国に持込み日本の投資家向けに「分譲」する予定であると報ぜられた。この構想は、三井不動産がニューヨークの現地法人、三井不動産ニューヨークを通じて、米国投資家グループが組織するパートナーシップへ約五千万米ドル（百億円）を融資し、グループがその資金でシカゴにあるオフィスビルを購入する。契約により三井不動産は抵当権つき融資の利息のほか同ビルの運用益の一部も受取ることができ、ビルを売却したときは元本と売却益が入手できるしくみになっている。

わが国の現状に関して特記すべき事項がもう一つある。それは抵当証券の活況である。抵当証券とは簡単にいうと、土地、建物などの不動産担保つき債権を抵当証券法に基づき有価証券化したものである。住宅購入資金や事業資金の借入需要のある個人や中小企業に対して、抵当証券会社が不動産を担保にとって長期貸出をし、その貸出債権を登記所で抵当証券にしてもらい、小口化した証券（モーゲージ証券）の形で投資家に販売するしくみとなっている。抵当証券法は昭和六年に成立しており今になって抵当証券の販売が活況を呈しはじめた（発行残高、五八年三月末一九二億円、五九年三月末一、二三七億円、数年で一兆円を超える見込）のも奇異な感じがするが、金融自由化の進展、個人金融資産額の増大、金利選好度の高まり等時代の動きを反映したものと思われる。

②米国およびユーロ市場では貸出債権の流動化が終ってセキュリタイゼーション現象が進行中

わが国では前述のとおりようやく貸出債権の流動化が始まりをみせつつある段階であるが、本格的な金融自由化を数年前から経験した米国市場、もともとほとんど規制のなかったユーロ市場においては、債権譲渡ないしパーティシペーションの形をとった債権の流動化段階はすでに卒業し、いわゆるセキュリタイゼーション（securitization 金融の証券化）現象の真只中にあるというのが実情である。

金融の証券化とは、最も簡略化して述べれば間接金融から直接金融への動きであるが、その内容をみてみると、方向として三つあることがわかる。第一は資産調達の手段が銀行借入から証券発行にシフトすること、第二は貸付債権やリース債権が証券化され当初の債権者（銀行やリース会社等）から投資家の手に切売りされていくこと、第三は金融供与に際して貸付と証券発行の両サービスが複合して提供される、いわばハイブリッド・サービスの提供が盛んになること、である。この三つの動きはお互いに関連し合って発展をみてきている。それぞれの具体例を列挙してみると、第一に関しては、米国市場におけるジャンクボンドの流行、ＣＰ発行の増加があり、ユーロ市場においてはＦＲＮ発行の急増と多様化（キャップ付ＦＲＮ、ミスマッチＦＲＮ、フリップ・スロップＦＲＮ、パーペチャルＦＲＮ等の登場）、インタレスト・スワップやカレンシー・スワップと絡めた固定利付債発行の盛行がある。第二に関しては、米国市場において財務諸比率改善とＡＬＭ実践を目的とした銀行による貸出債権の切売りないしパーティシペーションをはじめとし、住宅ローン、商業用不動産ローンを証券化して投資家へ売却する不動産抵当証券（パススルー証書、ペイスルー証書、ＣＭＯ〔Collateralized Mortgage Obligation 等〕、自動車ローン、企業の売掛金債権、リース債権を証券化したＣＡＲＳ、ＡＰＴＣ（Asset Pass Through Certificate）、債券担保付ＣＰ等がある。ユーロ市場においては、貸付の当初から後の分売を予定したトランスファラブル・ローン・サーティフィケイト（Transferable Loan Certificate）が登場している。第三に関しては、もっぱらユーロ市場において盛行をみているＮＩＦ（Note Issuance Facility）とＲＵＦ（Revolving Underwritig Facitity）があげられる。これらのものを総称してバックアップ・ファシリティというが、それは銀行が借手に対して信用供与枠（ファシリティ）を設定し、その枠内の借手がユーロノート、ユーロＣＰ、ＣＤ、ＢＡなどの発行が必要に応じてできるようにしくみを固め資金調達を保証するものである。銀行は借手が発行する証券等に売残りが出た場合、それを購入したり相当額をつなぎ融資の形で資金供与することにより借手の資金調達を包括的に保証する。証券発行の仲介（証券業務）とつなぎ融資（銀行業務）の両機能が複合化されて提供されることがハイブリッド・サービスと称されるゆえんである。このファシリティの基本的性格は上述のとおりであるが、内容は当事者のニーズに応じて区々さまざまである。引受、販売の責任構成から、ＳＰＡ(Solo Placing Agency)方式、テンダーパネル(Tender Panel)方式に大別され、資金調達手段の多様性や付属するオプションの種類からも個々のサービス内容に相違が大きい。ＮＰＳ（Note Purchase Facility)、ＥＦ（Euronote Facility)、ＢＯＮＵＳ（Borrower Option for Notes and Underwriting Stand-by)、ＭＣＦ（Multiple Component Facilities)、ＭＯＦ（Multi Option Facilities)、ＭＯＦＦ（Multi Option Financing Facilities）等がサービス開発者の命名に従って市場に出ている。総じて借手の調達手段選択の自由度を拡張させる方向に向かっているのが市場の傾向である。

以上、わが国および米国、ユーロ市場における貸出債権の流動化、それに絡んだ金融の証券化現象を概観した。いずれも経済上のニーズないし商業上のニーズが先行し契約技術がそれらを追いかけて商品化（対価をとるサービスという意味での商品化）したものである。とくにユーロ市場におけるＮＩＦ、ＲＵＦのごときバックアップ・ファシリティは諸契約群を相当高度に複合せしめたいわゆるパッケージ・サービスであり、その法的構成を解明するのは興味のあるところであるが、紙数の都合もあるので、ここでは、貸出債権の流動化の一環としての債権譲渡ないしいわゆるパーティシペーションに関して、ユーロ市場と米国市場における実際の姿と法理につき解説することとしたい。

③パーティシペーションとは

そもそもパーティシペーション（participation）とは何であるか。ブラックの法律辞典（Black's Law Dictionary）によれば、パーティシペーション・ローンの定義として、Because of statutory and regulatory limitations on the amount which a bank may lend to a single borrower, in some large loan arrangements two or more banks join in a loan with each bank lending a portion of the amount to the borrower（一社に対する貸出で額が大きく、法・規制のため単独の貸手では融資できかねる案件に複数の銀行が共同して融資持分を持つことによってなす融資）と説明が与えられている。因みに participation の動詞 participate の意味は to receive or have a part or share of～（～の一部ないし持分を受取るあるいは保有する）ことである。この説明では融資契約の成立時にすでに複数の銀行が共同の貸手となることが想定されているが、実務上の例をみると、近時そういう例はむしろ例外的であって、一旦単独の貸手が貸出をなし、その貸出債権を適宜分割して第三者へ移転させることを意味する場合が多い。業界では、銀行が貸出債権ないしその他のリスク資産（たとえばスタンド・バイL／Cによる支払承諾見返りなど）を他銀行へ分与することを、パート・アウトといい、分与される銀行の側からはパート・インといっている（パート・イン、パート・アウトが正確な英語表現かは疑問である。ひっとしたら、パーティシペイト・インの短縮かとも考えてみたが、そうなるとパーティシペイト・アウトの方はどうも変になる。この表現はあるいは和製英語であるのかも知れない。諸賢兄の教示を乞いたい）。

念のため補足しておくと、いわゆるシンジケート・ローンは「協調融資」と訳されるように通常シンジケート・メンバーの各々は借手と独立した融資契約を締結する構成をとる。その場合、当該ローンは「共同融資」ではないから、シンジケート・メンバーは、シンジケートへのパーティシパントであるとはいえても、当該ローンのパーティシパントだとはいえない。

近時、発展途上国の債務問題の長期化、優良ボロワーの証券シフト、銀行の自己資本比率規制の強化とROA（Return on Assets）改善要請等があいまって、銀行の保有貸出債権流動化（売却して現金化すること）の必要性が極めて高まっており、その意味からもパーティシペーションが注目を浴びている。

④英国法下のパーティシペーションないし債権譲渡

英国法の下で、貸付債権を分与する法的技術として伝統的に三種類のものがとられてきた。第一は、サブ・パーティシペーション（contractual sub-participation）、第二は、制定法もしくは衡平法上のアサインメント（assignment　債権譲渡）、第三は、ノウベーション（novation　更改）

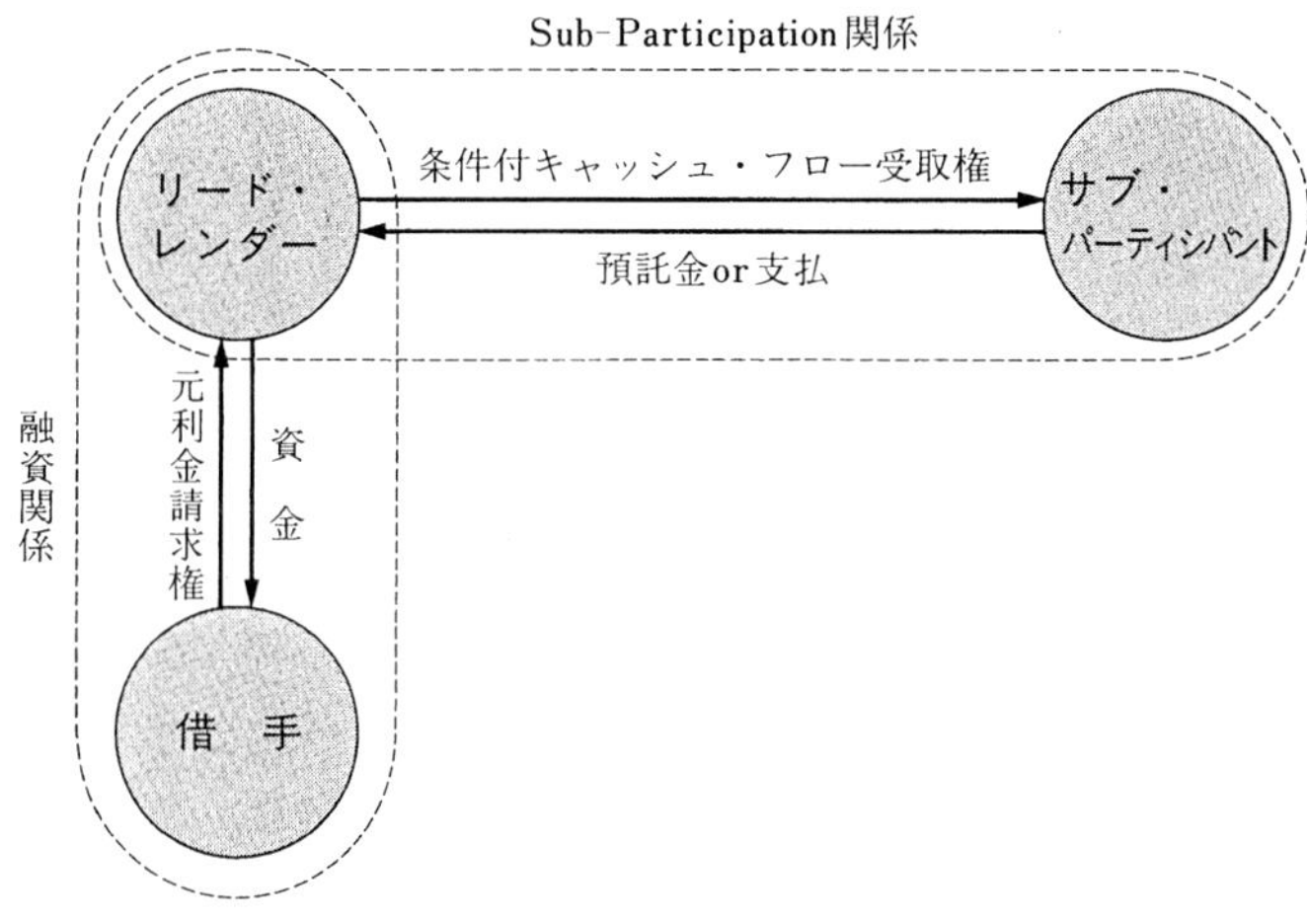

である。法律上かなりの欠点を抱えながら実務上の便宜のため広く利用されてきた第一のサブ・パーティシペーションから解説する。因みに、サブ・パーティシペーション(sub-participation)は英国で行われる表現であり、米国における対応語はパーティシペーションである。後で米国の事情も解説するが、"sub"がついていても概念上の本質的な違いは見当たらないように思われる。実務上の便宜とは、サブ・パーティシペーションであればアサインメント（債権譲渡）につきものの印紙税を回避できることと、貸付契約に譲渡禁止の条項があってもそれに頓着せず、サブ・パーティシペーションにより貸付の資金負担と与信リスクを他者に転稼できることである。また、貸付銀行は借手に通知することが不要であるから、一般に顧客との関係を害する恐れも少ない。

サブ・パーティシペーションはリード・レンダー(lead lender　原貸主）とサブ・パーティシパント(sub-participant　貸付債権の分与を受ける者)との

間の契約である。サブ・パーティシペーションは一般に non-recourse funding arrangement（見合融資において借手が債務不履行となってもサブ・パーティシパントがリード・レンダーに求償できない条件つきの資金融通契約）といわれるが、英法下では次のような内容をもつ契約であると解釈されている。まず、リード・レンダーから借手に対して融資が実行され、その融資資金の調達（funding）用として、サブ・パーティシパントはリード・レンダーに対して預託金（deposit）を置く。預託金の元利金の返済はリード・レンダーの借手からの見合融資の元利金の回収進捗度に連動させる条件をつける。預託金とみなすことに支障があれば、それに代えて、将来のキャシュ・フローの受取を条件とした単なる支払と性格づけてもよい。預託金の金額は見合融資金額以下であればいくらでもよい。また、サブ・パーティシパントの預託金利はリード・レンダーの貸付金利とは別個に決められる。

ここまで、資金融通の伴うサブ・パーティシペーションをみてきたが、そのほかに、リード・バンクがとりまとめた保証債務の一部に参加する形のサブ・パーティシペーションもある。そういう場合はリスク・パーティシペーション（risk participation）と呼ばれるのが普通である。本稿では論及を省略する。

業界では、サブ・パーティシペーションを sale and purchase of a loan（貸金の売買）と同視する向きもあり、確かに銀行のバランス・シート上の処理からみると（パート・インすると貸金計上、パート・アウトすると貸金残高を減らす）そう連想する根拠もなくはないが、見合となっている貸出債権の権利者に一切変更がおきないのだから正確な観察ではない。とはいえ、業界ではサブ・パーティシペーションにつきパート・アウトするものをセラー（seller）、パート・インするものをバイヤー（buyer）と呼ぶ慣行のあることも事実である。

ここで、サブ・パーティシペーションの問題点につき論ずる。

第一は、サブ・パーティシパントは借手に対して直接の請求権を持たず、借手がリード・レンダーに対してなした返済元本と金利に対して直接かかっていけない法的構成がとられていることである。サブ・パーティシパントの権利はあくまでもリード・レンダーとの間に交されたサブ・パーティシペーション契約に準拠したリード・レンダーに対する無担保債権にとどまる。

第二は、その結果、サブ・パーティシパントはリード・レンダーと借手の双方の与信リスクにさらされることになる。借手が債務不履行をおこせば、契約に従いリード・レンダーのサブ・パーティシパントに対する返済義務は停止するし、リード・レンダーが倒産の事態におちいると、借手が約定どおり返済していても、サブ・パーティシパントはリード・レンダーから回収するには多大の困難が発生する（サブ・パーティシパントはリード・レンダーに対する一般債権者の一人という位置づけになろう）。たまたまサブ・パーティシパント（銀行）に預金を存置していた借手が、サブ・パーティシペーションの見合となっている貸付につきデフォールトをおこした場合、サブ・パーティシパントとして預り預金とサブ・パーティシペーションとを相殺したいと欲するだろうが許されない。サブ・パーティシパントは法律上、借手に対する直接の債権者となってはいないからである。

第三は、与信管理面の問題である。サブ・パーティシパントのリード・レンダーに対する債権の運命はリード・レンダーの借手に対する見合貸金の運命に連動しているわけだから、結局のところ、リード・レンダーの与信管理手腕に委ねられているといいうる。サブ・パーティシパントとしてはリード・レンダーと借手の間の融資契約上の条件変更とか免除措置とかに無関心でありえず、それらをなす場合には、あらかじめサブ・パーティシパントの同意が要るという風に、サブ・パーティシペーション契約で縛りを設けたいと願うのが普通であるが、多くの場合、リード・レンダーの抵抗にあって奏功していないようである。リード・レンダーとしても、借手との取引は当該案件に限定されているわけでもないから、借手との折衝については自律性をできるだけ維持したいところであるし、サブ・パーティシパントの同意が要件となれば自行プロパーの貸金の運営方針と調整がつかなくなる恐れがあるからである。このような事情があって通常サブ・パーティシペーション契約で落着く注意・管理義務（standard of care）は、リード・レンダーは自行プロパー貸金について払うのと同じ水準の注意をパート・アウトした貸金の管理についても払うと約束する程度が実情かと思われる。

第四は、守秘義務の問題である。英法下、銀行は顧客の取引につき守秘義務を課せられる。サブ・パーティシペーションの実行にこの問題が微妙に絡んでくるのは否めない。サブ・パーティシパントの債権は原貸金の運命と密着していることは既述したとおりである。当然、サブ・パーティシパントは借入人の信用状態、取引状況につき重大な関心を持ち、借入人が自行と取引がない場合には、リード・レンダーにそれらの開示を求めてくるのが普通である。その際の開示程度が問題となる。すでにユーロ市場でシンジケート・ローンやユーロ債を発行しているような公共体とか多国籍企業が借入人である場合にはあまり問題ではない。インフォーメーション・メモランダムとかプロスペクタスで借入人の状況はいわば公知の事実となっているからである。しかし、そのような借入人でない場合は微妙である。原融資契約書のコピーをサブ・パーティシパントに手交する程度でも守秘義務違反を問われる可能性がないとはいえない。たとえばこういう事例が考えられる。借入人CはA銀行とB銀行から借入をし、B銀行との借入契約上ある財務比率維持をコヴナント（covenant）として記載していたとする。その後、B銀行がA銀行のCに対する貸金を見合にパート・インをしたいと思いA銀行から得たCの財務資料をチェックしたところ、BC間で約定された財務比率維持義務が果たされていないことが判明したとせよ。Bはイベンツ・オブ・デフォールト（債務不履行事由）条項に従いCから貸金の期前返還を求めうる立場に立ち得ることになる。Bは実際にそう行動して、それが引き金となってCに対する連鎖的請求が押寄せてCが倒産に追込まれる事態も考えられうる。そうした場合、理論上Cの管財人は原因結果の連鎖を辿ってAの守秘義務違反の損害賠償を求め得るとも考えられる。したがってサブ・パーティシペーションを予定するリード・レンダーは原融資契約締結時に借手からそのときに備えた開示合意をとりつけておくことが肝要である。

第五は、サブ・パーティシペーションの見合貸金が発展途上国等に宛たシンジケート・ローンである場合であって、リスケジュールに絡んでリード・レンダー、サブ・パーティシパント間の権利義務がどうなるのかという問題である。サブ・パーティシパントが借手と直接の債権債務関係にないことから問題がもち上る点で第三に述べた与信管理面の問題と共通するところが多い。

簡単にいうと、すべてはサブ・パーティシペーション契約の内容次第ということになろうが、昨今のごとき広範なリスケジュールの事態を想定していないサブ・パーティシペーションの場合どう扱われるかが問題である。法律上リード・レンダーがシンジケート・ローンの債権者であるから、リスケ交渉にあたり、債権者の権利行使の主体はやはりリード・レンダーであるが、明示の約定がない場合、サブ・パーティシパントの意向を無視しても構わないか。サブ・パーティシパントは実質的に重大な利害関係者であるから、その意向は適切に斟酌されねばならぬとするのがおそらく英国裁判所の見解であろう。しかし、サブ・パーティシパントが頑強にリスケジュールに反対し、リード・レンダーが自分の持分についてはリスケジュール止むなしという意見を持つような場合、ことは簡単でなくなる。自行債権分とパート・アウト分を分けて賛否をとるなどステアリング・コミッティがしてくれれば窮状を脱せようが、そういう例はあまり聞かない。

リスケジュールの内容が期日の繰延べにとどまれば、それでも、深刻さは軽いが、借替え（refinance）とニュー・マネーの投入が絡むと複雑になる。借替えの場合、既存レンダーは新規の貸付を実行して到期分の元利金を回収するわけだが、新規の貸付義務はサブ・パーティシパントに及ばないにしても、パート・アウトされていた貸金は形式的には完済となるのだから、サブ・パーティシパントはリード・レンダーから回収できるのであろうか。それではリード・レンダーがババを抜くようで関係者間の利益権衡が失われる感じがする。ニュー・マネーの投入が債権者により合意されると、その義務は債権者限りで及ぶことになるのか。おそらく、そういうことになるのであろう。いずれにせよ、こうした問題は微妙である。サブ・パーティシパントはパート・

インするときに果実の取得と合せ関係リスクの負担も意思していることは明僚である事情に鑑み、シンジケート・ローンのリスケジュールの場合には、サブ・パーティシパントも実質的な債権者として取扱うなどの工夫が講じられるのが現実的な対応だと私は思料するものである。幸い、これまでのリスケジュールにおいては、リード・レンダーとサブ・パーティシパントが法廷の場で権利義務の決着をつける場面はみられなかったように思う。事案ごとの個々の妥協と調整により問題が解決されてきたのに相違ないと思われる。

⑤英法下の債権譲渡

アサインメント（assignment）は英法上制定法上のもの（legal assignment）と衡平法上のもの（equitable assignment）との二つがある。いずれによっても、譲受人は借手に対する直接請求権を取得することができるから、サブ・パーティシペーションに比べて、リード・レンダーが倒産時に債権保全の面で優れる。しかしながら、アサインメントにも種々の欠点がある。まず第一は、債権譲渡を完全なものにし、当該債権につき譲受人の名義で強制執行を求め得るためには、アサインメントが絶対的譲渡（absolute assignment）でなければならず、その場合、譲渡は書面によりなされ、譲渡される債権は部分的であってはならず、該当債権の全部（whole）でなければいけないことである。また、借手（債務者）への通知が不可欠である（一九二五年財産法一三六条）。もっとも前述の要件を欠いても成立する衡平法上のアサインメントの方はかえって柔軟性がある譲渡行為である。衡平法上のアサインメントであれば、債権の一部譲渡は可能であり、また、譲渡にあたり書面によることを要件とされない。この特質を利用して、譲渡をなすに際し、書面では譲渡条件を呈示する申込み（offer）にとどめ、たとえば代価の支払をもって応諾とみなすというような譲渡行為がとられることがある。このようなやり方でも衡平法上の譲渡として有効である。その場合、譲渡契約書が存在しないので印紙を貼付する対象がないという具合になる（この方法で一回目の債権譲渡は印紙税の回避が可能であるが、そのときの譲受人が次に譲渡人となって当該債権を転譲しようとする場合に問題が発生する。なぜならば、一九二五年財産法（Law of Property Act 1925）五三条(一)(c)に衡平法上の権利（equitable interest）の処分――処分には譲渡も含まれる――は書面によってなされなければならないと規定されており、その書面には印紙貼付の義務が課せられるからである。二次市場における転々流通を想定する場合、債権譲渡の方法をとりながらなお印紙税を回避するのは、やはり困難といわなければならない。

なお、印紙税問題はさておき、衡平法上の譲受人には自己単独の名では債務者に対して裁判上の訴求ができないという制約がある。譲渡人を訴訟当事者として原告（自分）側かもしくは被告（債務者）側に参加（join）させなければ起訴ができないという不便さがあることにも留意を要する。

第二は、アサインメントは譲渡人の保有する債権のみを譲受人へ譲渡するものであって、債務を対象としない。債権の移転に伴い債務が付随する場合にはそれを込みにした譲渡は困難であることである。具体的にいうと、一部のみドロー・ダウン（draw down）が済んでいるシンジケート・ローン、利用残が極度を下回った状態にある回転信用枠、マルチ・カレンシー条項つきのローン等にあっては、譲渡後、譲渡債権金額を上回る与信供与が要請される場面が十分考えられるが、その場合上回る部分の与信供与は譲渡人の義務として依然残ると考えるのが筋であろうかと思われる。さらに付言すると、債権譲渡にあっては、譲渡の結果、債務者の負担が当初の契約債務以上に増えるものであってはならないのが原則である。したがって、譲受人が譲渡人には該当しない個別の事情を援用して（たとえば、税務上の立場の違いなど）債務者に補償請求を行うことなどは原融資契約に救済条項があったとしてもできない。むろん、原融資契約が譲渡のケースも予定し、その場合も包摂した条項になっていれば話は別である。

第三は債務者の同意の問題である。ローン・アグリーメントをみるに、譲渡を全面的に禁じているものはまずないが、譲渡にあたっては、借手（債務者）またはエージェントの事前同意を条件としているものがよくある。それが、貸出債権流動化の制約要因となるのは否めない事実である。もっとも、原ローン・アグリーメント上、譲渡が制限されていたり禁止されていたりする場合でも、取引上の都合から、隠密裡の譲渡（undisclosed assignment）があえてなされるケースがある。衡平法上の譲渡は、形式を問わず譲渡人と譲受人との間に譲渡の合意がなされたとき成立する。ただしその譲渡が債務者に対して効力を持つためには、債務者が当該譲渡の通知を受けることが必要であるとしている。この文脈から判断すると、原契約上の規定いかんにかかわらず、隠密裡の譲渡は少なくとも譲渡人・譲受人の間では有効と考え、結果として借手（債務者）が損害を被る場合、譲渡人（およびその幇助者としての譲受人）が契約違反と損害賠償の責任を負えばよいと解し得る余地がある。そうではなくて、譲渡禁止の約款がある以上、その契約から発生する債権も譲渡性を認められないのが自然と割切ってしまう立場もあろうから、こうした行為の効果の判定は実のところ困難な問題である。

隠密裡の譲渡の話がでたついでに、その場合、譲受人は譲渡人の二重譲渡リスクにさらされることに触れておこう。譲渡が隠密裡であるから、債務者に対して通知はなされない。譲渡人と譲受人の間限りで譲渡は有効に成立しているが、譲渡人は表面的には依然当該債権の所有者である。譲受人との間には信託関係が擬制され、譲渡人は受託者の立場に立つ。譲渡人がその受託者たる義務に違反して、受託資産を第三者へ譲渡してしまい、その第三者が譲渡通知を債務者になした場合、当該債権は第三者に帰属するから、隠密裡の譲受人は債務者に対して権利を失い、譲渡人に請求するしか途がなくなることになる。因みに、このような債権譲渡が乱発されたときの優先権（priority）は譲渡の先後ではなくて、譲渡通知の債務者への到着順により決定される。

第四は、取引の採算上重大な影響を与える印紙税の問題である。印紙税は一八九一年印紙法（Stamp Act 1891）により定められるが、大雑把にいって、英国内でなされる債権譲渡を証する書類については譲渡金額の一律一%の印紙税が課せられるとするものである。ローン市場の借手市場化に伴い金利スプレッドが縮小している昨今、フラットとはいえ一%の印紙税の賦課は譲渡取引を封ずる程の重みをもっている。そこで、これを回避する途が先に述べた衡平法譲渡の工夫も含め種々実務レベルで思案されたのは当然である。まず、納税をまったく無視してしまったらどうなるかだが、英国裁判所は印紙を貼付していない債権譲渡書類を裁判上の証拠として採用しないから、当該債権につき強制執行の請求ができない。また、譲受人が印紙税未納にかかわる損

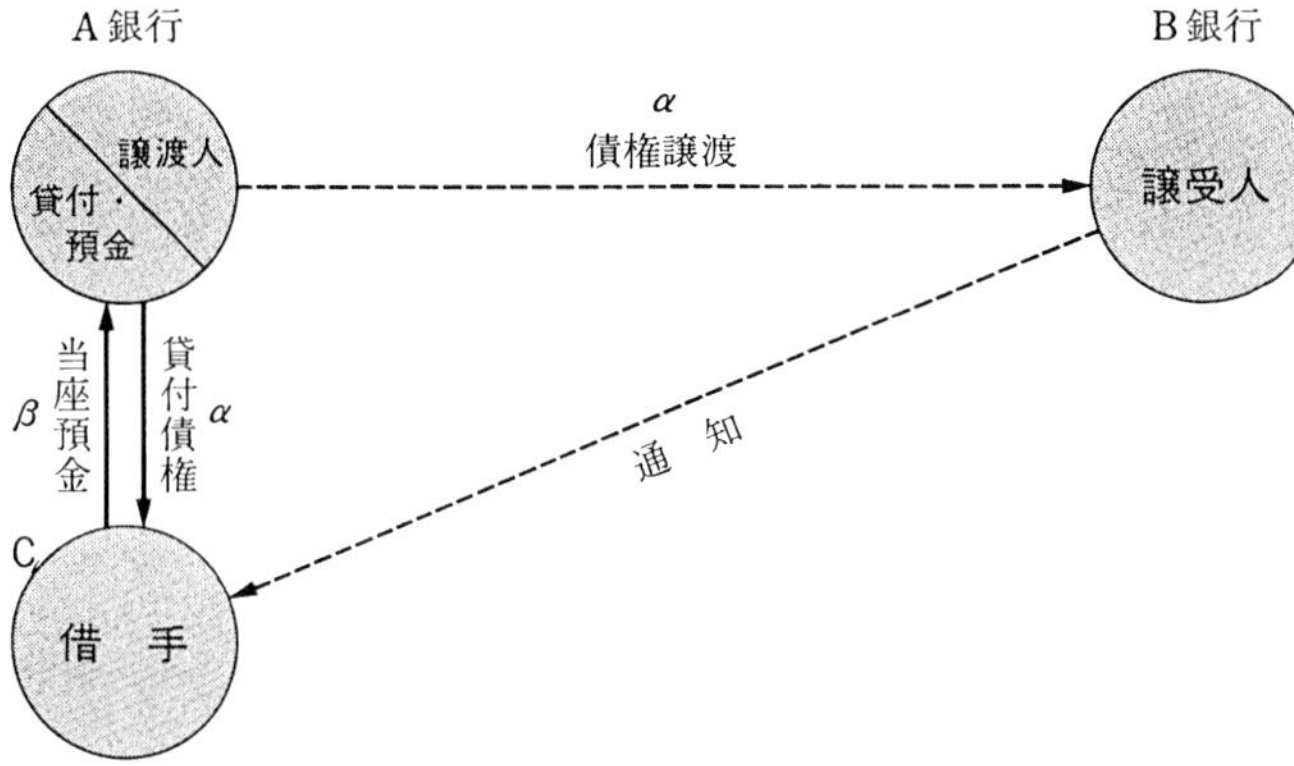

A銀行
B銀行
譲渡人
貸付・預金
α 債権譲渡
譲受人
β 当座預金
貸付債権 α
通知
C
借手

害補償の約束（indemnity）を譲渡人からとりつけて債権譲渡を受けるケースも考えられるが、その場合は、当該補償約束は無効であるとされる（印紙法一一七条）。それでは債権譲渡契約を国外で締結し、契約書類を国外で保存しておけばよいではないかとの指摘もありうるが、当該契約につき英国裁判所で争われる場合、その書類の搬入は不可欠であり、証拠として認められるためには前述のとおり納税が前提となるから、問題を先のばししたにすぎないことになる。

第五は譲渡通知到着前の相殺リスクの問題である。A銀行が借手Cに対する貸付債権（金額α）をB銀行へ譲渡し、通知をCに対して発送したとする。そのとき、Cはたまたま A銀行に当座預金残高（金額β）を存置していたとする。通知がCに到着する前であればいつでもCはAに対する当座預金債権をAからの借入金債務と相殺させることができるから、CがAからBへの債権譲渡の動きを察知し、それを不都合として嫌う場合には相殺手続が実際にとられ得る可能性がある。その場合、Bは当初予定した金額αの債権を取得しえず、Cに対して、（$\alpha-\beta$）、Aに対してβの

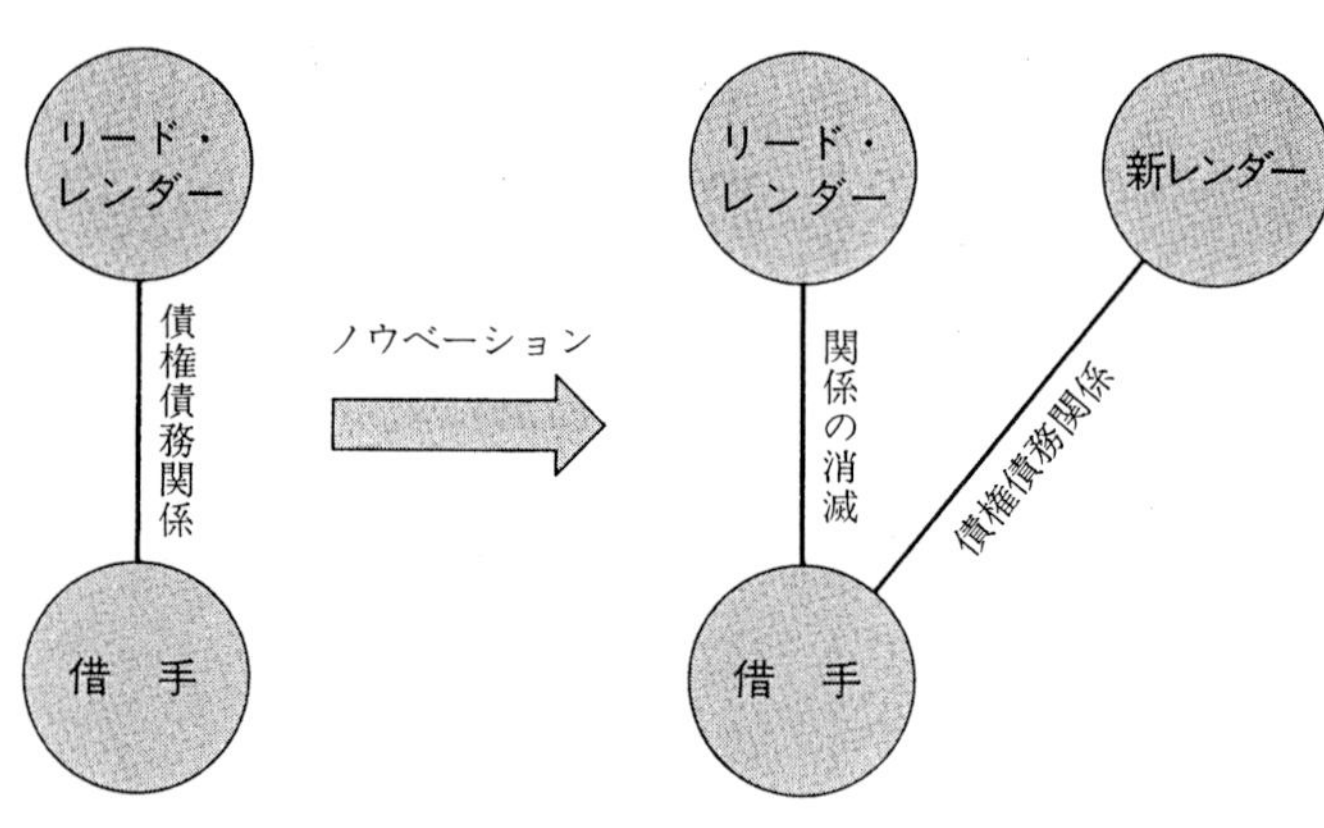

請求権を有する立場に追い込まれよう。Cが相殺権を行使できるのはAに対する債権が要求払の状態にある（accrued）場合に限定されているが、この問題は債権譲渡にかかわるやっかいな点の一つである。

⑥わが国の更改に相当するノウベーション

ノウベーション（novation）とは債務者がある債務について弁済するかわりに、別の債務を負担することによって、その債務を消滅させることをいい、わが国の更改に相当する。そもそも英国コモン・ローは契約関係を契約当事者に一身専属的なものであるかのように見る傾向があり、その契約内容がとくに当事者の技術ないし人格を要件とするもの（たとえば特定の画家に肖像を描いてもらう契約）に限らず、商慣習によって認められる場合（手形債権など）を除いて、すべての契約について、契約上の債務はもとより、契約上の債権の譲渡性も否定した（それに対して、衡平法は契約債権を含む無体財産権の譲渡を広く認めた）という歴史的背景に留意しておく必要がある。そういう事情があって、コモン・ロー上契約債権が任意に移転される場合は当事者の交替によるノゥベーション（更改）に限定されたのである。ノウベーションは原契約当事者の双方が新たに債権債務関係に入ろうとする第三者を加えて締結する契約で、原契約に基づく債権債務が消滅して、当該第三者と旧債務者との間に同一内容だが新たな債権債務関係を発生せしめるものである。したがって、ノウベーションは、概念上譲渡とは異なる。その結果、この契約は、債権を新レンダーに事実上移転せしめるのであるが、そこには印紙税の問題が発生しない利便さがある。またノウベーションによればサブ・パーティシペーションやアサインメント（とくに衡平法上のアサインメント）に付随した対抗力の弱さを払拭できる利点がある。しかしながら、ノウベーションはリード・レンダー、借手、新レンダーの三者間契約であるから、関係者の全員の同意が不可欠であり、手間もかかる。リード・レンダーの借手宛の融資が一本であり、それを丸ごと単一の新レンダーに移転させるだけであればさほどの手間は掛からぬであろうが、融資債権の流動化につきもののマチュリティ・ストリッピング（maturity stripping　複数の融資債権の中で期日を同じくするものをまとめて新レンダーないし投資家へ移転させること）やインタレスト・スキミング（interest skimming　融資債権のうち、元本請求権と利子請求権を分離させ、利子部分のみをまとめて投資家へ移転させること）等を実行するに際しては契約が輻輳しすぎて実用的でなくなる。

⑦譲渡可能貸付証書の開発

融資債権を第三者へ移転せしめる伝統的な法技術につき説明してきたが、いずれにしても得失

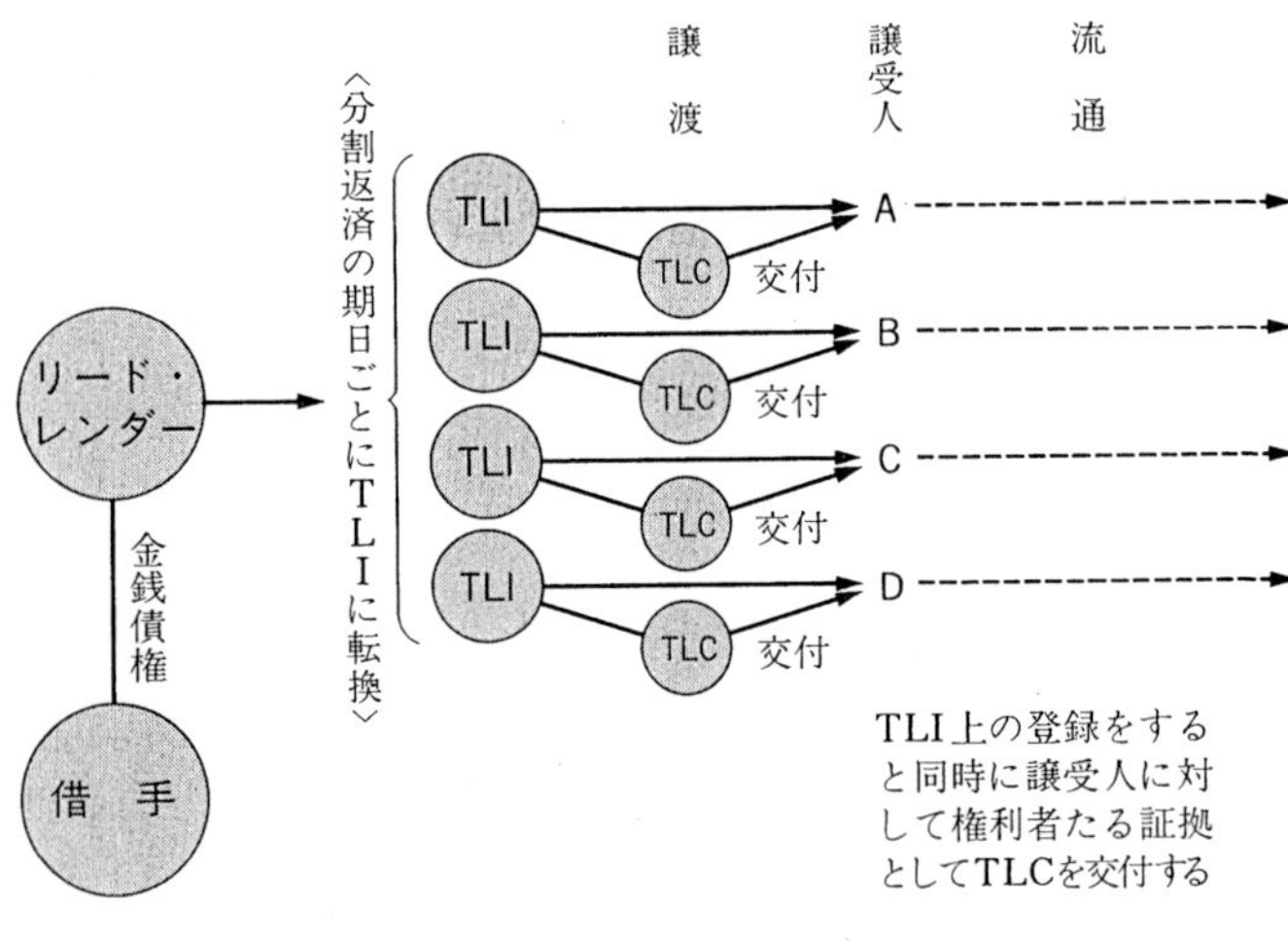

があり、融資債権の流通市場（secondary market）を形成するに足る実用性を備えていない恨みがあった。そうした背景下シンジケート・ローンの流動化を実現すべく導入をみたのが、譲渡可能貸付証書（Transferable Loan Certificate 以下ＴＬＣと略す）である。

ＴＬＣの特徴をみてみる。第一に、ＴＬＣは旧債権者（原融資銀行）から新債権者へ、旧債権者の保有していた債権債務を完全に移転せしめる。第二に、ＴＬＣはすでに標準化の域に達しているシンジケート・ローン契約の構造に大きな変更を加えることなく、追加的条項を契約にのせることで、債権流動化の目的を果たす。第三に、ＴＬＣは債権の移転を債権担保登録簿上の登録によって確定させるしくみをとる。登録に公信力を賦与し、債務者は登録簿上の権利者に弁済することによりその債務から解放される。第四に、ＴＬＣは一本の融資につき、たとえば分割返済の期日ごとに分割して複数の証書の発行を可能にする。

このような特性を備えたＴＬＣの法的背景はやはりすでに説明した伝統的技術であるアサインメントとノウベーションに求められる。まず、アサインメント（債権譲渡）に基礎をおいたＴＬＣについてみてみる。リード・レンダーは借手との当初の契約上、当該貸付債権（元利金請求権）を、たとえば返済期日ごとに分割し、トランスファラブル・ローン・インスタラメンツ（Transferable Loan Instruments　譲渡可能貸付証券……以下ＴＬＩと略す）に転換してよいという約定をもらっておく。ここでいうＴＬＩとは、リード・レンダーの借手に対する金銭債権を分割して化体した証券である。リード・レンダーがこのＴＬＩを第三者Ａに譲渡する場合を考えてみる。リード・レンダーからＡへのＴＬＩ譲渡は両者間の簡単な形式の書面（譲渡意思の確認用）によって行われ、登録によって完了するが、その際ＡがＴＬＩの正当な権利者であることの証拠として当該ＴＬＩに見合うＴＬＣがＡに交付される。ここで行われる譲渡の方式はすでに解説した制定法上の絶対的譲渡（absolute assignment）ということになる。

さて、なぜ、このような面倒臭い形をとって譲渡を行うのかについて説明が要るであろう。アサインメントの欠点として印紙税の課賦があることを前述したが、この方式に従うとそれが免除になる。ボンド建てローン・キャピタルの一部につき譲渡印紙税免除を規定した一九七六年金融法（Finance Act 1976）一二六条と株式取引所の取引対象とされない社債につき譲渡印紙税の適用を免除した同法六四条が該当するからである。ＴＬＩはここではディベンチャー（debenture社債）と観念されており、したがって、証券の一種となる。そうなると、目論見書による開示義

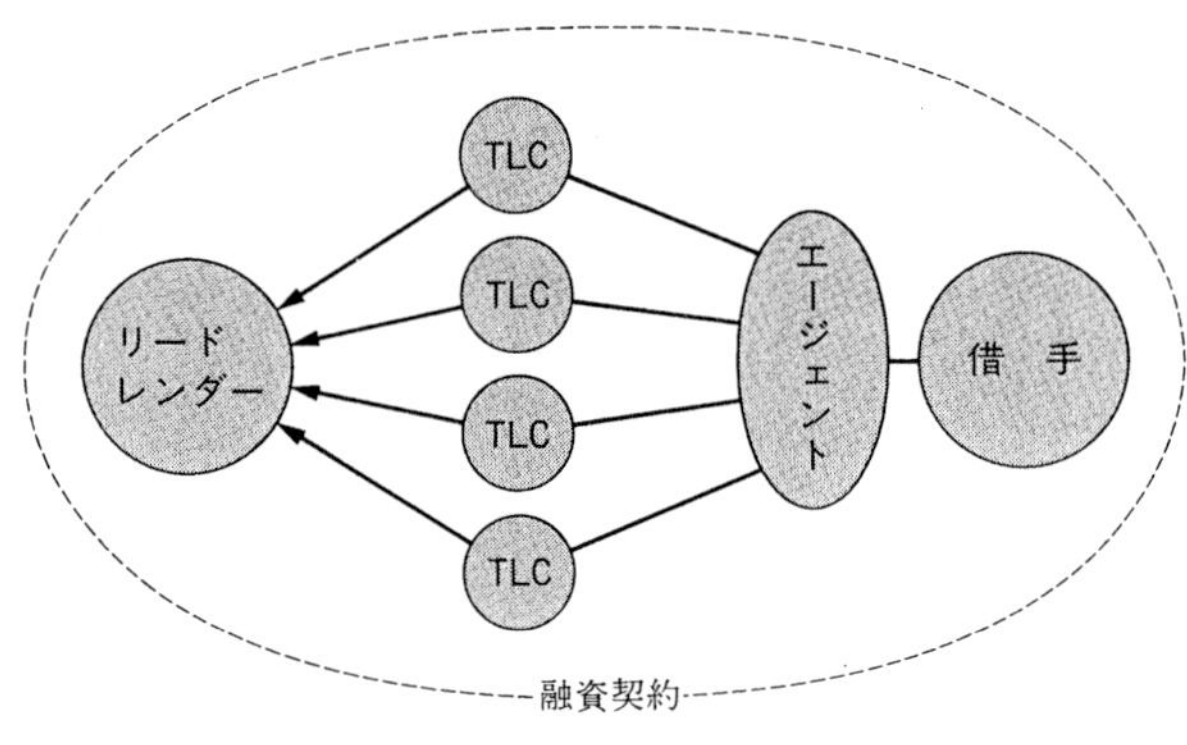

務とか詐欺防止法上の要件を充足する必要があるのではないかとの別の問題が浮かび上ってくるが、この種の取引における譲受人が不特定多数の投資家ではなく、むしろ取引の専門家ともいうべき金融機関である実情からみて、その心配は不要とされる。

次に、ノウベーションに基礎をおいたＴＬＣについてみてみる。アサインメント方式と同じように、まず原融資契約上、リード・レンダーは借手との間で一本の融資を返済期日ごとのロットに分割し、それぞれのロットにつき借手に単数ないし複数のＴＬＣの発行をさせ、更改の方式でＴＬＣ上に表示される元利請求権を第三者へ移転させることが可能になるような約定を結んでおく。ＴＬＣ上には貸手の名前とその貸手が原融資契約に基づき成立した元利金請求権のうち所定の金額につき持分を保有していることの記載が行われ、借手とリード・レンダーおよびエージェントの署名が与えられる。ＴＬＣ上に表示された権利の第三者（譲受人）への移転は、まず、リード・レンダー（譲渡人）と譲受人双方が当該ＴＬＣ上に譲渡意思の合意を記述署名し、それをエージェントに交付することにより行われる。

エージェントは登録代行の機能を果たし、当該ＴＬＣを保管し、譲受人に対して新しいＴＬＣを発行して交付する。ＴＬＣ上の署名と登録変更により法的にはリード・レンダーの債権が消滅し、代って譲受人の（借手に対する）債権が新たに発生する構成となっている。ここでのＴＬＣの法的性格は、アサインメント方式の場合のＴＬＩと違って、債務証書でもなければ証券でもない。このＴＬＣは更改手続上の証拠書類となるための機能しか持たず、証書上支払確約（covenant）の文言は記載されていないからである。理論上、債権譲渡の行為は発生していないから、当然、印紙税の対象外となる。

さて、以上ＴＬＣの二つのタイプにつき説明したが、ノウベーション方式による場合には、原融資が担保付融資であると若干の不都合が発生することに注意を払う必要がある。担保の随伴性は更改の場合切断されるのが一般だからである。

⑧米国におけるパーティシペーション

米国は英国法を継受しているから、債権を他者に移転せしめる法的技法も英国とほぼ同様であって、ノウベーション（更改）、アサインメント（債権譲渡）、パーティシペーション（英国におけるサブ・パーティシペーションに対応）の三つがある。ノウベーションとアサインメントの概念は英国におけるそれと変るところが少ない。ただし、英国コモン・ローの伝統に由来する一部譲渡の禁止思想（衡平法上可能であることは既述）は米国では行われない。ここでは国際金融の中心地の一つであるニューヨーク市場の実情を例にとってパーティシペーションを説明してみたい。

ニューヨーク州法下、約束手形に化体された元利金受取権は、手形が譲渡不可と表示されていても原則として譲渡可能である。また、その際、支払人の同意の有無は問われない。もっとも、これは手形債権の譲渡性の原則について述べたものであり、手形の支払人と受取人の間で当該手形を譲渡禁止と特約したのにもかかわらず、あえて譲渡が行われたのであれば、その契約違反を事由に譲受人は支払人から抗弁にさらされたり、反対請求を受け得ることがあり得る。

さて、ニューヨークにおけるパーティシペーションであるが、一般に次のように解釈されている。貸付銀行Lが借手Bに貸付をなし、貸付債権Aを取得する。次にAをA_1、A_2……A_5に分割し、A_2、A_3、A_4、A_5をパーティシパントであるL_2銀行、L_3銀行、……L_5銀行へ譲渡し、A_1は自行の債権としてとどめ置く。そして、貸付銀行Lは借手Bの間に当初成立した金銭消費貸借契約はそのまま維持する（つまり、パーティシペーションが行われてもLB間の債権者・債務者関係は存続せしめる）。通常、パーティシペーションは無償還条件（nonrecourse）で行われる。それは、借手Bが債務不履行におち入っても、パーティシパントL_2……L_5銀行はパート・アウトをなした貸付銀行Lに償還請求ができないという条件である。貸付銀行Lは借手Bの同意を要することなく、パート・アウトを実行できる。債権Aが手形債権であり、当該手形上、譲渡に際して支払人の同意が要件とされていても先に述べたルールが適用されて支払人の同意なしのパート・アウトが可能である（支払人の抗弁、反対請求はあり得る）。LB間に債権者・債務者の関係が維持されるからパーティシパントは借手Bに対して相殺権を行使することはできない。AB間の金銭

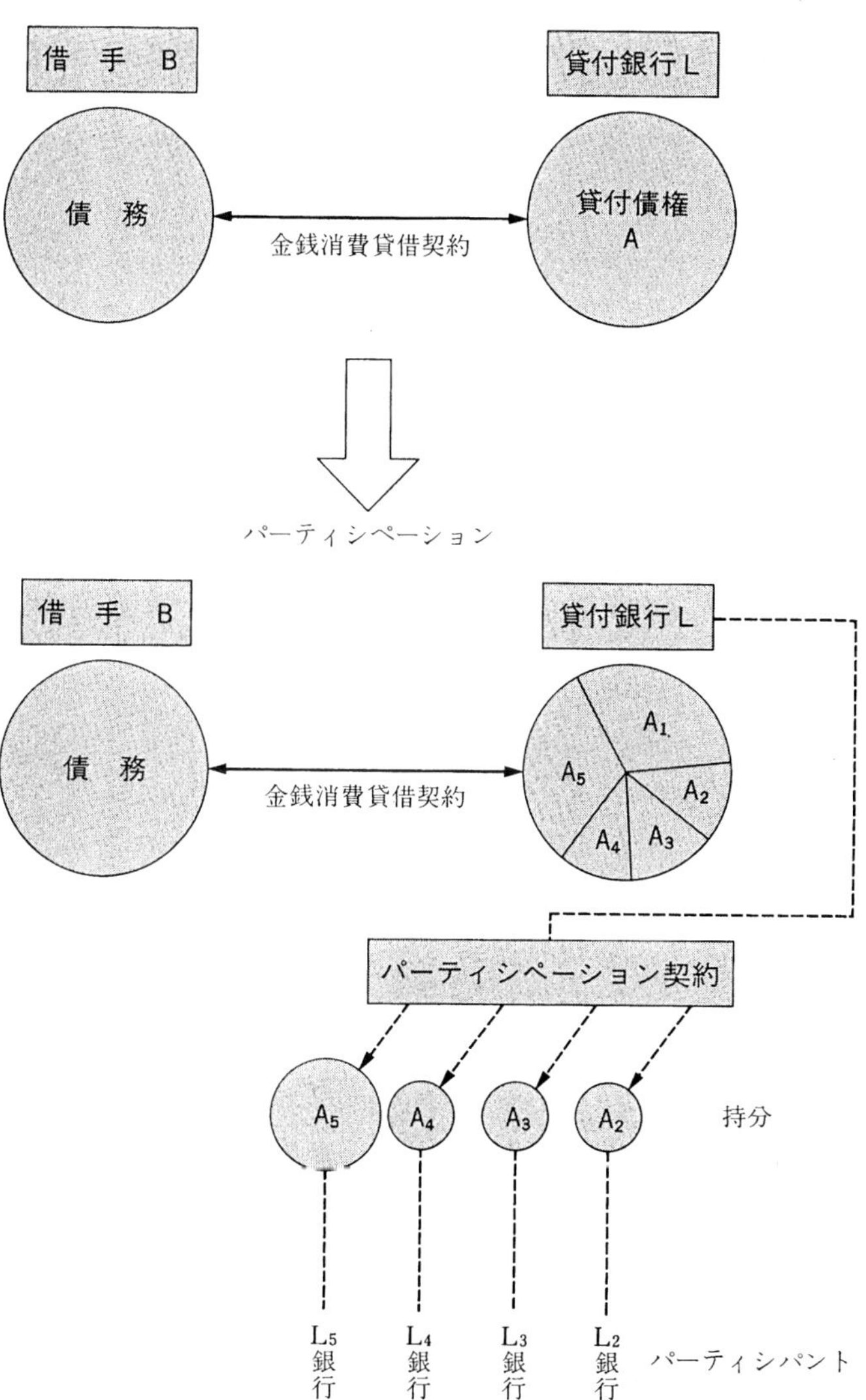
借　手　B
貸付銀行L
債　務
金銭消費貸借契約
貸付債権
A
パーティシペーション
借　手　B
貸付銀行L
債　務
金銭消費貸借契約
A1
A2
A3
A4
A5
パーティシペーション契約
A5
A4
A3
A2
持分
L5
銀
行
L4
銀
行
L3
銀
行
L2
銀
行
パーティシパント

消費貸借契約において後日のパート・アウトを想定し特約によりパーティシパントの相殺を認めた場合にはその限りではないように思われるが、判例はない。直接の債権債務関係に鑑み、借手Bが倒産した場合、パーティシパントは管財人に対して債権登録をなすことはできず、貸付銀行Lが一轄してそれをなすことになろう。

ＬＢ間の融資契約上、税のグロス・アップ（gross-up）条項や増額費用（increased cost）条項があっても、パーティシパントにそうした債権者保護規定は移転しないと考えるのが妥当である。債権譲渡により債務者の義務や負担が相当(materially)増える場合、債務者の個別の同意なければ当該条項は強制できないとするルールがあるからである。

パーティシパントが原融資の借手Bに対し裁判による訴求が可能かどうかについては説が固まっていない。だが、パーティシペーションを貸付銀行LからパーティシパントL_2、L_3、……L_5に対する貸付債権A_2、A_3、……A_5の売買であると構成して(パーティシペーション契約をそういう内容にする）おいて、貸付銀行Lと借手Bを訴訟に参加せしめれば可能とみて間違いはあるまい。

パーティシペーションの一般的解釈は以上のとおりである。取引上の便宜が先行して法が後追いした事情は米国においても同じであるらしく、一口にパーティシペーションといっても契約の中味を吟味しないとその正確な法的構成はわからないというのが実情であるが、そのパターンを類別してみると、貸付銀行Lの借手Bに対する貸付ないし与信債権の一部を対象とした①貸付銀行Ｌ（以降リード・レンダーと称する）を売り手、パーティシパント（L_2、L_3、……L_5）を買い手とする売買契約、②パーティシパントを委託者・受益者とし、リード・レンダーを受託者とする信託契約、③リード・レンダーとパーティシパントの間のパートナーシップ契約、あるいは、④リード・レンダーの借手Bに対する債権を担保としたパーティシパントのリード・レンダーに対する与信、等となる。これらの性質決定がパーティシペーション契約における表記内容、設定諸条件、契約当事者の置かれた状況等を勘案して下されるのは当然である。以下、順次それらの概要を説明していきたい。

⑨債権の売買としての位置づけ

たいていのパーティシペーションは原与信債権の部分的売買と解されている。また、そう解釈されるようにドラフトされている。債権の部分的売買として構成されるパーティシペーションにあっては、債務者から将来支払われる元利金につき売却部分に見合う限度で権原(title)が譲受人(パーティシパント)に移転し、譲渡人(リード・レンダー)は譲受人のために取立代理人(collection agent)たる機能を果たすことになる。したがって、たとえ譲渡人が倒産した事態になっても、管財人が債務者から取立てた当該債権については譲受人の財産であるとみなされる。いい換えれば、このパーティシペーションによれば債権の所有権（ownership right）がパーティシパントに移転する。

では、こうして得られた権利の対抗力は完全であろうか。当該債権の譲渡人、譲渡人の当該債権に関する担保権者、譲渡人倒産時の管財人、いずれに対しても、そのまま対抗力を有する。債務者への通知、債務者の同意とりつけ、債権の登記などの保全措置は一切とることなく所有権の行使ができるとみてよい。ただし、勘定債権（accounts）や動産担保付債務証書（chattel paper）を対象とするパーティシペーションは例外である。無担保金銭債権を対象とするパーティシペーションはニューヨーク州法下にあっては対抗力具備（perfection）のために追加的手続を要しない（パーティシペーション契約だけで十分である）が、動産担保権（security interest）の設定や勘定債権の売買に関しては、対抗力具備のための手続が必要である（ニューヨーク州統一商法典第九編）。動産担保付債務証書（chattel paper……統一商法典九編一〇五条(一)(b)によれば、「金銭的な債務（monetary obligation）と特定の物品上の担保権もしくは賃借権（a security interest in or a lease of specific goods）を証明する書類」）のパーティシペーションはその売買とみなされ、担保権も売買に伴って移転するから、譲受人は対抗力を具備するためには、その証書を占有（possession）するか譲渡人を債務者としてその証書を与信公示書（financing statement）に記載して管轄登記所に登記（file）しなければならない。また勘定債権（accounts……統一商法典九編一〇六条(一)および(三)によれば、「履行によって得られたか否かにかかわらず、売却もしくは賃貸された物品、または提供された役務の対価であって、証券（instrument）もしくは動産担保付債務証書（chattel paper）によって証明されないもの」）のパーティシペーションについては与信公示書（financing statement）による登記により対抗力が具備される。

動産担保付債務証書（chattel paper）や勘定債権（accounts）のパーティシペーションは以上のとおりであるが、それでは、chattel paper や accounts を担保とした手形貸付ないしその他形式の与信を対象としたパーティシペーションの対抗力具備の要件はどうか。この場合は、担保権の移転が伴うから、格別の手続を追加する必要はない。不動産抵当権で担保された手形債権のパーティシペーションについても考えは同じで、統一商法典九編が該当しない取引となる。

先に、債権の売買として構成されるパーティシペーションにあってはパーティシパントに当該債権分の所有権が移転したとみなされ、リード・レンダーの倒産に遭遇しても、パーティシパントの債権は害を受けない（債務者が支払う限り管財人を経由して債権の取立ができる）と述べたが、これには若干の前提条件がつく。まず第一は、既述のとおりパート・アウトされた債権が対抗力具備を要する場合にはその手続を踏んでおかなければならないことである。第二は、パート・アウトされた債権がリード・レンダー、債務者間の相殺や反対請求権行使の巻き添えを食う恐れがあることである。米国の州法銀行および国法銀行が債務不履行状態に陥ったとき、当該銀行の債務者は自動的に自分の債務と当該銀行に対する債権（たとえば預金債権）を相殺することができる。また、この逆のケースもある。そうした場合、パーティシパントの債務者に対する権利は相殺を食った分だけ減少し、その分はリード・レンダーに対する一般請求権になると考えざるを得ない。リード・バンクの倒産時には別種のリスクも発生する恐れがある。たとえば、倒産銀行の管財人としてＦＤＩＣ（Federal Deposit Insurance Corporation　連邦預金保険公社）が関与するとき、倒産銀行がコミット済ながら一部しかドローダウンされていない融資があったとしても、枠空きの部分についてＦＤＩＣは種々の理由をつけて貸込むことはしないのが普通である。ドローダウンされた融資がパート・アウトされていたと想定せよ。借入人は約束された貸付枠がフルに利用できないとすれば、それによる損害賠償請求を既存借入金からさし引いて管財人へ返済してくる挙に出る可能性がある。その場合の負担はパーティシパントに寄せられる危険がある。パーティシパントが借入人に枠未利用分を直接融資すればそのリスクは回避できようが、パーティシパントとしては予期せざるエクスポージャーを抱え込むことになる。第三は、パート・アウトされた債権がリード・レンダーの原債権のどれのどの部分に該当するかはっきりトレースができるようにしておかなければならないということである。リード・レンダー側の事務の混乱があったりすると、パーティシパントに帰属すべき弁済と利払いがその他のものと混合状態に陥り（commingled）識別がつかなくなる場合もあり得る。その場合、パーティシパントの請求権はリード・レンダーに対する一般債権と同列になる可能性がある。第四は、リード・レンダーの悪意または過失による善意の第三者に対する「パート・アウト済債権」の二重譲渡の危険である。たとえばパーティシペーションの対象とされたリード・レンダーの借手に対する原債権が手形債権であり、その手形の譲渡が善意の第三者に対してなされた場合、パーティシパントの当該手形債権上の借手に対する権利は切断されざるを得ない。

⑩信託的構成

パーティシペーションは信託的契約として構成されることもある。パーティシパントがリード・バンクからパート・アウトされた債権をリード・バンクに信託し、リード・バンクは受託者（trustee）として当該債権の管理を行う。パーティシパントはリード・バンクに信託した債権の実質的所有者（benefical owner）となる。パーティシペーション契約にこのような関係が明示され

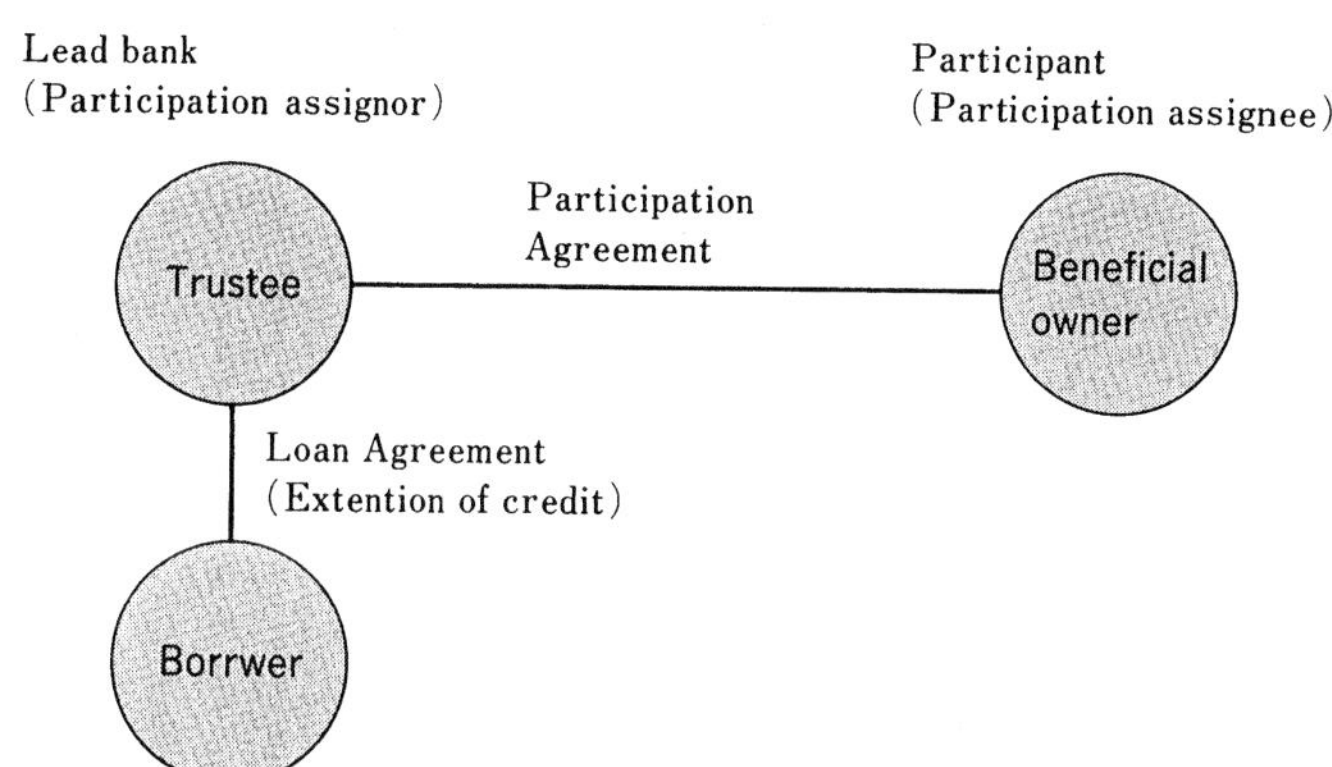

ていなくても、信託関係を作出しようとの当事者の意図が疑う余地がない場合には信託契約として認められる。パーティシペーション契約がかかる信託契約を構成する効果を持った場合、借入人からの弁済および利払いがリード・レンダーの内部で混蔵(commingled)されても、パーティシパントは自分の持分を実質上の所有者として請求し得るし、また、たとえリード・レンダー倒産の事態となっても、その先取特権者や破産管財人に対して対抗力を享受できる。しかし、信託的構成をとっても、既述のリード・レンダー、借入人間の相殺リスク、善意第三者への二重譲渡リスクは回避できないものと思われる。

リード・バンクが受託者としての役割を担う場合、法は受託者として相当に重い責任を課することになるから、ただでその責任を引受けるものとは考えられない。したがって通常のパーティシペーションにおいては信託的構成がとられることは滅多にないと理解される。

なお、米国において信託業を営むには銀行業ライセンスとは別個のライセンスの取得を要するが、そのライセンスを保有していない銀行が信託的構成をとるパーティシペーションのリード・レンダーになり得るか。銀行業の延長としてたまたま発生した受託者としての機能を果たすだけであり、不特定多数の顧客に対して信託サービスを提供するわけではないので、なり得るとするのが私の意見である。

⑪その他の法律構成

パーティシペーションの対象となる債権が極めて高リスク高リターン型の投機的債権であって、かつ、その回収見込が不確定なものであれば、そのパーティシペーション契約をパートナーシップ契約ないしジョイト・ベンチャー契約として構成し得る余地がある。しかし、それは理論上のことであって実際には行われていないものと思われる。

通常リード・レンダーは大手のマネー・センター・バンクがなるから、パーティシパントとしては、パーティシペーションがリード・レンダーに対する担保付（担保はパート・アウトされたリード・レンダーの借手に対する債権）与信であると構成されれば、一般に大変好都合である。つまり、原融資の借手が債務不履行となっても、パーティシパントはリード・レンダーに弁済を求めることができる。実際、米国でパーティシペーションがそういう契約であると判示された例がある（In re Alda Commercial Corp.327 F Supp 1315（SDNY 1971））そうだが、この例は特殊であって、リード・レンダーがパーティシパントに個別の見合債権を開示せず、中味が随時入替る貸付債権の集合体の一部を特定の金利でパート・アウトするものであったため、そのように認定されたものである。通常のパーティシペーションにあっては、パート・アウト債権を特定し、かつ、当該債権にデフォールトがあってもリード・レンダーはパーティシパントにリコース（recourse　償還）の責任を負わない旨の約定が交されているから、リード・レンダーに対する与信供与ではないと考えられている。もっとも、リード・レンダーが倒産したとき、パーティシパントは直接借入人にかかっていけない関係にあり、債権回収に困難が伴うから、その意味で、リード・レンダーに対しても与信リスクを負うとみるのは正しい。

⑫債権流動化への工夫と問題点

以上、米国におけるパーティシペーションの典型的パターンにつき解説した。貸付債権のパート・アウトはリード・レンダーにとっては貸付先との関係はそのまま維持しつつ、自らの資金負担を減じ、資産量の圧縮を通じた自己資本比率の改善・総資産収益率の改善・貸出枠やカントリーリミットの余裕造出・パーティシペーション利益（原融資の金利とパート・アウト金利の差）の収受、等を図れるメリットがある。また、パーティシパントにとっては、収益性は限定されるものの、融資先マーケッティングの労が節減されること、まとまった単位の収益資産が手に入ること、融資事務の手数がはぶけること、ある程度リード・レンダーの与信審査能力に依存できること等のメリットがある。

米国における銀行監督当局はパート・アウトしても、リコース付のものやリパーチェス条件つきのものはバランス・シートから落とすことを禁じており、リード・レンダーとしては売切りのパート・アウトをしないと所期の目的を果たせない事情にある。しかも、パーティシペーション

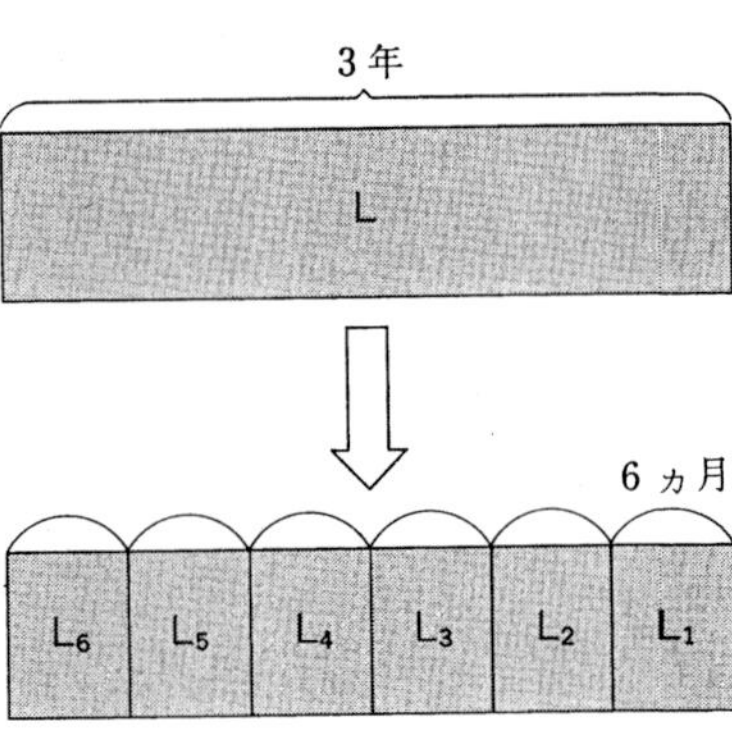

市場で容易に買手のつくのは、三〇日、六〇日、九〇日とか短期で切りのよい期間の債権である。ところが、リード・レンダーの手許にあって処分したいと思っているのは中長期の貸付債権が多い。そこでリード・レンダーは従来たとえば三年とおしで約定してきた中長期貸付を六カ月物六回の独立した貸付の連続として構成する等の工夫を行っている。往時ユーロ市場で流行したいわゆるロウリー・ポウリ・レンディング（roly-poly lending 起き上がりこぼし貸付）と類似するが、L^1からL^2へL^2からL^3へ貸し替え（relending）して行く上で、あまり連続性が緊密な契約にすると、L^1、L^2、L^3の独立性が疑われオフバランスシート効果が否定され、あまり連続性が稀薄な契約にすると中長期資金の需要者の希望に添えないという微妙な構成となっている。この型式の貸付により債権流動化の側面には便利となったのであるが、L^1が返済されると、L^2が貸出され、L^2が返済されると、L^3が貸出されるという形で連続して行くので、たとえば当該貸付が船舶抵当権や不動産抵当権を担保にとっている場合、そのままでは担保を六カ月ごとに更新していかねばならず不便であるばかりでなく、費用がかさみ、下手をすると抵当権順位を他者に奪われる危険があることに注意しなければならない。もっとも、先に述べた統一商法典第九編に規定される動産担保であれば一般にこのような更新の労をはぶくことができると考えられる〔一　沢〕。

（参考文献）

◇『日本工業新聞』昭和六〇年一二月四日。
◇『日本経済新聞』昭和六一年一月二八日および二九日。
◇『日本経済新聞』昭和六一年一月七日。
◇『日本経済新聞』昭和六一年一月二五日。
◇『日本経済新聞』昭和六〇年一二月九日。
◇『日本経済新聞』昭和六〇年一一月三〇日。
◇『日本経済新聞』昭和六一年一月八日。
◇『毎日新聞』昭和六一年一月一六日。
◇『日本経済新聞』昭和六一年一月一九日。
◇『日経公社債情報』昭和六〇年一二月九日号。
◇『日経公社債情報』昭和六〇年一二月一六日号。
◇『財経詳報』昭和六〇年一一月二五日号。
◇『財経詳報』昭和六一年一月六日号。
◇『金融ジャーナル』昭和六一年二月号（小野傑「国際的ローン・パーティシペーションの実際と法的諸問題」）
◇Michael Bray, Developing a secondary market in loan assets, IFL Rev.,22ff〔October 1984〕.
◇Reade H. Ryan, Jr., Participations in loans under New York law, IFL Rev., 40ff.〔October

1984〕.
◇Martin Hughes, Robert Palache, Loan participations——some English law considerations, IFL Rev., 21ff〔November 1984〕.
◇Philip Wood, Law and Practice International Finance, Sweet & Maxwell 1980, 273ff.
◇中野岩夫『抵当証券とは何か』昭和五九年、日本経済新聞社。
◇守屋善輝『英国契約法概説』八〇頁～九一頁、昭和二五年、有斐閣。
◇フィリップ・S・ジェームズ著、矢頭敏也監訳『イギリス法㊦私法』六九頁～七二頁（昭和六〇年、三省堂）。
◇澤木敬郎編『国際私法の争点』一一〇頁〔岡本〕、昭和五五年、有斐閣。
◇石黒一憲『金融取引と国際訴訟』二二二頁以下、昭和五八年、有斐閣。
◇永田雅也『アメリカの動産担保権』昭和六一年、商事法務研究会。
◇松井和夫『セキュリタイゼーション』昭和六一年、東洋経済新報社。

4 国際的資金移動と法
——EFTの問題を中心に——

1　国際的送金・決済のメカニズム（米国の場合）

①日・米間の送金の実行メカニズム

本邦企業A社が米国企業B社へ百万米ドルを送金する必要が発生したとする。送金理由は輸入代金の支払、傭船料の支払、ロイヤリティの支払等ここでは問わない。A社は取引銀行である本邦C銀行へ行って、送金の取組を依頼することになる。B社はあらかじめ、A社に自社の振込口座を指定してある（ここでは米国D銀行所在B社当座勘定）のが普通であるので、A社はC銀行に対して、米国D銀行所在B社当座勘定へ百万米ドルを振込むよう依頼することになる。送金は急を用するものであったので電信送金の依頼がなされたものとする。依頼を受けたC銀行は、A社から送金代り金（円貨の場合が多いが、A社が外貨預金を保有しておれば、それを送金代金として受領することも可能）を受領し、自行の米国コルレス先かつデポ先であるE銀行に対し電信にて送金依頼をする。E銀行はD銀行の同一市内とか最終被仕向銀行に近接した銀行が選ばれるのが普通である。なお、D銀行がC銀行のコルレス先かつデポ先であればE銀行を仲介させる必

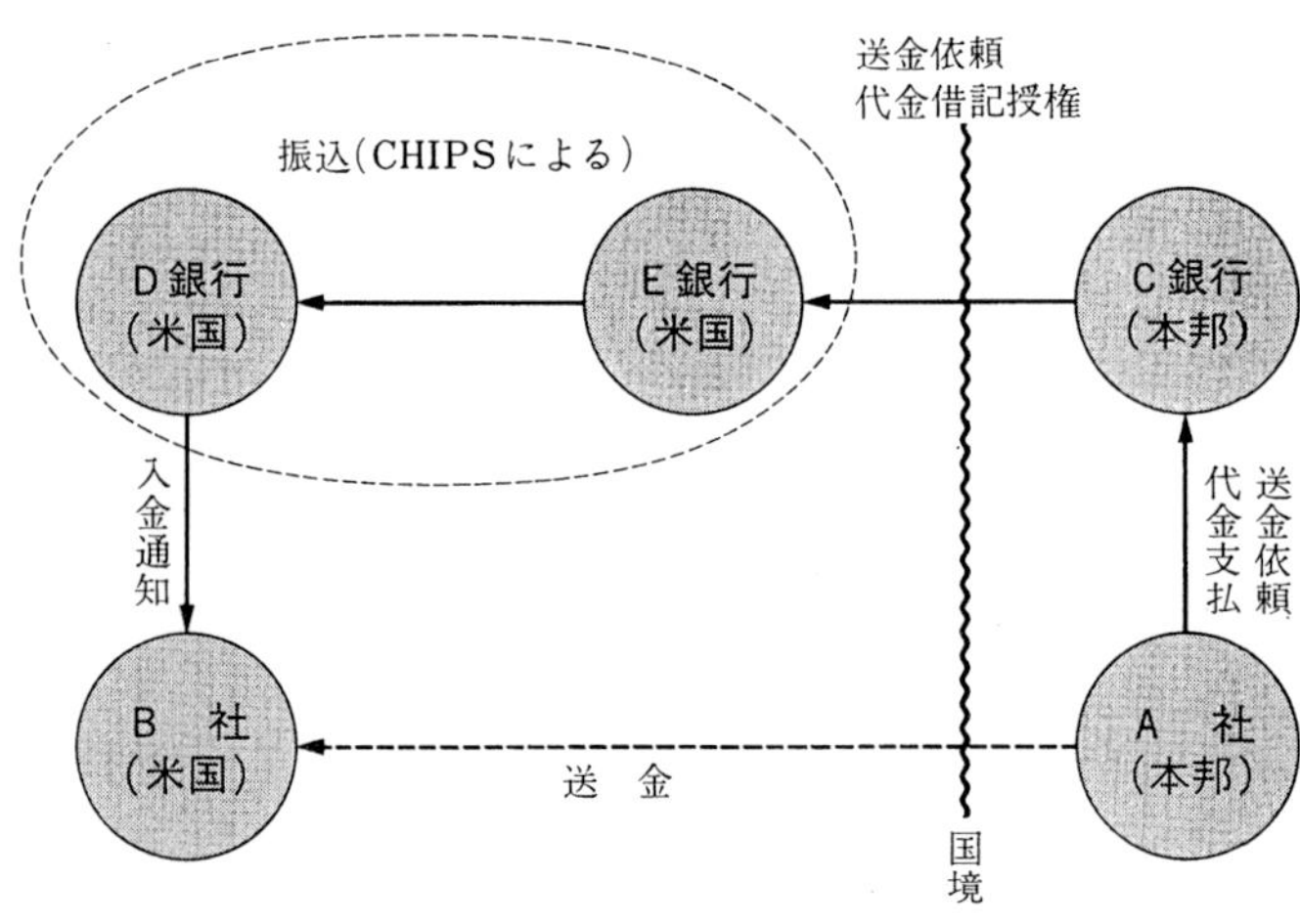

要がなく、C銀行からD銀行へ直接送金が取組まれるのは当然である。

さて、C銀行からE銀行に対して発せられる送金依頼の文言は以下のとおりとなる。

Value (fixed date) charge our account and pay

D (Payee 最終被仕向銀行) for account of B

(Accountee 振込口座名)

このメッセージにはCE間の契約にもとづき設定された暗号が付されているので、E銀行は当該メッセージがC銀行から正当に打電されたものであると確認ができる。E銀行はC銀行の依頼にもとづき、自行所在C銀行の当座勘定を借記(借方記帳)し、D銀行に対し国内送金を実行することになる。伝統的な方式によれば、E銀行はD銀行宛振込依頼書に自行宛小切手を添えて持込むことになるが、現在ニューヨークの例をみると、CHIPSと称されるEFT(Electronic Fund Transfer)システムにより送金と決済が行われ、D銀行はE銀行の依頼・指図により銀行から資金を受領して、自行所在のB社当座勘定へ入金（貸記）することになる。そして、B社宛に入金通知（貸記案内）をする。

以上の取引を関係者のバランス・シート上の動きで追ってみると次のとおりとなる。

A社（日本）

（借方）	（貸方）
	当座預金 220百万円 （百万米ドル @電信売相場 ¥220）

C銀行（日本）

（借方）	（貸方）
当座預金 220百万円 a/c A社	外国他店預け (Due From Banks) 百万米ドル

E銀行（米国）

（借方）	（貸方）
外国他店預かり (Due To Banks) 百万米ドル	CHIPS勘定 百万米ドル

D銀行（米国）

（借方）	（貸方）
CHIPS 勘定 百万米ドル	当座預金 百万米ドル a/c B社

B社（米国）

（借方）	（貸方）
当座預金 百万米ドル	

以上を通して観察すると、A社は二億二、〇〇〇万円を支払い、B社は百万ドルを受領したことになるが、このままでは、C銀行の為替ポジションが円資産増（円債務＝当座預金の減）二億二、〇〇〇万円、米ドル負債増百万米ドルとなる。つまり米ドルが百万ドル売持となり、為替リスクに曝されるため、また、C銀行の保有米ドルのランニング・バランスも小額にとどまっているの

C銀行（日本）

（借方）	（貸方）
外国他店預け	日銀預け金
(Due From Banks)	
百万米ドル	219百万円
	（百万米ドル @銀行間直物 相場￥219.00）

米ドルの売手銀行から百万ドルを在日外銀の自行指定口座へ振込んでもらい，それをE銀行所在自行当座勘定へ回金する。
一方，円貨代り金は日銀小切手で売手銀行へ引渡す形を想定。

が普通であるため、C銀行は外国為替市場でカバー買百万米ドルをなすのが通常である。そのときの、C銀行のバランス・シートの変動は上のとおりである。

このようにして本件送金の関係者の取引はすべて完了することになる。外国為替市場でC銀行へ百万米ドルを売却した銀行はたまたま自行の顧客へ米国の銀行から本件送金とは逆の被仕向送金を受けていたとか、米ドル相場の上昇を見込んであらかじめ米ドルの買持ポジションを形成していたとかの事情にある銀行であるが、市場にそのような銀行がいない場合には相場変動（この場合はドル相場の上昇）を通じて需給の均衡が達せられることになる。そして、相場変動があまりに激しいような場合には中央銀行が市場介入によりスムージング・オペレーションをなすことになる。極端な場合には為替売買の連鎖の末端は中央銀行の取引となり、A社の対外送金百万米ドルの帰結は本邦外貨準備の減少百万米ドルということになり得る（米ドル相場高騰の場面では仮需が旺盛となるから、外貨準備の減少はもっと大きくなるのが実際の姿であろう）。

以上、国際的送金の実行メカニズムにつき代表的な電信仕向送金を例にとって説明したが、国際的送金の種類はもちろんこれにとどまるものではない。国際的送金には、まず現金を用いる方式があり、次に外国為替を用いる方式の中にも、本件のごとき資金仕送方式（並為替方式、順為替方式）のほかに、債権者が外国の債務者から債権を取立てる逆為替方式、取立指図方式、取立方式、取立為替方式等の名でも呼ばれる資金取寄せ方式がある。また、その手段からみても、送金小切手、送金為替手形、輸出荷為替手形等の外国為替手形、郵便送金為替、郵便取立為替等の書信為替、本件のごとき電信送金為替、電信取立為替等の電信為替の区別がある。

②ユーロ・ダラー取引の決済

ユーロ・ダラーの定義として、ここではさしあたり米国の領土以外の地に所在する金融機関に預けられた米ドル預金のことである、としておこう。預入れ金融機関の所在地域に着目してアジア・ダラーという名を付されることもあるが本質に変りはない。同じく、ユーロ・ポンドやユーロ円も英国領土や日本領土以外の地に所在する金融機関に預けられたポンド預金や円預金ということになる（石黒・一頁以下では、これらのユーロ・カレンシーにつき、「域外通貨」という訳語があてられている）。実例をもって示す。Aという者が米ドル資金を保有することになり、それを在米銀行Bへ預金した場合、それは単なる米ドル預金であるが、米国以外のたとえば英国所在のC銀行へ預金した場合、ユーロ・ダラー預金となる。Aが米国の居住者であるか非居住者であるかは問わない。

取引の実態を理解するために、さらに詳しい実例をひいて説明したい。

イラン国営石油公社（National Iranian Oil Corporation：NIOC）が合衆国の輸入業者に原油を輸出したとする。NIOCは輸出代金一、〇〇〇万ドルをチェイス銀行ニューヨーク本店に保有する自社の米ドル建当座勘定へ振込むよう指図し、そのとおりに行われたとする。この段階では、NIOCはチェイス銀行にドル預金を保有しているにすぎない。当座勘定に置いていたのでは利子がつかないから、収益性を高めるため、チェイス銀行と交渉して定期預金に当該資金を振替えたり、あるいは、定期預金でもモルガン銀行の方がより高い金利をオッファーするのでそちらへ資金を振替え（国内送金）定期預金を置くことはありうるが、その場合でも、預け先が米国内に所在する銀行である限り、それは単なる米ドル預金である。普通の米ドル預金と多少とも違っている点は米銀にとってNIOCが米国からみて非居住者であることである。

さて、NIOCが輸出代金につきより高利のドル預金運用の観点から目を米国外に所在する銀行にはせ、バークレイズ銀行ロンドン本店がニューヨークのチェイス銀行や同じくニューヨークのモルガン銀行より高利をオッファーすることを見出す場合、そちらへ預け替えするのは自然である（ここでは金利動機だけを前提に議論を進める）。その場合、NIOCはチェイス銀行（ニューヨーク）に対し自社の当座勘定を引落とし（借記し）、バークレーズ銀行（ロンドン）宛一、〇〇〇万米ドルの送金をなすよう指図をする。バークレイズ銀行（ロンドン）はチェイス銀行（ニューヨーク）から米ドル資金を受領して、あらかじめNIOCと交渉済であった条件で自行内にNIOC名義の米ドル建定期預金一、〇〇〇万ドルを設定するのであるが、これがユーロ・ダラー預金である。NIOCがチェイス銀行（ニューヨーク）やモルガン銀行（ニューヨーク）へ預

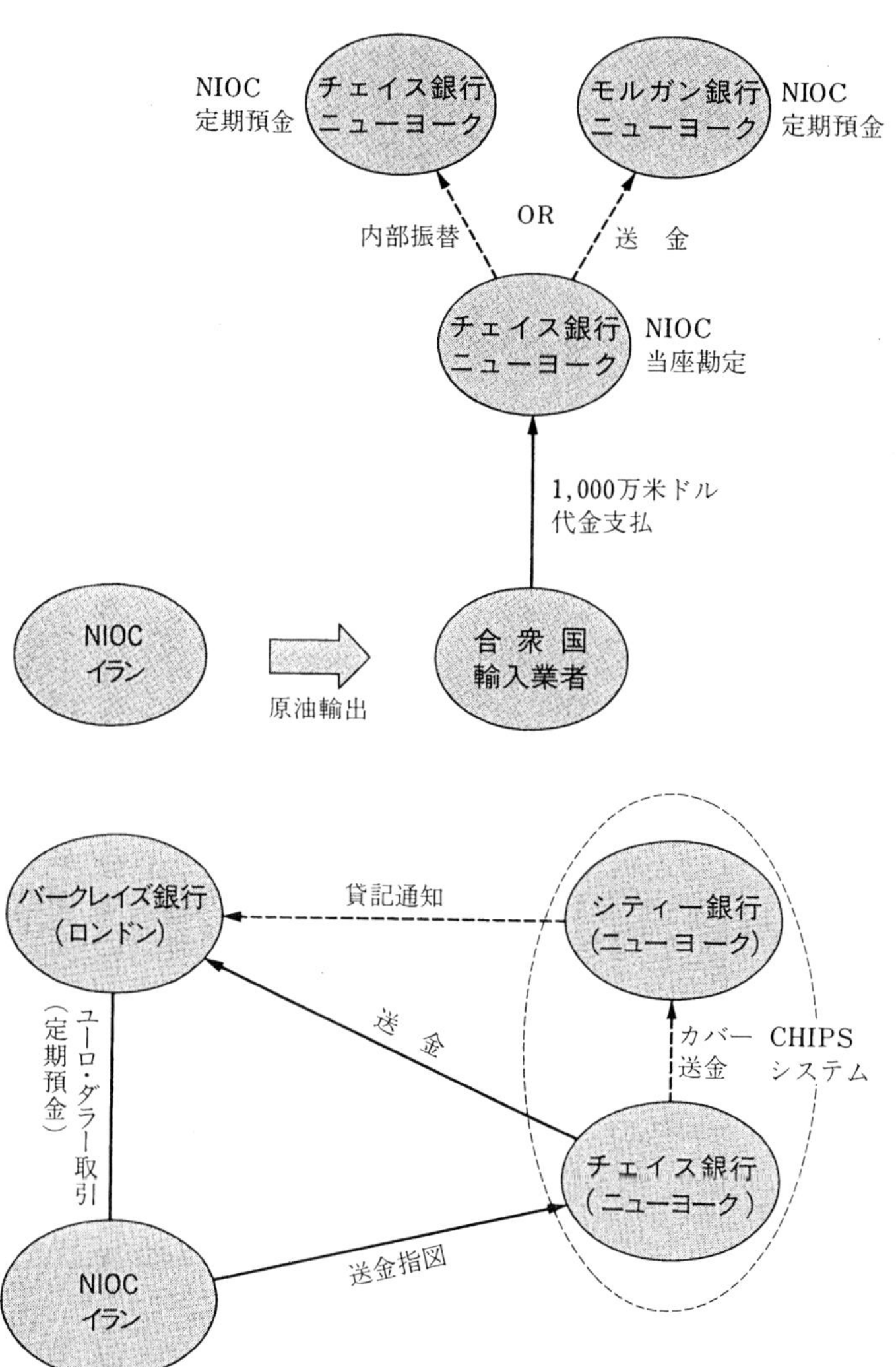
NIOC
定期預金
チェイス銀行
ニューヨーク
モルガン銀行
ニューヨーク
NIOC
定期預金
内部振替
OR
送　金
チェイス銀行
ニューヨーク
NIOC
当座勘定
1,000万米ドル
代金支払
NIOC
イラン
原油輸出
合衆国
輸入業者
バークレイズ銀行
（ロンドン）
貸記通知
シティー銀行
（ニューヨーク）
ユーロ・ダラー取引
（定期預金）
送　金
カバー
送金
CHIPS
システム
チェイス銀行
（ニューヨーク）
NIOC
イラン
送金指図

けるドル預金は単なる米ドル預金であって、バークレイズ銀行(ロンドン)、つまり、米国領土外に所在する銀行へ預ける米ドル預金はユーロ・ダラー預金である。

なぜユーロ・ダラー預金ないしユーロ通貨預金が発生したかの理由解明は専門書に譲るとして、ここでは、ある国の銀行が法制も含め外貨預金を受入れる制度をもてば、それが即広義のユーロ通貨預金発生につながるということを指摘しておきたい。現在、わが国内で認められている外貨預金も本質からみて、ユーロ通貨預金であるとみなして基本的には何ら支障がない、ともいえる（米ドル建てならばユーロ・ダラー、ポンド建てならばユーロ・ポンド預金といった具合になる）。

さて、典型的なユーロ・ダラー取引に戻るとして、肝心なことは取引の裏にある決済関係である。チェイス銀行はＮＩＯＣの送金指図（例。Value 15 Nov charge (or debit) our current account and pay US Dollars 10,000,000.— to Barclays Bank International London for account of NIOC Teheran）を受けて、Barclays Bank International London へ一、〇〇〇万米ドルを送金することになるが、例示のごとくの指図ではチェイス銀行はバークレイズ銀行へ支払わねばならないことはわかってもどこへ代り金を振込んだらよいか不明であるのでバークレイズ銀行へ照会することになろう。その結果、バークレイズ銀行はチェイス銀行に対して、シティー銀行ニューヨーク所在の自行当座勘定へ振込むよう指定したとすると、チェイス銀行はＣＨＩＰＳシステムを経由して、シティー銀行へカバー送金をなし、バークレイズ銀行ロンドン宛次のような送金メッセージを送る。

Value 15 Nov pay USDollars 10,000,000.—to yourselves for account of NIOC Teheran covered your account with Citibank New York.

　このメッセージはバークレイズ銀行とチェイス銀行の間でとり交してある暗号（Test Key）を付してあるので、バークレイズ銀行はメッセージが真正なものであると確認でき、メッセージ内容を信頼して（代り金が一一月一五日に必ずシティー銀行所在自行勘定に貸記されると信頼して）NIOC名義の預金を設定するのが普通である。もし、チェイス銀行とバークレイズ銀行の間にコルレス契約がない場合には、前述の仕方による送金ができないから、チェイス銀行が送金依頼をシティー銀行に持込みバークレイズ銀行に対する送金はシティー銀行からなされることになる（この場合、シティー銀行はバークレイズ銀行のデポ銀行であるから、二行間にコルレス契約が必ずあると理解してよい）。

　以上の取引を明確に理解するため、関係者のバランス・シート上の動きを観察してみよう。

NIOC

（借方）	（貸方）
当座勘定 10百万米ドル a/cチェイス銀行 ニューヨーク	

チェイス銀行

（借方）	（貸方）
当座勘定 10百万米ドル a/c輸入者 または 取立輸出為替債権	当座勘定 10百万米ドル a/c NIOC テヘラン

　NIOCが輸出代金をチェイス銀行所在当座勘定で受領した段階では上のようなバランス・シートになる。

　NIOCがチェイス銀行へバークレイズ銀行宛送金依頼をなし、それが完了した段

階

NIOC

（借方）	（貸方）
当座勘定	当座勘定
10百万米ドル	10百万米ドル
a/c	a/c
バークレイズ銀行	チェイス銀行
ロンドン	ニューヨーク

チェイス銀行

（借方）	（貸方）
当座勘定	CHIPS
10百万米ドル	勘定
a/c	（対
ＮＩＯＣ	シティー銀行）
テヘラン	10百万米ドル

シティー銀行

（借方）	（貸方）
CHIPS	当座勘定
勘定	a/c
（対	バークレイズ銀行
チェイス銀行）	ロンドン

バークレイズ銀行

（借方）	（貸方）
外国他店預け	当座勘定
10百万米ドル	10百万米ドル
a/c	a/c
シティー銀行	ＮＩＯＣ
ニューヨーク	テヘラン

バークレイズ銀行がＮＩＯＣの定期預金を設定した段階では次頁のようなバランスシートとなる。

ここまでの取引の結果、バークレイズ銀行はＮＩＯＣから定期預金を預かる一方、預金代り金をシティー銀行所在の自行勘定（外国他店預け勘定 Due from foreign banks）へ無利息で存置している形（他の関係者には残高が残らない）となるから、預かった一、〇〇〇万ドルを収益性

バークレイズ銀行

（借方）	（貸方）
当座勘定	定期預金
	Deposit at Notice
10百万米ドル	10百万米ドル
a/c	a/c
NIOC	NIOC
テヘラン	テヘラン

NIOC

（借方）	（貸方）
定期預金	当座勘定
10百万米ドル	10百万米ドル
a/c	a/c
バークレイズ銀行	バークレイズ銀行
ロンドン	ロンドン

資産で運用する必要がある。たまたま当該定期預金の金額、期間に見合った運用たとえばユーロ・ダラー・シンジケート・ローン等の案件があれば、それに参加することになるし、なければ、ユーロ・ダラー市場（インター・バンク預金市場）に放出することとなる。後者の場合につき再びその決済関係を含め観察してみる。バークレイズ銀行が市場のブローカー経由資金の取り手を探したところドイツ銀行ロンドン支店が金額、期間、金利とも格好の条件で取引に応じたとする。この場合、バークレイズ銀行はブローカー経由ドイツ銀行の資金受取口座（たとえばケミカル銀行ニューヨーク所在ドイツ銀行当座勘定とする）を聴取し、そこへ預金代金を振込むことになる

ので、残高の置いてあるシティー銀行ニューヨークに対し電信で送金指図をなす。その内容はたとえば、

Value 15 Nov charge our account and pay USDollars 10,000,000.— to Chemical Bank New York for account of Deutsche Bank London.

という具合になる。この送金指図を受けとったシティー銀行は再びCHIPSシステムを使用して、ケミカル銀行へ一、〇〇〇万米ドルの振込を実行することとなる。

この取引の関係者のバランス・シート上の動きはくどいようだが次のようになる。

バークレイズ銀行

（借方）	（貸方）
銀行預け金 Deposit with banks 10百万米ドル a/c ドイツ銀行 ロンドン	外国他店預け Due from foreign banks 10百万米ドル a/c シティー銀行 ニューヨーク

ドイツ銀行

（借方）	（貸方）
外国他店預け Due from foreign banks 10百万米ドル a/c ケミカル銀行 ニューヨーク	定期預金 Deposit at Notice 10百万米ドル a/c バークレイズ銀行 ロンドン

シティー銀行

（借方）	（貸方）
外国他店預かり Due to foreign banks 10百万米ドル a/c バークレイズ銀行 ロンドン	CHIPS 勘定 （ケミカル銀行 払支払）

ケミカル銀行

（借方）	（貸方）
CHIPS 勘定 （シティー銀行 より受取） 10百万米ドル	外国他店預かり Due to foreign banks 10百万米ドル a/c ドイツ銀行 ロンドン

さてここで、ドイツ銀行ロンドン支店は東独食糧公社へ当該資金を融資し、とりあえず借入人の依頼により、融資代り金を自行にある借入人の当座勘定へ振替える。そして、東独食糧公社は当該資金を対米穀物輸入代金の支払に充当するため、ドイツ銀行に対して、モルガン銀行所在アメリカン・グレイン社へ送金するよう依頼があったと想定する。ドイツ銀行はケミカル銀行を経由して送金を実行するこの一連の取引に関するバランス・シート上の動きは左のとおりである。

この段階でユーロ・ダラー預金として流出したドル資金が米国へ還流したということができる（アメリカン・グレイン社のモルガン銀行ニューヨークに対する預金はユーロ・ダラーではないと

ドイツ銀行

（借方）	（貸方）
貸出 10百万米ドル a/c 東独食糧公社 ベルリン	当座勘定 10百万米ドル a/c 東独食糧公社 ベルリン

東独食糧公社

（借方）	（貸方）
当座勘定 10百万米ドル a/c ドイツ銀行 ロンドン	借入金 10百万米ドル a/c ドイツ銀行 ロンドン

東独食糧公社

（借方）	（貸方）
	当座勘定 10百万米ドル a/c ドイツ銀行 ロンドン

ドイツ銀行

（借方）	（貸方）
当座勘定 10百万米ドル a/c 東独食糧公社 ベルリン	外国他店預り Due from foreign banks 10百万米ドル a/c ケミカル銀行 ニューヨーク

ケミカル銀行

(借方)	(貸方)
外国他店預かり Due to foreign banks 10百万米ドル a/c ドイツ銀行 ロンドン	CHIPS 勘定 10百万米ドル (モルガン銀行への支払)

モルガン銀行

(借方)	(貸方)
CHIPS 勘定 (ケミカル銀行からの受取) 10百万米ドル	当座勘定 10百万米ドル a/c アメリカン グレイン社

いう意味で）かもしれない。しかし、ドルの流出という表現の意味ははなはだあいまいであることに注意しなければならない。すでに観察してきたことでわかるように、ユーロ・ダラー資金が預金、融資の形をとって転々と保有主を変えるごとに必ず米国内の銀行勘定で決済が行われている点に注目すべきである。ユーロ・ダラー預金は米国領土外に所在する銀行に対する米ドル建預金債権（預金者の側からみて）であると前にも述べたが、預金者は預金時に米国内に所在する預金先の口座へ米ドルを振込まなければならないのである。むろん、米ドル現金（米国連銀券）を欧州の銀行へ持込んで、それを代価にユーロ・ダラー預金を設定することも可能ではあるが、そ

の場合には、現金を持込まれた銀行が、現金を米国内のコルレス・デポ銀行へ現送し、自行の当座勘定（due from foreign banks）に貸記してもらうこととなるので、手間がかかるだけで本質は変らない。したがって、ユーロ・ダラー預金がいかように増加しようとも実は、米国の銀行システムからドルが流出して消えてなくなるというようなことはないのである（ただし、そこからさらに先に進んで、米・イラン金融紛争に際してのイラン中銀対米銀の、ロンドンやパリでの訴訟に関係して、たとえばユーロ預金債務が金銭債務ではないといった、ショッキングな立論までが一部になされることにもなる。そのような立論の意図、および、それに対する批判として、石黒・一〇頁以下）。

③米国の決済システム

先に述べたように、ユーロ・ダラー取引の決済は取引当事者が在米コルレス・デポ銀行に保有する勘定（決済用当座性口座ないし預金口座）を通じてなされる。理論上は在米銀行における口座であれば地域を問わないが、便宜・慣行から、ニューヨーク市内所在の銀行が多く使われる。米国外で行われる米ドルの売買（ポンド対米ドル、マルク対米ドル、円対米ドル等のインターバンク為替の売買等）における米ドルの受渡しももっぱらニューヨーク市内所在銀行の口座を通じて行われる。その勘定面の説明は既述のとおりであるが、実際の決済システムとしてはＥＦＴが一般化しているので、その概要につき理解しておくことが不可欠である。

米国におけるＥＦＴシステムとして、①フェド・ワイヤー（Fed Wire）、②チップス（ＣＨＩＰＳ：Clearing House Interbank Payment System）、③バンク・ワイヤー（Bank Wire）、④エ

イ・シー・エイチ（ACH：Automated Clearing House）の四つがあるが、ここでは国際的決済に関係の深いCHIPSとそれを背後にあって支持する形となっているFed Wireについて解説する。

〔チップス〕

チップスはClearing House Interbank Payment Systemのアブリーヴィエーションであって、一九七〇年にニューヨーク手形交換所協会によって設立された非営利組織である。加盟銀行間の支払メッセージを電子的に送信・受信する機能をもったデータ通信システムであるといわれるが、それだけでは何のことか良くわからない。類似のシステムとして想起すべきは手形交換所である。手形交換所にあっては、加盟銀行が他の加盟銀行払いの手形・小切手を持込んで、それぞれの現物（他行に対する請求権）を交換し、その交換尻のみを中央銀行所在の勘定を通じて決済するしくみとなっているが、CHIPSにあっては、仕向銀行が支払指図（Payment Message）を電子的に交換所へ持込んで、その他行に対する支払債務の交換尻を中央銀行所在の勘定を通じて決済するしくみであると考えればよい。

次頁の図にもとづきさらに具体的に説明する。英国所在B銀行はドイツ所在Y銀行へ、ユーロ・ダラーの放出とか米ドル為替の売却とかを理由として、百万米ドルの支払をなす必要が生じたとする。先に国際的送金のメカニズムのところで説明したとおり、B銀行はニューヨーク所在のデポ・コルレス先b銀行に対し、テレックス、SWIFT、専用回線等を使用して「某日付、当行勘定を借記し百万米ドルをy銀行ニューヨーク所在Y銀行の勘定へ支払え」と指図する。b銀行、

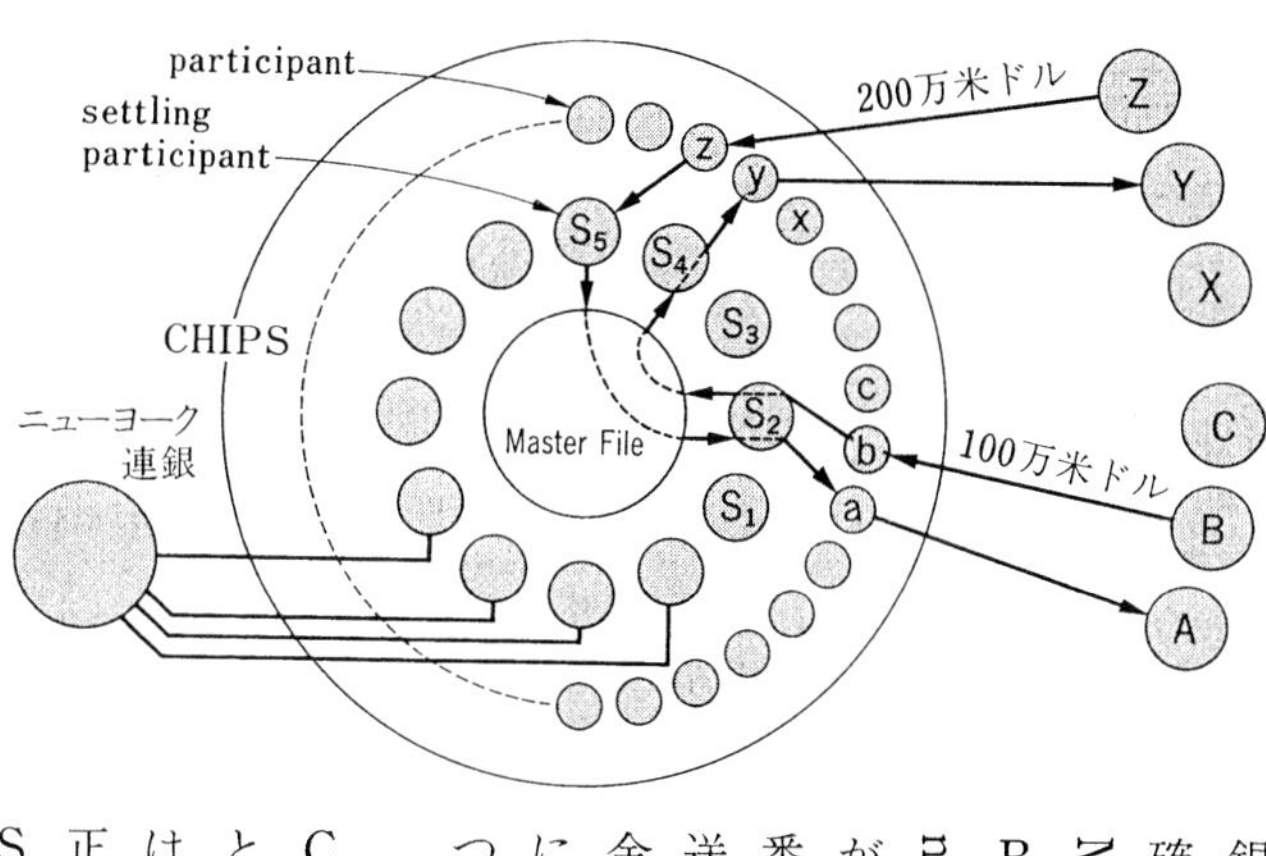

y銀行はともにCHIPSの加盟銀行である。b銀行はB銀行からの指図の真正なことをコルレス契約上の暗号等で確認してからCHIPS端末へ支払メッセージ（Payment Message）を入力することになるが、その際、y銀行のABA番号（ABA number：American Bankers Association number）とY銀行のUID番号（Universal I.D. number）が必要となる。支払メッセージには、ABA番号、UID番号に加えて、金額、送金依頼人、送金依頼人参照番号、送金受領者参照番号等が入力される。また、B銀行から入金通知（y銀行からY銀行への）を電信や電話で行うようにとの特別の指図がある場合には、その依頼も入力項目につけ加えなければならない。

さて、b銀行より入力された支払メッセージは、瞬時にCHIPSのマスター・ファイルに記憶され（storeされるという）、b銀行の端末にプリント・アウトされる。b銀行はそのプリントによって自分が入力した支払メッセージが正当になされたか否かを確認する。この段階ではCHIPSのマスター・ファイルはb銀行からの支払メッセージを

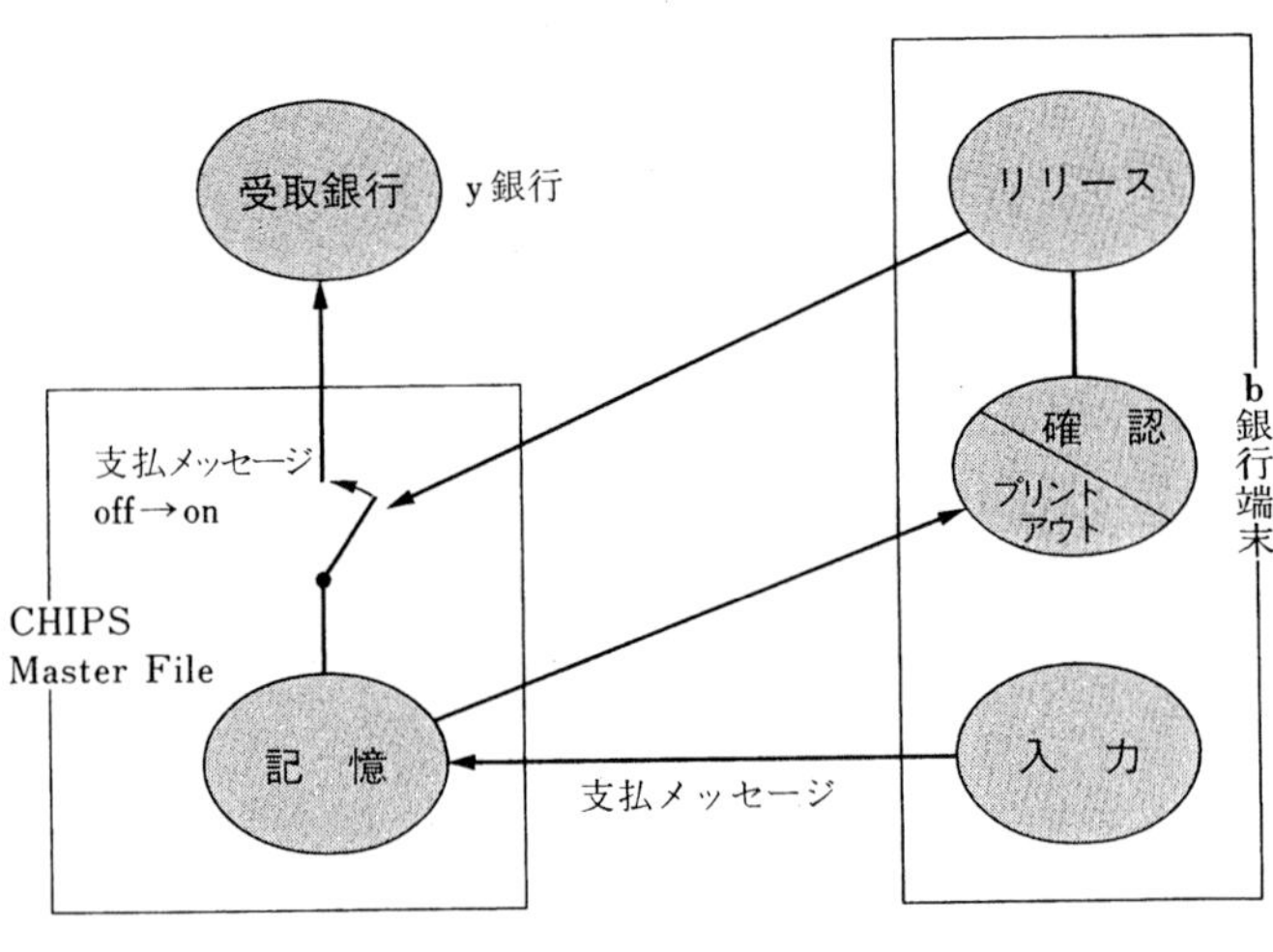

記憶するだけで、それを受取銀行であるy銀行に送信していない。b銀行が入力内容の正確さを確認してメッセージのリリース操作を行ってはじめて受取銀行であるy銀行の端末にクレジット・アドバイスがプリントされる形で支払メッセージが到着することとなる。

このようにして一旦リリースされた支払メッセージはCHIPSルールにより変更不能の指図として扱われる。

図で表示されるように、b銀行とCHIPSのマスター・ファイルの間にはS_2銀行が介在する。S_1、S_2、S_3……はSettling ParticipantといいCHIPSの直接決済銀行である。S_2とbの関係はあたかも代理交換の関係のごとく理解すればよい。こうした直接決済銀行は一二行存在する。a、b、c……等の間接決済銀行（Participant）は現在一二九行ある。間接決済銀行は自らの代理交換銀行たる直接決済銀行を一二行の中から一つだけ選んで契約しているわけである。

b銀行がy銀行に対して発した支払メッセージはCHIPSのマスター・ファイルにおいてS_2（bの代理交換銀行）のS_4（yの代理交換銀行）に対する支払債務として記憶（記帳）されるようになっている。

ここまで、B→b→S_2→S_4→y→Yというチャンネルで百万米ドルの送金が行われる説明をした。さらに、別途Z→z→S_5→S_2→a→Aのチャンネルで二百万米ドルの送金が行われたと想定して、その日の送信時間（午後四時半まで）が終った場合を考える。因みにCHIPSの送信開始時間は平常午前七時である（前日がニューヨーク連銀の定める銀行休業日にあたる日、もしくは、前金曜日が同銀行休業日にあたる月曜日は午前六時）。CHIPSはそのコンピューターにより、間接決済銀行ごとに、また、直接決済銀行（代理交換銀行）ごとに当日の交換尻を計算する。例示でみれば、a、二百万米ドルの勝（受超）、b、百万米ドルの負（払超）、y、百万米ドルの勝、Z、二百万米ドルの負であり、S_2、百万米ドルの勝、S_4、百万米ドルの勝、S_5、二百万米ドルの負である。平常時であれば、直接決済銀行で交換に負けたS_5が自行の負けた金額二百万米ドルをニューヨーク連銀所在のCHIPS口座へFed Wire（後述）で振込み、ニューヨーク手形交換所がCHIPS口座を借記して、交換に勝ったS_2へ百万米ドル、S_4へ百万米ドルそれぞれ振込んで（つまり、ニューヨーク連銀所在S_2口座、S_4口座を貸記する）終りである。

ところが、CHIPS参加銀行（直接決済銀行であれ、間接決済銀行であれ）に問題がある場合はそうはいかない。まず、間接決済銀行zに問題が発生した事例をみる。zの交換銀行S_5にz

は当然決済口座を保有しているが、当日資金繰りに齟齬をきたし、二百万米ドルの支払メッセージを送った後、四時半現在の口座残高が二百万米ドルの貸越となったと想定する。そしてS_5はzに対し、百万米ドルの貸越極度しか与えていない場合、S_5はこの極度超を容認するか否かの判断をしなければならない。もし、zの信用がかんばしくなく、極度超を認め難いときは、S_5はzのための代理交換二百万米ドルを拒絶することができる。その場合、S_5（直接決済銀行）は午後五時半までにニューヨーク手形交換所のExective Vice Presidentもしくはその代理人へ代理決済の意志のないことを通知しなければならない。通知を受けたExective Vice Presidentまたはその代理人は当該間接決済銀行（z）へ連絡し、S_5もしくはその他の直接決済銀行から代理決済の信用を享受すべく一時間の猶予を与える。時間内にzが必要とする信用のとりきめができない場合には、zにかかわる支払メッセージ（本件の場合は支払の一本だけだが、支払のみならず受けの分も全部ひっくるめて）がすべてCHIPSのシステムから消去（delete）されることになる。したがって、$z \to S_5 \to S_2 \to a$のチャンネルの送金はなかったこととして、改めて交換尻が計算され、直接決済銀行へ報告されることになる。以上が間接決済銀行に問題がおきた事例であるが、同様のことが直接決済銀行にも発生しうる。代理交換分でなくて、自行分の交換尻が決済し得ない場合であるが、その場合にも、前述のルールが適用される。

　このようにみてみると、CHIPSにおいて、支払メッセージがコンピュータを経由して一旦リリースされると、それは変更不能（irrevocable）な支払指図であるとされるが、仕向加盟銀行の決済不能事態発生の場合のリスクを排除するものではない。つまり、被仕向銀行が仕向銀行からＣＨＩＰＳシステムを経由して支払メッセージをもらっても、その限りでは代り金の受取りが保証されないということである。実際、ＣＨＩＰＳに連結された被仕向銀行の端末スクリーンには被仕向送金が一件一件仕向銀行がリリースするごとに記帳されてゆくのを目でみることができるが、それらの記帳はその段階ではあくまでもかりの（provisional な）ものとみなさねばならない。それらがかりでなくなるのは先に述べた一二の直接決済銀行が午後五時半までに異議を申し立てず、交換がすべて円滑に終了した時点である。異議なしのとき、直接決済銀行で交換尻が負けとなっている銀行は五時四五分までに Fed Wire によりニューヨーク連銀所在のＣＨＩＰＳ口座へ負け金額を振込み、これをＣＨＩＰＳは交換尻の勝ちとなっている直接決済銀行へ配分する（ニューヨーク連銀所在の各行口座へ振込む、これも Fed Wire で行われる）。以上の作業は通常時であれば午後六時頃には完了し、完了通知がＣＨＩＰＳから直接決済銀行に伝えられる。その時点で被仕向銀行の端末スクリーン上から"Provisional（かり）"の表示が消えるしくみとなっている。

〔フェド・ワイヤー〕

Fed Wire とは全米各地に所在する銀行が自行の所属する地区（District）の連銀に保有する口座間の資金振替を通じてなす全米的な送金システムのことである。次頁上図のとおり米国は一二の地区に分割され、それぞれに独立した連銀（Federal Reserve Bank）が存在する。各地区には連銀支店が設けられており、現在全米で二五の支店がある。たとえばニューヨーク連銀にはバッファロー支店が、サンフランシスコ連銀にはシアトル支店、ポートランド支店、ロスアンゼルス

FEDWIRE NETWORK

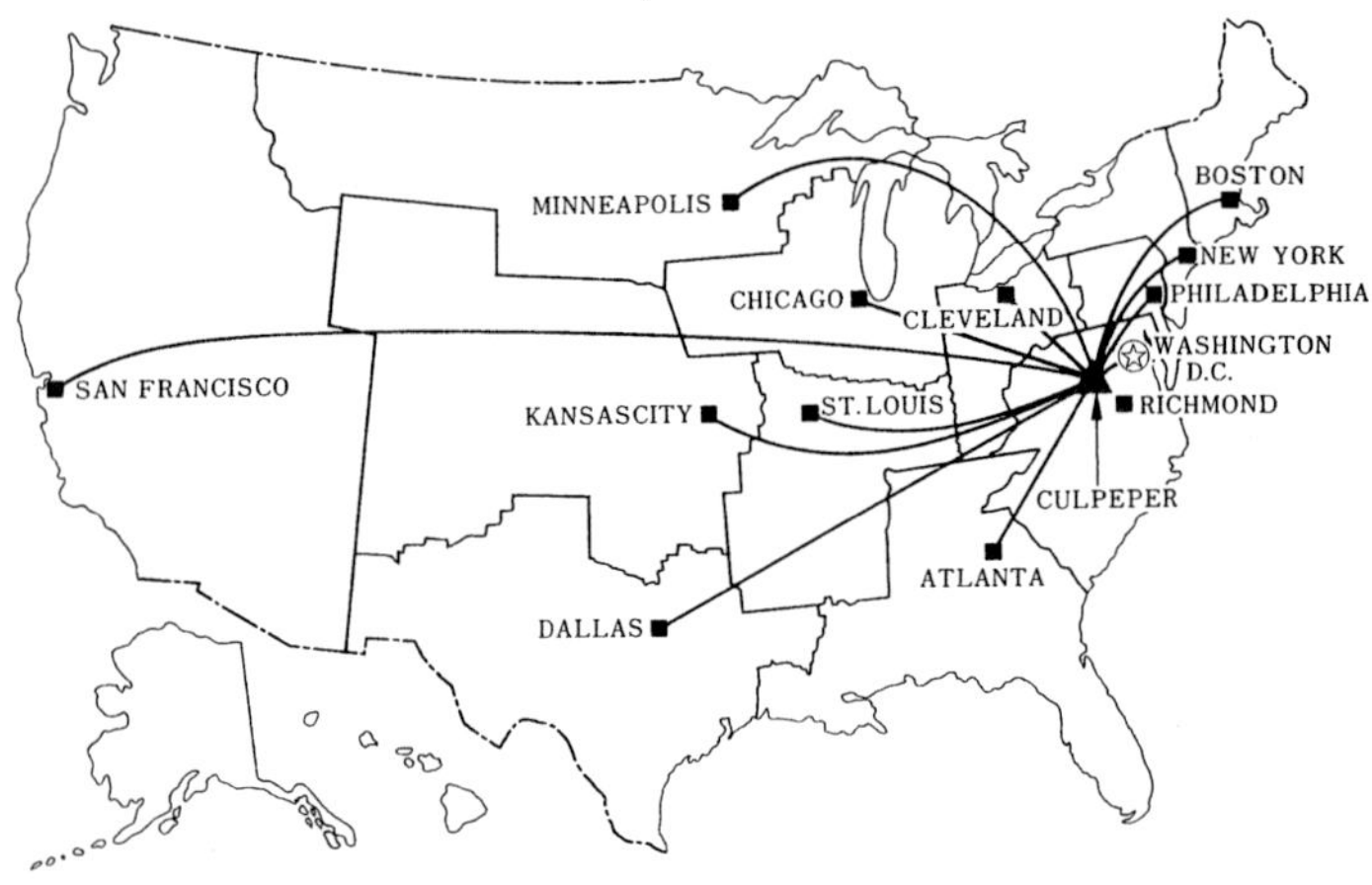

出所：ニューヨーク連銀パンフレット。

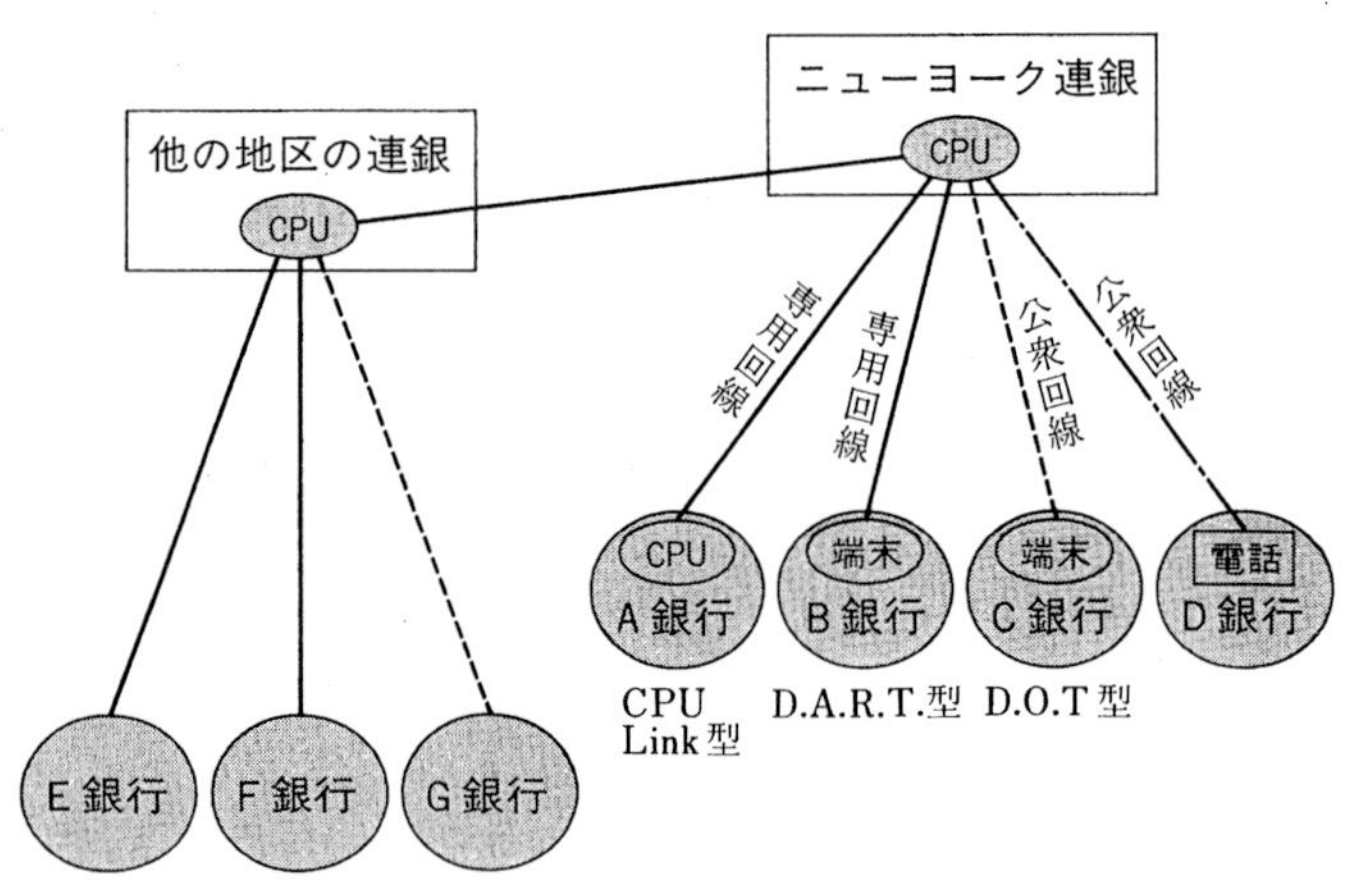

出所：国際金融情報センター『東京金融資本市場の国際化』昭和59年，総合研究開発機構。

支店があるがごとしである。以前は連銀に口座を保有することは連銀加盟銀行に限られたが、一九八〇年銀行法（Monetary Control Act of 1980）制定以来すべての銀行が連銀に準備預金存置を義務づけられたことに伴い Fed Wire の利用が可能となった。

Fed Wire も完全にEFT化されており、ニューヨーク連銀の例でみると、傘下の銀行について、自行のコンピュータと連銀のコンピュータを連結させた銀行（CPU Link 型）、連銀コンピュータ端末を専用回線で自行に持込んだ銀行（D.A.R.T.: Direct Access Remote Terminal 型）、同端末を公衆回線を使用して利用する銀行（Dial Oriented Terminal 型）とがある。むろん Fed Wire の利用回数の少ない銀行はこのような装備を持つ必要はなく、通常の電話でもって連銀に送金指図を行うことができる。また、直接連銀に接近することなく、装備の十分な、たとえば CPU Link 型の銀行に送金依頼をなすことが可能である。実際の送金例に従って説明する。ニューヨークのA銀行の顧客aがサンフランシスコのE銀行に口座を持っているeへ Fed Wire 送金の依頼をしたときのプロセスは以下のとおりとなる。

①顧客aがA銀行に対し送金依頼（送金依頼書および代り金小切手）、②A銀行はaの当座勘定引落しの上、コンピュータ端末でニューヨーク連銀宛送金指図を入力、③ニューヨーク連銀はA銀行の口座から代り金引落しの上支払メッセージをサンフランシスコ連銀へ電送、④サンフランシスコ連銀はニューヨーク連銀の勘定を借記の上E銀行の口座を貸記、⑤E銀行はサンフランシスコ連銀から振込通知を受けて顧客eの当座勘定を貸記、A銀行の発した指図に従いeに対して被仕向送金の案内（電信、電話等による）を行う。②③④の過程はすべて電算化されているのが

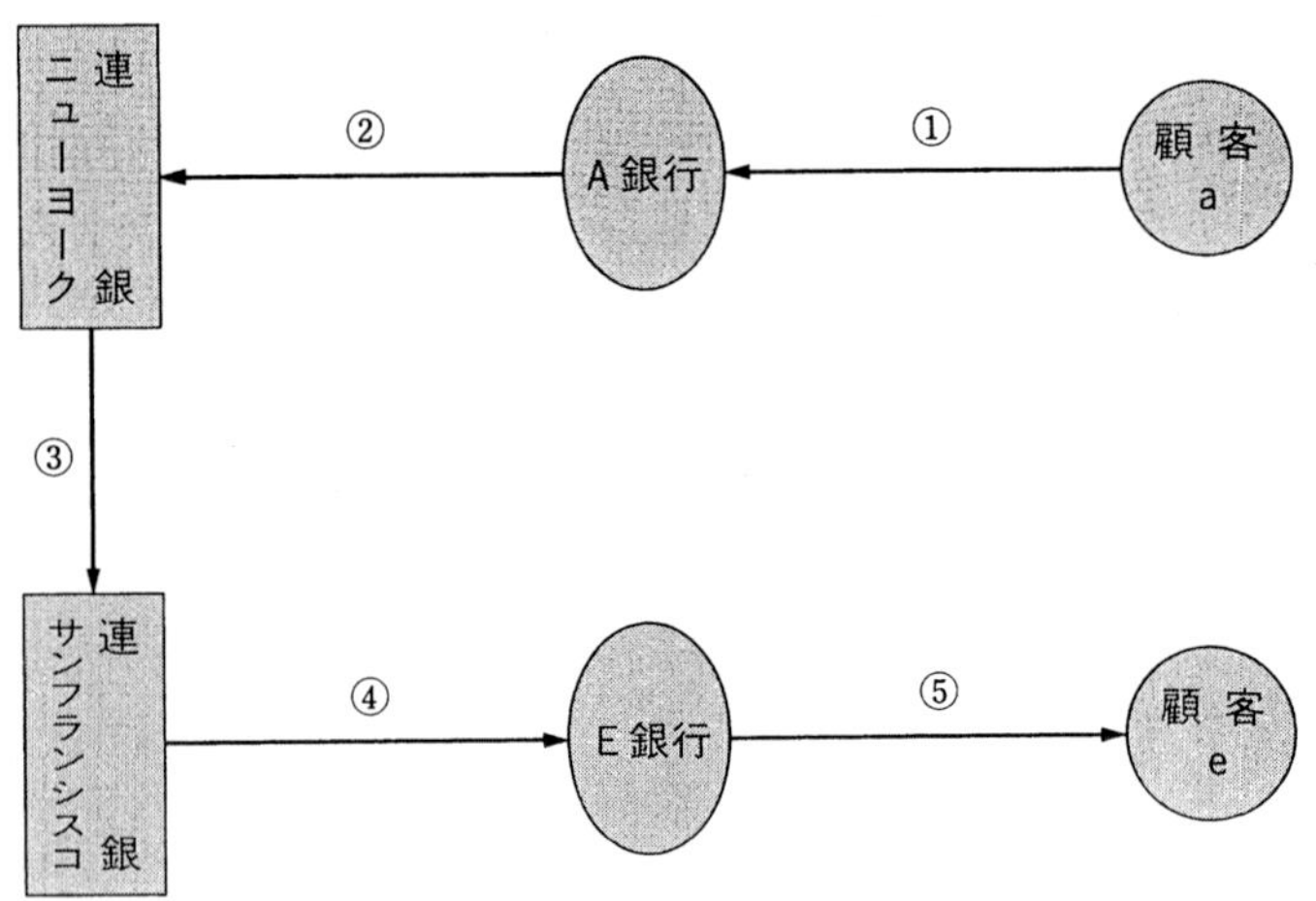

F01　　STANDARD FED WIRE TRANSFER

PRI

DUE-TO ABA + TYPE／SUBTYPE

DUE-FROM CL REF# AMOUNT + SPECIAL INSTRUCTIONS

ORDERING BANK AND RELATED DATA

LINE 5

LINE 6

LINE 7

LINE 8

MESSAGE ACKNOWLEDGEMENT

出所：ニューヨーク連銀パンフレット。

現状であるので中途で人間の手による入力はないと考えてよい。③の過程で発生する連銀間の貸借は支払メッセージが交互に行きかうわけであるから毎日の計算尻をFederal Reserve Systemの規則に従って処理されるものと考えられる。②の過程で入力される内容は被仕向銀行、仕向銀行、金額、送金依頼人、受取人、受取人口座、その他参照事項等であり、FRS-80の名で送金用標準フォーマットが定められている（前頁下表参照）。

さて、Fed Wireは連邦準備制度の提供するサービスであるから、システムの準拠するところは基本的には連邦準備法（Federal Reserve Act）であり、細目の決めはRegulation JにおけるSubpart Bに基づき定められた各連銀のOperating Circularでなされている。Fed Wire利用における仕向銀行、被仕向銀行、受取人等の関係者間の権利義務関係はそのOperating Circularに規定されたところによることになる。Fed Wire利用銀行の目からみて重要な諸点は以下のとおりである。第一に、仕向銀行が連銀に送金指図をしたときで、当該銀行の連銀所在口座に送金に見合う残高がない場合、連銀は送金指図を拒絶できる裁量を持つ。第二に、被仕向銀行は連銀から送金通知ないし入金通知（コンピュータによるものにせよ、電話によるものにせよ）があり次第、当該資金を利用できる。つまり、CHIPSにおけるがごとく事後的に入金が取消される危険性がない。第三に、所定の手続を踏んで一旦なされた送金は原則として仕向銀行の都合で変更したり修正したりすることができない。これは第二の事項と裏腹になっているわけである。もっとも、一旦送金したら後は当事者（仕向銀行と被仕向銀行）の問題として片づけろ（新たな送金を被仕向銀行から仕向銀行へ組むよう当事者間で合意する、合意が成らなければ仕向銀行が被仕向銀行を不当利得請求権を行使して訴追する等）と連銀はつき放しているわけではなく、たとえばニューヨーク連銀はその Operating Circular No.8（一九八四年三月二一日付 Wire Transfers of Funds）第二二条において送金指図の取消手続を定めている。それによると、連銀側でまだ被仕向銀行へ入金通知を与えていない段階で送金作業を中止できる時間的余裕があれば仕向銀行の撤回依頼に応ずる。もし、被仕向銀行へ入金通知を与えてしまった後の段階であれば、連銀は仕向銀行の依頼により被仕向銀行へ当該資金の返還を依頼することになっている。後者の場合は連銀が依頼をする（ask）にすぎず、強制力をともなうものでないから、当事者間で個別に交渉することとリーガルな面では差異がないとみて支障がないであろう。

④その他の国のEFTシステム

紙数の都合で詳細は省略するが、先進各国ともその決済機構のEFT化を進めている。英国は一九八四年にCHAPS（Clearing House Automated Payment System）を、フランスは同年SAGITTAIRE（Système Automatique de Gestin Intégrée par Télétransmission de Transactions Avec Imputation des Règisments）の一部を稼動せしめたほか、西ドイツではPSIG（Payment System Information Group）がEFTシステムを検討中である。わが国においては一九七三年に全銀システムが発足している。いずれもそれぞれの地の経済社会、法制を背景として組成されるシステムであるから決済効率の向上をめざす点では共通ながらシステムそのものについては地域特性が折込まれるのは当然であって、国際送金等の取扱いにあたっては、その差異につき十分理解してとり組まなければならない。

⑤システム・リスク

再び顧客aから顧客bへの送金を事例にとる。aがA銀行へ送金依頼をすると、Aはaの当座勘定を引落し、B銀行に対しbの当座勘定へ入金するよう支払指図を行う。Aから支払指図を受取ったB銀行は指図に従って顧客bの当座勘定を貸記（入金）する手続をとる。B銀行はA銀行に対し請求権を持つが、通常それは事後に（つまり、Bがbへ入金した後）決済されるとの前提で顧客の送金がなされる。そこで、前提としたAからBへの決済がなされず（Aが支払不能の状態におちいるケース）、かつ、Bがbへの入金を取消すことができないとしたら、Bは被仕向送金額につき貸倒れることになる。AB間の送金額が巨額であればB銀行も支払不能の状態におちいらざるを得ないかも知れない。また、かかる取引

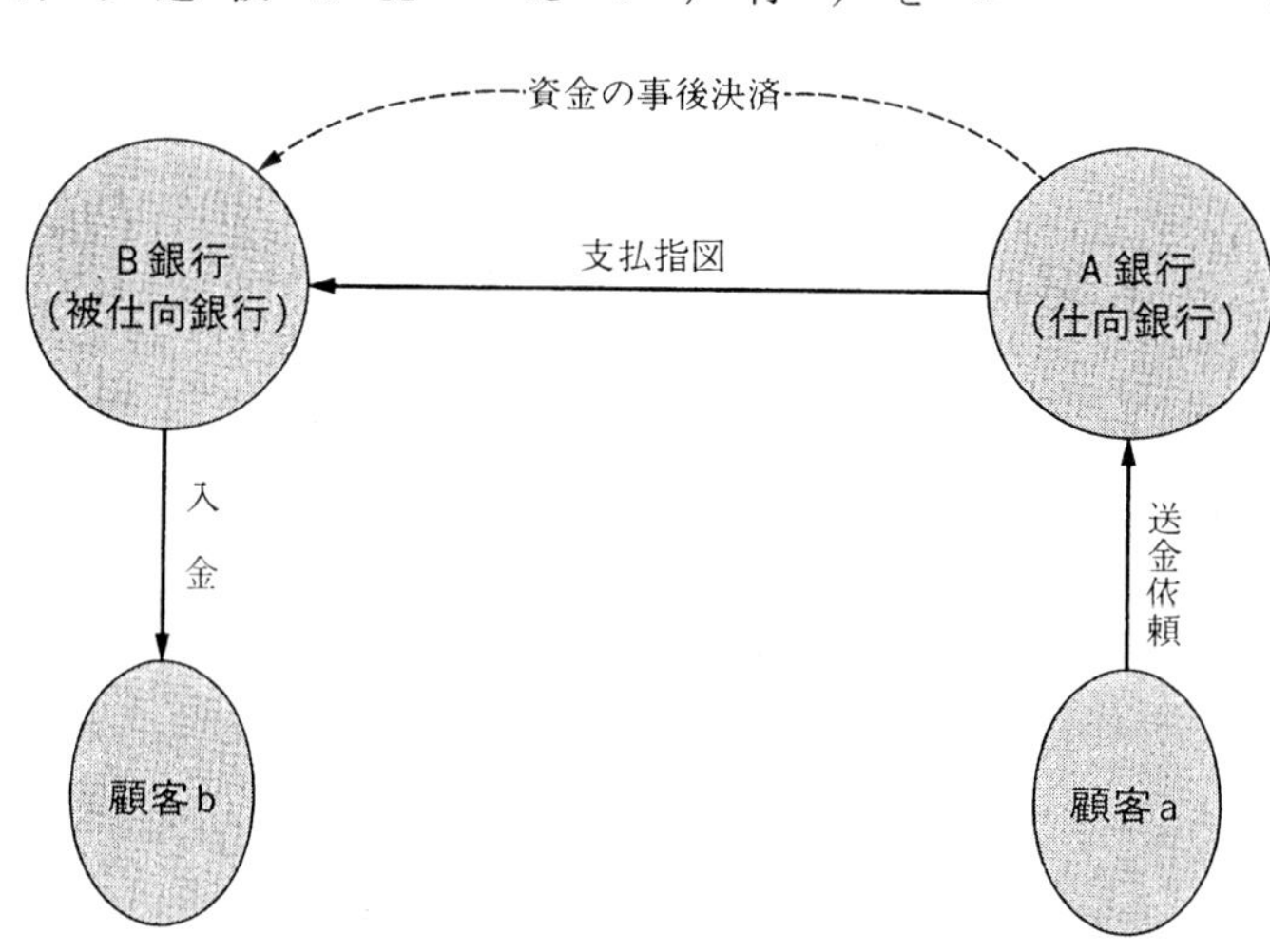

はAB間にとどまらず、BC間（Cは第三の銀行）にもあり得るから、その場合、Cも連鎖して支払不能の状態におちいる可能性がある。このような一銀行の支払不能事態が連鎖波及して行くリスクをシステム・リスクという。

なぜそのようなリスクが発生するか、理由は簡単である。BがAからの実際の資金決済を受ける前に顧客bの口座へ入金をなす（支払う）からである。その過程でBはAに対して事実上の与信を供与していることになり、その債権がコゲつくリスクがあるということにすぎない。では、BはAからの資金決済を確認してからbへ入金するか、決済確認時まで取消権を留保してbへ入金したらどうかとの意見がでよう。たしかにそれで安全は期せられようが、ABC……銀行間の資金決済はEFTシステムにせよ営業時間が終了後相互の請求権の交換決済（尻決済）で行われるわけだから、前者の場合には、bに対する入金は翌営業日とならざるを得ず、顧客の資金アベイラビリティ逸失となる。無理に支払指図と資金決済の時を一致させようとすれば、A銀行は法貨ないしそれに準ずる中央銀行自己宛小切手（日銀自己宛小切手のごとき）をB銀行へ持込まざるを得まい。それでは何のためのEFT化かわからなくなってしまう。また、中央銀行自己宛小切手の場合はA銀行に対する与信リスク責任を中央銀行に転稼するものであってプラクティカルでもない。決済確認時までの取消権留保付入金方式にしても、当該入金の使用を許さぬものであれば顧客の資金アベイラビリティの逸失であるし、もし許すのであれば、B銀行がbに対する与信リスクを負担することに他ならず、取消権を行使しようとしたとき顧客bに返済能力が失われていた場合にはBは危険にさらされる。

先に述べたFed WireはA、Bが連銀で、a、bが市中銀行に相当するしくみであるが、AB間の支払指図が取消不能であるから、このようなシステム・リスクの発生の余地がない。一方CHIPSの場合にはシステム・リスクがありうる。CHIPSの場合には、支払メッセージの送信と加盟銀行間の交換資金決済が終了する時間（通常午後六時）の間にタイム・ラグが一時間半程あるので、被仕向送金額超の交換勝ち銀行が与信リスクを負うこととなる。決済時限に決済ができない銀行がでた場合、当該行にかかわる取引をすべて除去して、あらためて決済するのがCHIPSのルールとなっているので、日中端末スクリーンで被仕向の支払メッセージ（資金の受取）の入手状況をウォッチしつつ、それを当てにして資金繰りを組んでいる大方の銀行は、CHIPS参加銀行の中で決済不能銀行が出ると相当困難な状況に置かれる。決済不能銀行にかかわる取引を除去して得られる交換尻をrevised net net balanceと称するが、これは午後六時半以降にニューヨーク手形交換所から直接決済銀行（Settling Participant）に通知され、それから一時間以内に直接、決済銀行はrevised net net balanceの決済に異議ある場合、交換所Executive Vice Presidentないしその代理人に申立てなければならないルールとなっている。そして、その場合の手続は最初に決済不能銀行がでたときのケースの繰返しとなる。

このようなシステム・リスクを軽減する策として、CHIPSは各被仕向銀行が仕向銀行に対し、相対ネット与信限度（bilateral net credit limit）を設定し、参加銀行間で相対で設定したnet credit limit（被仕向総額マイナス仕向総額＝与信額≦α（一定限度額））を超えて仕向銀行が送金しようとする場合にはコンピュータ・チェックが働いて送金ができなくなるしくみを採用している。また、仕向銀行ネット負債限度（sender net debit cap）の設定も検討に付されている。仕向銀行ネット負債限度とは送金にともなって発生する仕向銀行の net debit（仕向総額マイナス被仕向総額）を仕向銀行の自己資本の一定割合（cap）以内におさえるとのルールである。

さてここで、わが国の全銀システムと外為円決済制度につきそのシステム・リスクを検討しておきたい。全銀システムはわが国民間金融機関が他行宛の送金を扱うにあたり、全銀センターを中心として各行端子が専用線で相互に接続されたデータ通信ネットワークである。全銀システムの資金決済はCHIPSと違って支払メッセージ送信日の翌日午後一時に日銀所在の為替決済預り金勘定の入金・引落しによってなされている。したがって、支払メッセージ受信の日に顧客勘定へ入金記帳をする被仕向銀行は一見オーバーナイト・リスクにさらされているようにみえるが、実は、このリスクは以下のしくみにより担保されている。つまり、全銀システムにおいて、決済不能銀行がでた場合、まず日銀が立替払をなし決済を完了させるしくみとなっている。そして立替払をした日銀はあらかじめ一定の基準に従い差入れられていた全銀システムの当該参加銀行の担保を処分してそれに充当する。不足が出る場合にはシステム参加銀行が共同責任を負う形で始末されることになる。したがって、第一義的には日銀が仕向超銀行のオーバーナイト・リスクを負担することによって、全銀システムのシステム・リスクは回避されている。

外為円決済制度は円建の外国為替関係銀行間取引に関する集中決済を図るために導入された制度で、東京銀行協会が運営している。それ自体はEFTと関係するものでなく、参加銀行が毎営業日（除く土曜）に一回、銀行協会に集まり、外国為替関係円資金に係わる支払指図書を交換し

（交換は午後一時に始まり終了時間は午後二時）、その交換尻を日銀所在の口座を通じて振替決済（午後三時）するものである。現状では短い時間とはいえ、この制度にも、仕向銀行に対する与信リスクがあり、被仕向銀行がそれを負担している。これはＣＨＩＰＳにおける被仕向銀行の負担リスクと類似のものである。日銀と全銀協の間で外為円決済のオンライン化の基本的合意が成立しているが、システム設計にあたって、このリスクの回避ないし軽減の対策に配慮が欠かせない〔一　沢〕。

（参考文献）

◇国際金融情報センター『東京金融資本市場の国際化』二一三～二六九頁、昭和五九年、総合研究開発機構。
◇黒田巌「支払決済のエレクトロニクス化に伴う制度、ルールの対応について」『金融』一九八四年二月号。
◇黒田巌「支払決済機構とシステム・リスク」『金融財政事情』昭和六〇年一月二一日号。
◇黒石明邦「欧米主要国におけるＥＦＴ法規と銀行実務」『金融法務事情』昭和六〇年一一月一五日号。
◇New York Clearing House Association, Rules Governing The Clearing House Interbank Payments System (Amended July 22, 1981; Effective September 11, 1981).
◇山本幸三「ユーロ円市場をめぐる通説的見解への疑問」『日本経済新聞』昭和五九年九月二〇日。

◇黒田巌「電子決済時代のリスク回避策」『日本経済新聞』昭和六〇年四月五日。
◇Federal Reserve Bank of New York, Operation Circular No.1 Revised March 21, 1984.
◇P・F・シャンピョン、J・トローマン『ユーロダラー入門』昭和五六年、日本経済新聞社。
◇和島・樋之口・山下・尾崎『外国為替』昭和五六年、金融財政事情研究会。
◇滝沢健三『国際通貨の話』昭和五七年、東洋経済新報社。
◇滝沢健三『国際金融　通説の批判』昭和五九年、東洋経済新報社。

2　紛争事例の検討

①ヘルシュタット銀行の倒産とデルブリュック事件

ヘルシュタット銀行（Bankhaus I.D. Herstatt）は西ドイツ大手商業銀行の一つであったが、一九七四年六月、外国為替の先物取引の失敗により経営が破綻、監督官庁により営業停止の処分を受け破産した。同行の破産は第一次オイル・クライシス後不安を深めていたユーロ・ダラー市場に深刻な影響を与えた。同行に対する債権の不良資産化のみならず、それまでユーロの慣行ともいうべき仕方で処理されてきた国際資金移動のシステム面の脆弱性が露呈するに至ったからである。ここでは、同行の営業停止に伴い発生したCHIPS経由の米ドル資金受渡し問題に関するデルブリュック事件（Delbrueck & Co. v. Manufacturers Hanover Trust Co. 464F. Supp. 989（S. D. N. Y. 1979), aff'd 609F. 2d Cir. 1979）につきみてみたい。

事件の概要は以下のとおりである。①デルブリュックは西ドイツのパートナー法人たる銀行であるが、ヘルシュタット銀行に対して米ドル売、マルク買の外国為替予約をなし、その期日と支配金額が、一九七四年六月二六日　一、〇〇〇万米ドルおよび二五〇万米ドルの二本、六月二七日一、〇〇〇万米ドルの一本となっていた。②六月二五日、デルブリュックはそのデポ・コルレス先であり、かつ、CHIPS加盟行であるマニュファクチャラーズ・ハノーヴァー・トラスト銀行へ電信にて「六月二六日、当行勘定借記の上チェイス銀行宛ヘルシュタット銀行の勘定に（for

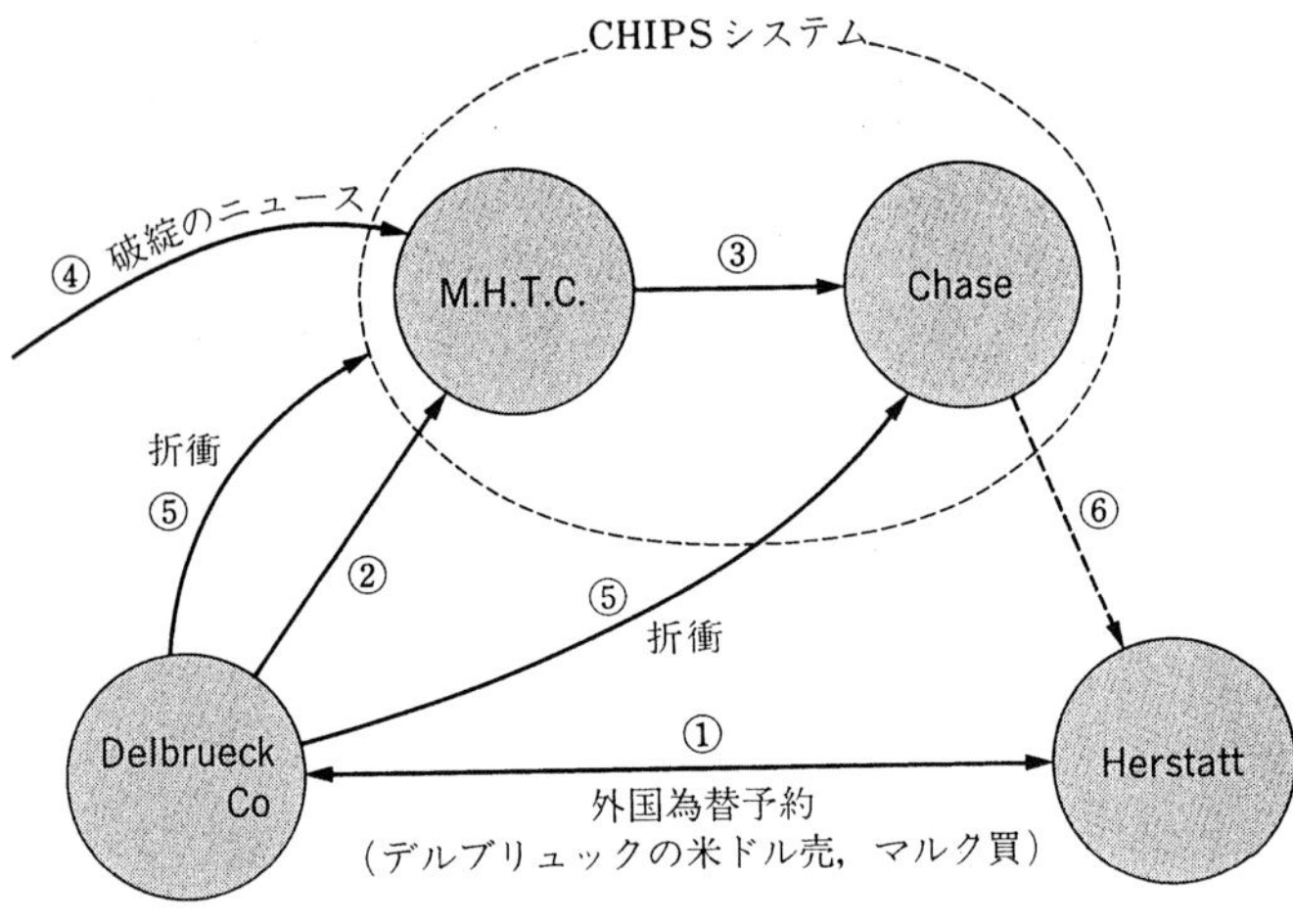

account of ／in favor of）一、〇〇〇万米ドルおよび二五〇万米ドルを支払え」と支払指図をなした。六月二七日期日の一、〇〇〇万米ドルについては六月二六日同じ手法で指図がなされた。③マニュファクチャラーズ・ハノーヴァー・トラスト銀行は六月二六日午前一一時三六分と一一時三七分にチェイス銀行宛の支払メッセージ（CHIPSにおけるPayment Messageそれぞれ一、〇〇〇万米ドル、二五〇万米ドル）をリリース（release）した。④片や、マニュファクチャラーズ・ハノーヴァー・トラスト銀行はCHIPS端末を操作する部門以外の部門で一一時三〇分にドイツでヘルシュタット銀行が破綻したとの情報を入手した。実は、西ドイツでヘルシュタット銀行が営業停止処分となったのは現地時間で二六日午後四時三〇分頃すなわちニューヨーク時間で午前一〇時半頃であった。チェイス銀行はこの報をいち早く聞き、ただちに同行所在ヘルシュタット勘定からの払出しを停止し、受入サイドだけオープ

ンにする措置をとったのが実情であるらしい。⑤デルブリュックは二六日午前一時三〇分マニュファクチャラーズ・ハノーヴァー・トラスト銀行に電信を入れ、同日早朝に発信済の支払指図(二七日期日の一、〇〇〇万米ドルの分)を停止するよう要請をした(この電信には二六日期日の支払一、〇〇〇万米ドルと二五〇万米ドルに関する言及がなかったことが後でかなり重要な意味を持つ)。また、デルブリュックは二六日正午にマニュファクチャラーズ・ハノーヴァー・トラスト銀行へ電話を入れ、当日の支払一、〇〇〇万米ドルと二五〇万米ドルを停止するよう、また、支払済であればチェイス銀行より回収するよう要請した。おそらくデルブリュックは二六日ヘルシュタットから米ドル売見合のマルクの支払を得られず、あわてて米ドルの支払を停止する必要に迫られたものと思われる。⑥その後、電話とテレックスで一、〇〇〇万米ドルと二五〇万米ドルの返却をめぐって、デルブリュック、マニュファクチャラーズ・ハノーヴァー・トラスト銀行、チェイス銀行の三者間でマラソン折衝が続けられたが、結局チェイス銀行は資金返却に応諾せず、二六日午後九時当該資金はチェイス銀行所在ヘルシュタット銀行の口座に正式に貸記されることとなった。

マニュファクチャラーズ・ハノーヴァー・トラスト銀行の措置と対応を不満としたデルブリュックは資金の回復を求めてニューヨーク州南部地区連邦地方裁判所に提訴した。訴因は、第一にヘルシュタット銀行の破綻を知りながらマニュファクチャラーズ・ハノーヴァー・トラスト銀行が支払メッセージをリリースしたことはその注意義務違反(negligence)であること、第二に、振込は六月二六日午後九時(チェイス銀行がヘルシュタツト銀行の口座を貸記した時刻)まで撤回可能であるはずなのに、撤回できなかったのはマニュファクチャラーズ・ハノーヴァー・トラスト銀行に過失があり（negligent）かつ契約違反（breach of contract）であるというものであった。

連邦地裁は第一訴因につき、マニュファクチャラーズ・ハノーヴァー・トラスト銀行がヘルシュタット銀行の破綻を知ったのは、支払メッセージをリリースする六分前であり、時間の余裕からみて注意義務違反にあたらないとし、第二訴因については、事情をいち早く知ったはずのデルブリュック自身が迅速な措置を講ずることを怠ったふしがみられる（つまり、一一時三〇分にマニュファクチャラーズ・ハノーヴァー・トラスト銀行へ入電した電信においてデルブリュックは当日払いの一、〇〇〇万米ドルと二五〇万米ドルにつき何も言及していない）のは寄与過失とみなされるべきとし、また、振込撤回（資金の回収）ができなかったのはＣＨＩＰＳの規則に照らして当然であると判旨した。また、チェイス銀行から資金の返却を求める折衝上、マニュファクチャラーズ・ハノーヴァー・トラスト銀行に過失があったとする原告の批難は、その折衝がデルブリュックと緊密な連絡をしつつ行われたのであるから、当らないと判示した。

このような第一審の棄却判決を不服としたデルブリュックは第二巡回区連邦控訴裁判所へ控訴したのであるが、訴えは再び棄却された。控訴審における主たる争点はＣＨＩＰＳにおける振込指図の撤回がいつの時点で不可能になるのかというところにあった。わが国をはじめドイツにおいても、仕向送金に関し一般に被仕向銀行が受取人の口座に貸記するまでは、振込依頼は撤回可能であるとみられているが、ＣＨＩＰＳ経由の送金については、仕向銀行から支払メッセージ

（Payment Message）がリリースされた時点、本件でいえば、六月二六日の一一時三六分および一一時三七分、がその時点にあたると判示されたのは注視を要する。第二審判決は、ＣＨＩＰＳのようなＥＦＴ取引にはＵＣＣ（統一商法典）が適用されないとした上で、ＣＨＩＰＳ以前に銀行間の決済に用いられた預手（Casher's Check）の取消不能時点との対比、ヘルシュタット事件直後にすぐ規則改正に走ったことからみられるＣＨＩＰＳ加盟銀行の見解、債権譲渡に関するコモンロー（Common law of assignments of choses in action）の原則等に基づきデルブリュックの請求を棄却している。

ＣＨＩＰＳ導入以前の時代においては、仕向銀行は自己宛小切手（預手 Casher's Check）を振出し、それを振込依頼書に添えて被仕向銀行へ手渡すことによって送金が行われていたが、被仕向銀行へ預手を手渡した時点で振込依頼は撤回不能とみなされる慣行があった。

ヘルシュタット事件直後のＣＨＩＰＳ規制改正とは、支払メッセージがリリースされても、ＣＨＩＰＳの最終交換が終るまでは（当時翌朝一〇時）撤回可能と規則改正したことを指す（もっとも、この規則はその後また改正され、現在ではリリース後は撤回不能（irrevocable）に直されている）。若干蛇足になるが、リリース後は撤回不能の規定と交換尻の決済不能銀行に係わる取引の除去規定（いわゆるルール一三の規定）の関係の現状について触れておきたい。撤回不能についてCHIPS Rule は以下のように規定する。A payment message once released by a participant cannot be deleted by such participant and *constitutes the unconditional obligation of such participant* to make payment in accordance with such payment message ard these Rules.

Notwithstanding the foregoing, payment messages may be returned to storage pursuant to the provisions of paragraph b of Rule 13.

つまり、一旦支払メッセージをリリースすると、それは撤回し得ず、送信人（仕向銀行）の無条件な支払債務となるが、ただ、ルール一三の事態のときに限ってＣＨＩＰＳのデータファイルへ返却し得ることになる。逆にいえば仕向銀行が決済不能の状態にならない限り、その銀行から送信された振込依頼は取消されないということになる。因みにルール一三の事態に対するリスク軽減策については前で論じたとおりである。

ヘルシュタット事件直後にすぐ規則改正に走ったことにみられるＣＨＩＰＳ加盟銀行の見解とは、以上の説明からわかるように、ＣＨＩＰＳには支払完了時（finality）に関する明示の規定はなかったものの、どの加盟銀行も支払メッセージのリリースが終ればそれが確定時点だと信じていたことを意味する。裁判所はそのような慣行が存在していたと推認したわけである。

債権譲渡に関するコモンロー原則の援用とは次のとおりである。要するに、債権譲渡契約は譲渡人が譲受人へ債権の対象物を移転することを両者間で合意することで成立する。当該合意は行為、書状、口頭のどれによっても良く、とくに、譲渡人が自分に特定の金銭債務を持つ債務者に対して譲渡人宛その債務を支払うよう指図し、かつ、譲受人に対して当該支払手段を引渡したり、引渡すことを通知したりした場合には、合意の存在が確証される。譲受人に対する通知は譲渡人からのみならず譲渡人の債務者からなされてもよい。本件の場合は、債権者たるデルブリュックにより支払指図が債務者たるマニュファクチャラーズ・ハノーヴァー・トラスト銀行へ直接与えられ、その支払指図は第三者たるチェイス銀行（終局的にはヘルシュタット銀行）へ特定金額の支払を指図していた。この段階ではデルブリュックを譲渡人、チェイス銀行（ヘルシュタット銀行）を譲受人とする債権譲渡の要件は満たされないが、二六日午前一一時三六分と三七分にチェイス銀行（ヘルシュタット銀行）はマニュファクチャラーズ・ハノーヴァー・トラスト銀行（債務者）から支払メッセージの形で通知を受けたのは事実であるから、その時点でデルブリュックからチェイス銀行（ヘルシュタット銀行）に対する債権譲渡の要件は充足されたとみなされるわけである。

以上がヘルシュタット事件の顚末の概要である。ユーロ・ダラー取引の決済のほぼ九〇％がCHIPSを経由してなされるという昨今、実務家として見逃し得ない留意点を含んでいると思われる。

②国際的送金ミスと銀行の責任

〔エヴラ事件〕

まず、米国からスイスへ向けた電信仕向送金につき発生した事例であるエヴラ事件（Evra Corp. v. Swiss Bank Corp. v. Continental Illinois National Bank and Trust Co.（thirdparty defendant), 522F. supp・820（N. D. Ill. 1981), rev'd 673F. 2d 951 [7th Cir. 1982], cert. denied 103S. Ct. 377 [1983]）をみてみる。

送金依頼人である原告は傭船料の支払を月極め前払でジュネーヴのパリバ銀行（Banque de

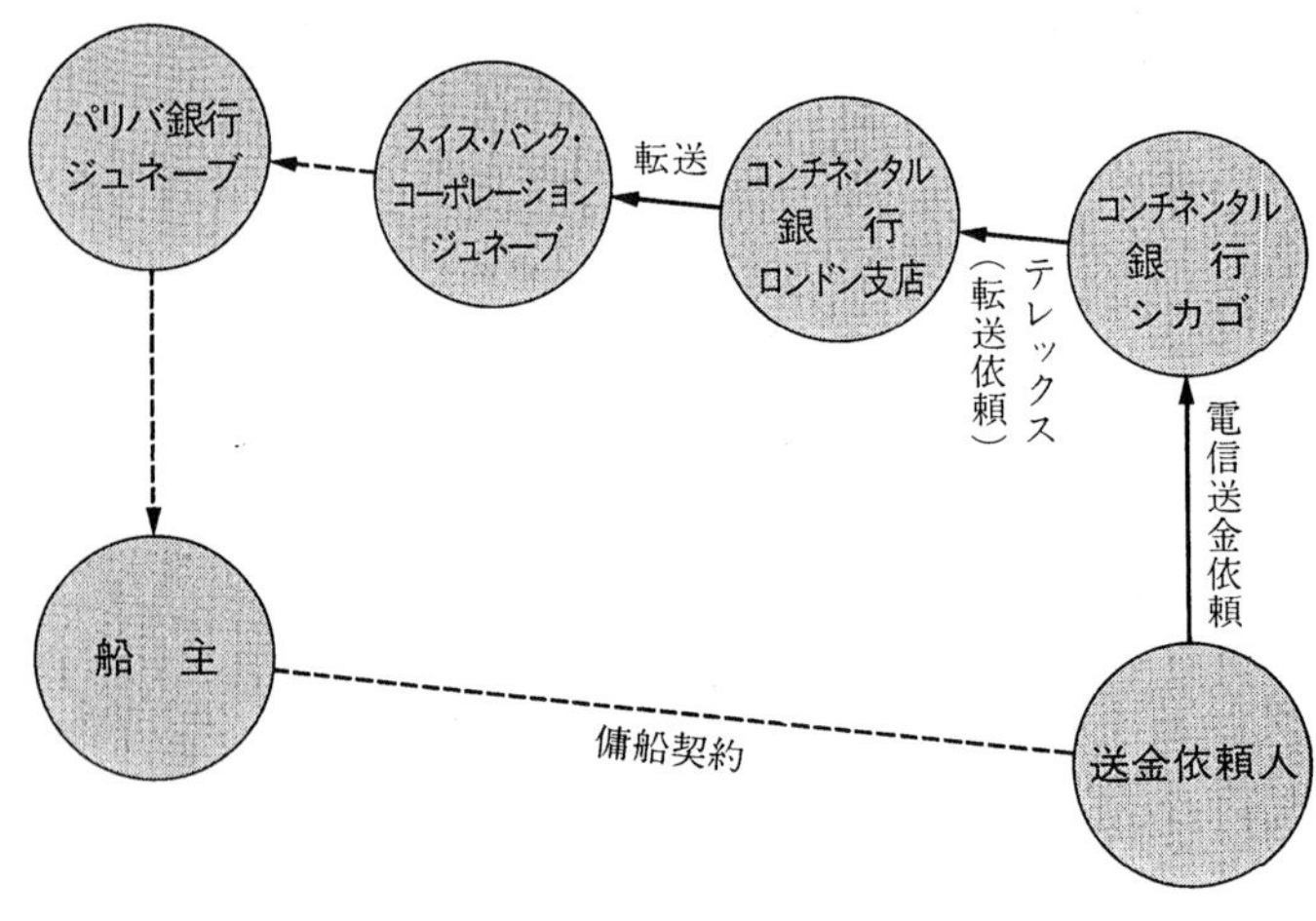

Paris et des Pays-Bass［Suisse］）所在の船主勘定へなす必要があった。事件該当の傭船料二万七、〇〇〇米ドルは一九七三年四月二七日から始まる一ヵ月分の支払に相当するものであった。四月二五日午前に送金依頼人の被用者はシカゴのコンチネンタル銀行（Continental Bank）へ電話し「四月二七日から始まる傭船料の支払としてパリバ銀行ジュネーヴ所在の船主口座へ二万七、〇〇〇米ドルの電信送金をなすよう」依頼した。本件傭船契約には傭船料前払の約定があったので、当該振込が四月二六日の営業時間終了時までに船主の口座になされないと、傭船契約が解除されるというものであった。コンチネンタル銀行シカゴは当日午後必要電信指図（自行のコルレス先であるスイス・バンク・コーポレーション・ジュネーヴ宛）を自行ロンドン支店へテレックスし、スイス・バンク・コーポレーションへ転送するよう依頼した。当該テレックスは時差の関係から二五日の夜にコンチネンタル銀行ロンドン支店により受取

られた。翌二六日早朝、コンチネンタル銀行ロンドン支店のテレックス・オペレーターは当該テレックスをスイス・バンク・コーポレーションへ転送すべく一般テレックス・ナンバー（general telex number）で数度相手機器の呼出しを図ったが、回線の混雑のためか果たせず、止むをえず為替ディーリング専用ナンバーを呼び出し当該メッセージを送り込んだ。この送信ルートは通常のやり方とは異なるが以前うまくいった経験をコンチネンタル銀行のテレックス・オペレーターは有していたのである。送金指図のメッセージがスイス・バンク・コーポレーションに到着したことは、コンチネンタル銀行側の送信コピーの頭尾にスイス・バンクのアンサー・バック・コードが印字されていることから確認されたが、あにはからんや、スイス・バンク側は何のアクションも起こさなかった。多分、スイス・バンク側のテレックス機器に紙が入っておらず、メッセージが印字されなかったためと思われる（紙が入っていなくても、テレックスにはパンチ・カット・テープが装填されており、それを機器にかければメッセージは再製することが容易にできるが、スイス側の受信機器がディーリング用であったため、そのようなことがなされなかったものと思われる）。かくして、二六日にはパリバ銀行所在の船主口座には一銭も振込まれることがなかった。

四月二七日、傭船料振込未済を確認した船主は傭船契約の解除を原告に通知した。振込依頼人（原告）は当日コンチネンタル銀行に対し執拗に当初のチャネル経由（コンチネンタル銀行↓スイス・バンク↓パリバ銀行）の送金をなすように迫ったが奏効せずに終った。振込依頼人は前にやはり期日内振込が間に合わず、パリバ銀行の本支店を通じ別途の直接送金を行って窮地を脱したことがあったが、今回はそういう手立てを講ずることもしなかった。

傭船契約解除の正当性につき仲裁に付されるところとなったが、傭船者が傭船料支払不履行事態を治癒すべく全力を尽していないことを理由に船主による契約解除は正当であると判断された。

傭船契約解除により実害を被った振込依頼人はスイス・バンク・コーポレーションに対して損害賠償の訴えを提起し、コンチネンタル銀行が第三者被告として訴えにまき込まれることとなった。連邦地裁はコンチネンタル銀行については送金手続に関し何ら善管注意義務違反は認められずとして訴えを却下したものの、スイス・バンク・コーポレーションについては、電信送金の仲介銀行としての十分な装備を欠き、かつ、必要とされる諸手続をとっていないことから、振込依頼人に対する義務違反が認められるとし、一般損害(general damages)のみならず二百万米ドルを超える結果損害(consequential damages)の賠償を命じた。

第一審判決を不服としたスイス・バンク・コーポレーションは連邦控訴裁へ控訴し、第七巡回区控訴裁は結果損害の賠償を認める下級審の判決を覆した。連邦控訴裁の主たる判決理由は以下のとおりであった。

まず、スイス・バンクは以前原告との間で行われた取引経験から懸案の電信送金の目的が何であるかを知っていた、もしくは、知り得べきであったが、振込の期限については知らず、まして、原告(振込依頼人)と債権者(船主)との間にどのような原因関係があるかは知るよしもなかった。したがって、スイス・バンクは受信した支払指図の実行を怠った場合、どのような深刻な結果損害(consequential damages)が発生するか知り得なかった。また、当該取引について行使す

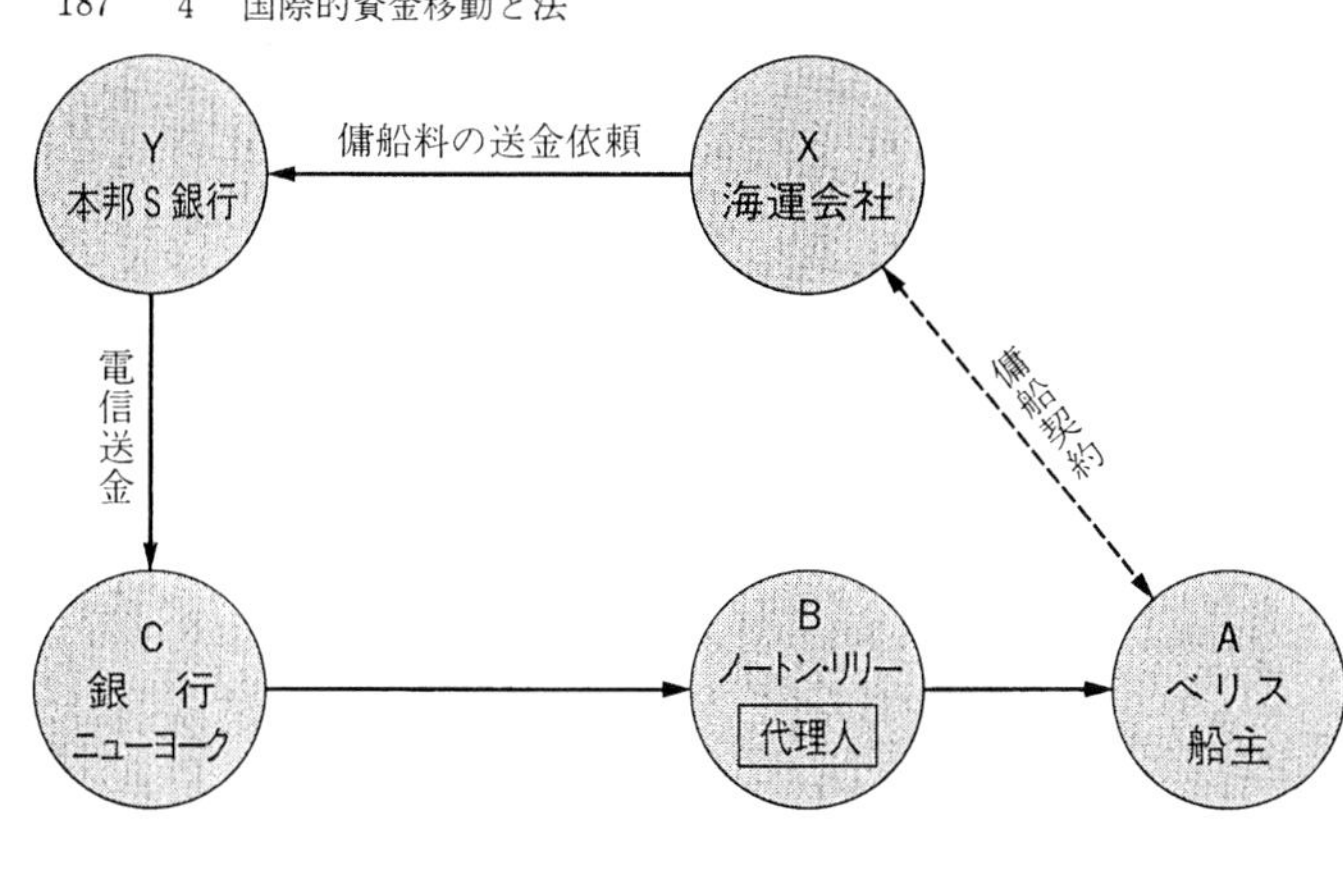

べき注意の度合についても前もって注意喚起されることがなかった。他方原告の側の行動をみるに、期限内振込がなされないと傭船契約が解除されるという甚大なリスクがあるのがわかっていながら、間際になるまで送金依頼のアクションを行っておらず、かつ、振込未済が判明した後でも損害を未然に防ぐべき万全の努力を払っていないふしがみられる。

〔昭和五一年一月二六日の東京地裁判決〕

次に、エヴラ事件と類似する事案に関する、わが国の判決を見ておこう。海運業を営む原告X会社（本邦企業）は、外国船主たる訴外A（ベリス）の船舶を傭船していたが、その傭船料はXがニューヨークの船舶代理人たる訴外B（ノートン・リリー）に月極めで送金し、Bがこれをニューヨークにある Aの預金口座に入金して支払うことになっていた。そこでXは七万米ドル余の傭船料（一二回目分）の外国向け電信送金を被告Y（S銀行）に依頼したが、Yはニューヨークの訴外C銀行にあるBの預金口座に右金額を送金する際、送金人の名（Xの名）を誤記した。そのため、期日までに傭船料が支払われなかったものとして扱われ、XはYに対してこれによる損害の賠償を求め、ほぼそれが認められて、約四億円の支払が命ぜられたというのが本件である（東京地判昭和五一年一月二六日、金融法務事情七九四号三〇頁）。

送金人の名を誤記したため、期日までに傭船料が支払われなかったものとして扱われた事情はわかりにくいが、受取人たる船舶代理人Bが被仕向送金の案内上記載された送金人の名を見て、以前取引のあった他の会社からの送金と思い込み、その会社から別途連絡があるものと考えて別段勘定へ入金してしまい、結果として、XからのAに対する支払が期限内になされず、傭船契約がキャンセルされてしまったものである。原告船会社Xは傭船していた船を第三者へ転傭船していたため、傭船料が増額されても傭船契約を続けざるを得ず、この増額分を損害賠償としてYに請求したわけである。

損害賠償の範囲に関しては民法四一六条の規定に従い通常損害と特別損害の区別があるが、本件については、特別損害の規定（「特別ノ事情ニ因リ生シタル損害ト雖モ当事者カ其事情ヲ予見シ又ハ予見スルコトヲ得ヘカリシトキハ債権者ハ其賠償ヲ請求スルコトヲ得」）が該当すると判示された。その理由として、①送金申込書の備考欄に「伝言××号第××回傭船料」という趣旨の記載があったこと、②送金申込書の送金理由欄に「傭船料」との趣旨の記載があったこと、③被告Y銀行の担当者が当日（ニューヨーク時間）に送金が完了することを原告Xの担当者に確認していること、④傭船契約には期限内に傭船料の振込がないと契約解除の約定があることを有数の都市銀行は知っていると解されること、等が述べられている。

判示にあたって、送金申込書の備考欄や送金目的欄における記載事項が重要なポイントとみなされたが、それまで、送金取引における仕向銀行の立場は送金人と受取人の間の契約その他の原因関係とは独立した委任契約であり、送金目的等のメッセージの記載を許容することは一種の顧客へのサービスとして取り次ぎ、その内容には拘束されないとするのが銀行実務担当者の一般的な見解であっただけに、本判決の銀行界へ与えた衝撃は大きかった。銀行実務の感覚からいえば送金受取人の名前を誤ったのならともかく、送金人の名前を誤記したところで通常であればたいしたことになるまいと思いたいくらいである。そこで、電信送金において送金人の名前を通知することが送金契約上の債務内容を形成するかどうかでひとしきり論議がなされた様子である。ともあれ、本事件は控訴審係属中に当事者間で和解が成立している。

以上で、日米両国における国際的送金ミスと銀行責任に関する著名な判例をみてみた。いずれも、送金指図が失われたり遅延した場合に、そこから発生した損害をどこまで賠償する義務を負うかという問題であった。振込が遅延した場合の利息の負担や、外国為替相場の変動リスクの負担等が通常問題となるが、とくに問題となるのは、すでにみてきたように、結果損害(consequential damages）や特別損害の賠償責任を送金にかかわった銀行のうちどの銀行がどの程度負うべきかということである。例示においてはたまたま判決が逆の方向を示しているが、事件をみる法的視角はほとんど共通であり、かかわった銀行に予見可能性があったか否かの点で判決が分れたものと思われる。

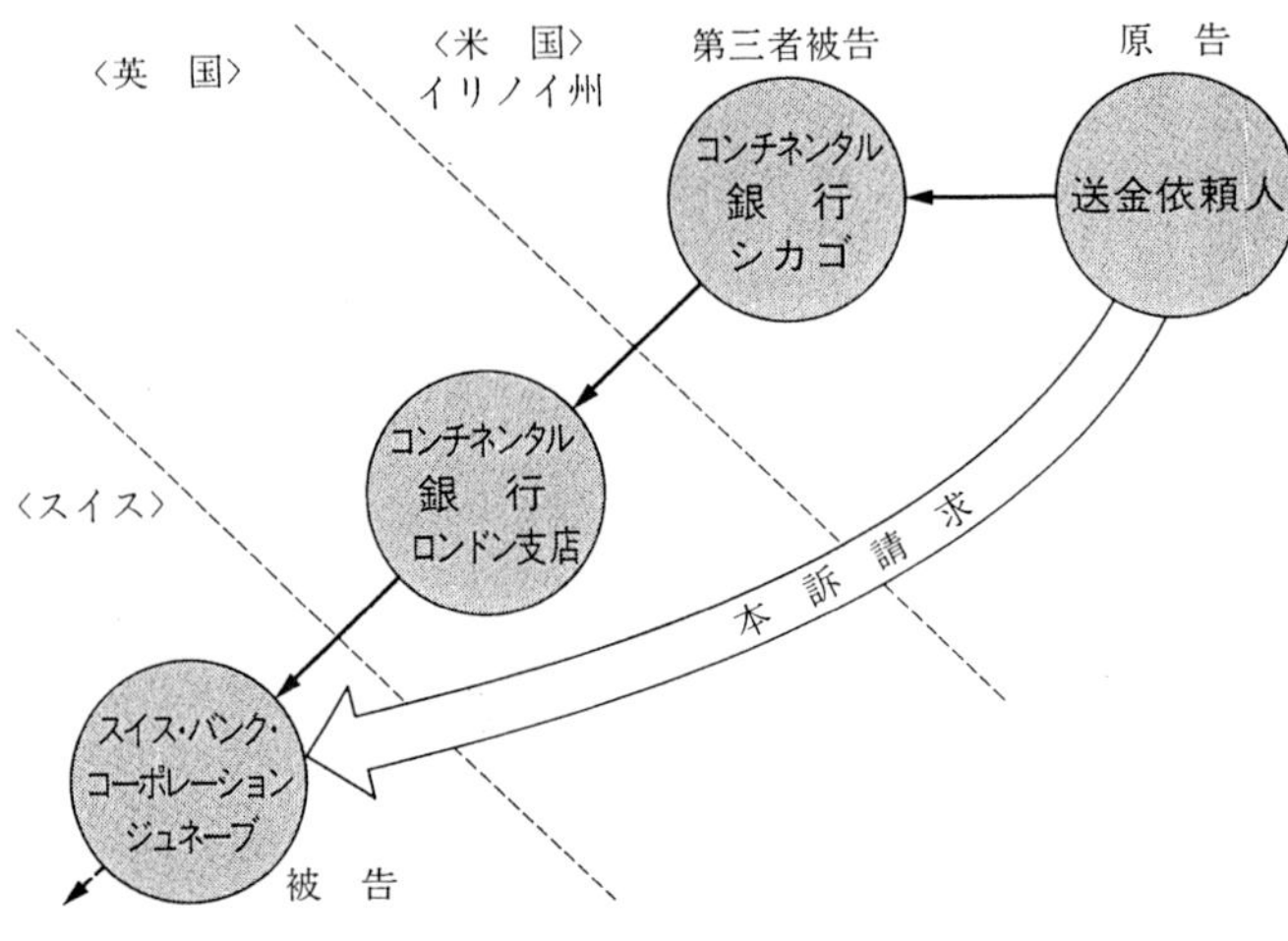

さて、ここで例示二案件にかかわる国際裁判管轄権と準備法につき考察しておきたい。エヴラ事件における関係者の所在は図示したように米国（イリノイ州）、英国、スイスにわたる。原告は既述のとおりイリノイ州北部地区連邦地裁へスイス・バンク・コーポレーションを相手取って提訴し、同連邦地裁は何の異論もなく受訴し（自らの国際裁判管轄を認め）、イリノイ州法（コモン・ロー）を本事件に適用して（準拠法として）判決を下している。そもそも、本件のごとき送金取引の法的構成については、米国においても一般に、送金依頼人と仕向銀行（コンチネンタル銀行）の間は送金委任契約、仕向銀行と、仲介銀行（スイス・バンク・コーポレーション）の間および仲介銀行と被仕向銀行（パリバ銀行）の間はコルレス間為替取引契約、被仕向銀行と受取人（船主）との間は口座入金承諾契約がそれぞれ個別的に成立しているものと考えるいわゆる準委任契約の考えがとられているが、その考えに徹してみると、原

告がスイス・バンク・コーポレーションに直接かかって行くのはむつかしくなるのではないかとの思いもわいてくる。米国連邦裁はどのような思考をしたのか、コンチネンタル銀行→スイス・バンク・コーポレーション→パリバ銀行という銀行間の送金委任の流れを一体のものとして把握して（つまり、銀行間に順次行われた委任を外国送金という単一の事務処理のための一個の法律行為のごとくにみなして）、国際送金にかかわる銀行間ネットワークの外にある者（送金依頼人＝原告）と銀行との関係を、代理の場合に準ずるような形で処理し、また、一種の弱者保護的要請をも利益衡量の対象に含めて、国際裁判管轄と準拠法を自国に認めたのではないかと思われる（なお、この点では、次に示す事例についての石黒・一一七頁、および前項のケースに関する同一二二頁以下参照）。

ここで、国際的送金ではないが（荷為替手形の決済に絡む事例）、本件と比較考察に値するわが国の事例があるので言及しておこう。それは昭和四五年三月二七日の東京地裁判決（下民二一巻三＝四号五〇〇頁）である。この判決は前述の米国事例と共通するシチュエーションの下に発生した紛争に対し、わが国の国際裁判管轄を否定したものである。

日本法人たる原告X（売主）は、昭和三七年にフランス企業たる訴外A会社（買主）との間でボールベアリングの売買契約を締結し、Xは右売買代金決済のため受取人を訴外B銀行、支払人をA会社、支払場所をフランス法人たる被告Y銀行のパリ支店とする二通の荷為替手形を振出し、B銀行に対して、その取立を依頼した。B銀行はパリ所在のC銀行（アメリカ銀行）のパリ支店に右荷為替手形の取立を委任し、さらにC銀行はパリ市所在のY銀行パリ支店にその取立を委任

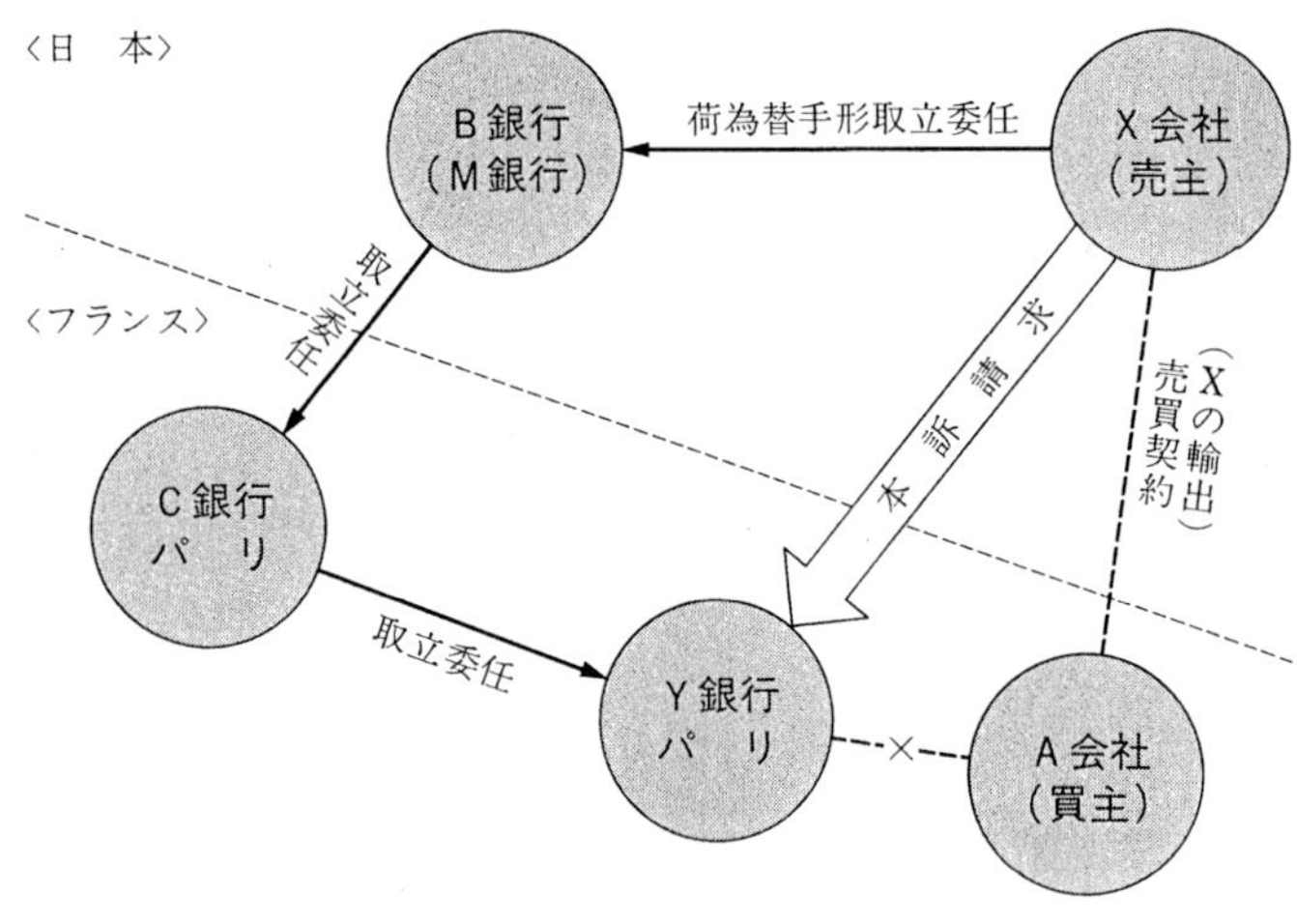

した。ところが、Y銀行パリ支店は右手形金の支払を受けずに船荷証券をA会社に引渡し、A会社は右手形金額の支払をせぬまま支払能力を喪失したというのである。そこでX会社がわが国においてY銀行を相手に損害賠償請求の訴えを提起したのが本件である。つまり、国際的なマネー移動のメカニズムの外にある私人が、その中途に介在し、その者と直接の接触はなかった銀行を飛び石的に訴えた事例である。このケースにおいてはいわゆる義務履行地管轄（民訴五条参照）が問題となり、その義務履行地がどこかをめぐって争われた。X会社は、B→C→Yという銀行間の取立委任の流れを一体のものとして把握し、XY間には「直接の法律関係」がある、つまり、この「銀行間の順次行われた委任または復委任は、手形取立という単一の事務処理のためのもので、一個の法律行為と目すべきである」と主張したのであるが、それは認められず、本事案に対するわが国の国際裁判

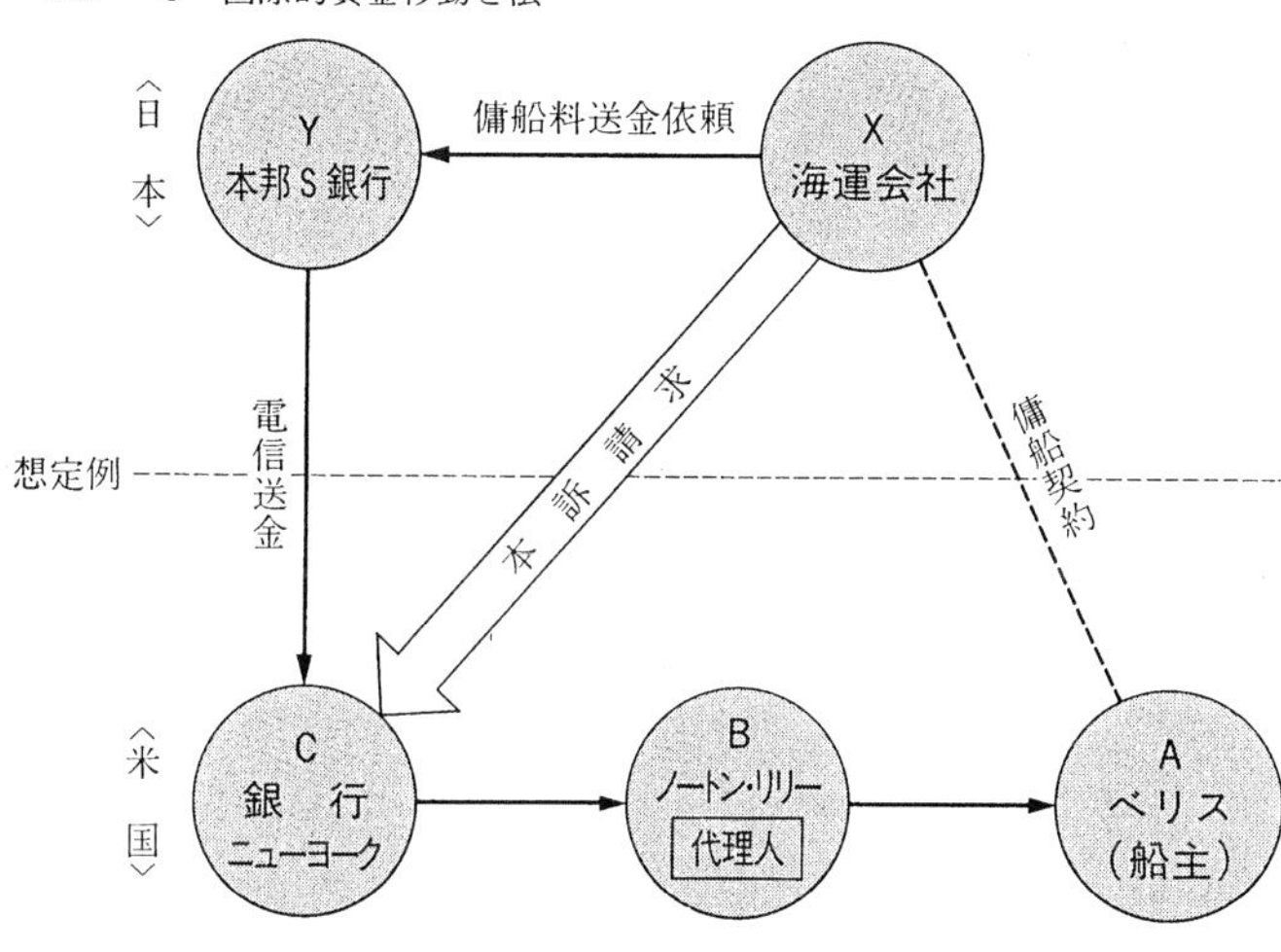

管轄権は否定された。

さて、前述昭和五一年一月二六日東京地裁判決の事例に話を戻そう。そこでは、ＸＹ間の本件訴えにつき裁判所は当然のように日本法を適用しているが、ＸＹ双方ともわが国法人であり、Ｘの委任を受けたＹの過失に対しての損害賠償請求であってみれば妥当である。しかし、このケースで、送金上のミスをおかしたのが日本のＳ銀行でなくて、ニューヨークのＣ銀行であったとし、ＸがＣに対して飛び石的な請求の訴えをわが国裁判所へ提起する場合を想定すると、いかに対処さるべきか（石黒・一二一頁以下）。私としては、前述昭和四五年三月二七日判例にもかかわらず、本例についてはわが国の国際裁判管轄を認め、国際的なマネー移動のメカニズムに介在する複数の銀行を、外部の者（本件Ｘ）との関係では一体的に把握し、かつ、その際ＸＣ間の準拠法については場所的に強い客観的位置づけを伴うＸＹ間のそれに引き寄せられて、日本法とすべきであると考える〔一　沢〕。

（参 考 文 献）

◇N. Penny, D.I. Baker, The Law of Electronic Fund Transfer Systems, Warren, Gorham & Lamont, 1980 and its 1984 Cumulative Supplement.

◇岩原紳作「アメリカにおけるＥＦＴ法の発展」鴻還暦『八十年代商事法の諸相』昭和六一年、有斐閣。

◇岩原紳作「コンピューターを用いた金融決済と法」『金融法研究』創刊号、昭和六〇年。

◇金融財政事情研究会編『外為事故完全対策』昭和六〇年、金融財政事情研究会。

3　EFTと国際通信――その法的枠組――

①はじめに

エレクトロニック・ファンド・トランスファー（EFT）をめぐっては、国内においても、最近とくにその法的側面の検討が急務とされ、昭和五九年の金融法学会の設立総会でも、東京大学の岩原助教授による基調報告（岩原紳作「コンピューターを用いた金融決済と法――アメリカ法・西ドイツ法を参考として」金融法研究創刊号〔昭六〇〕一頁以下）がなされ、それを踏まえて、昭和六〇年一〇月一四日の同学会第二回大会では、関西方面の研究者（林良平・後藤紀一・木南敦・安永正昭の各教授）を中心とし、「エレクトロニックバンキング化と資金移動――そのシステムと法理」と題するシンポジウムが開催された（金融法研究〔資料編(1)〕〔昭六〇〕参照）。そして、今日、EFTに関する研究者・実務家の諸論稿は、きわめて多数存在し、それはもはや一つのブームともいえる状況にある。

ただ、そこでの主たる関心事は、わが国のEFT法理をどのように構築してゆくかにあり、期待された前記のシンポジウム（金融法研究二号〔昭六一〕をも参照）でも、国際的なEFTの問題の検討は、いわばあとまわしにされている。現状においてはそれにもやむを得ない面があるけれども、EFTの問題はもとより一国内にとどまるものではなく、実際には国際的な高度情報通信ネットワークにより、SWIFTなどを通して各国金融市場がリアル・タイムで接続されることによって、その威力を最も効率的な形で発揮することになる。そして各国の法的処理が不一致である限り、最終的には準拠法選択をはじめとする国際私法上の諸問題が生じてくるのである。

わが国におけるEFTの法的側面に対する検討は、米国（なお岩原紳作「アメリカにおけるEFT法の発展――コンピューターを用いた金融決済と法」鴻還暦・『八十年代商事法の諸相』〔昭六〇〕所収、三一頁以下参照）を中心とする先進諸国の状況を参考としつつ、わが国の民商法（実質法）の枠組の中で、EFT問題をどう取扱うかを論ずる形でなされているが、まだ検討ははじまったばかりともいえ、前記のシンポジウムも、今後の理論的展開のための基礎固めとしての色彩がかなり強かったように、少なくとも私には受けとられた。他面、このシンポジウムにおいて若干気になったのは、国連商取引法委員会（UNCITRAL）のEFTに関するリーガル・ガイド草案（後述）などをも踏まえて研究者側が銀行側の責任を比較的重く見る進歩的な方向を示したのに対して、銀行実務家側がかなり強い抵抗（現状維持路線）を示したことである。だが、これから若干論ずるEFT取引に内在する危険とその程度を考えるときには、やはり、最も社会的に効率のよいリスク分散の方法を確立してゆく上で、銀行側の大きな譲歩が必要とされるべき場面は少なくないと思われる。

さて、本稿では、わが国内法の前記のごとき発展段階に鑑み、いたずらに国際私法（抵触法）的関心のみに終始することなく、民商法（実質法）上の問題にもできる限り言及し、かつ、EFT取引を国際的な高度情報通信ネットワークの一利用形態としてとらえることにより、より大きな問題のパースペクティヴの中で、生じ得るさまざまな法律問題につき、一応のアプローチを試みておくこととしよう。

②EFT取引から生じ得る法的問題のあらまし

さて、EFTをめぐる法律問題、しかも最終的には国際的なそれの枠組を検討する上では、コンピュータによる国際通信ネットワークを利用した資金移動において実際にどのような紛争が発生するのか、の点から論ずるのが最も手っ取り早いと思われる。この点を最も整理された形で詳細に示しているのは、UNCITRALの一連のリーガル・ガイド草案（Draft Legal Guide on Electronic Funds Transfers）である。そしてそれは、前記の岩原論文をはじめとして、国内でもすでにかなりフォローされている点であるが（たとえば黒田巌「国連国際取引法委員会（UNCITRAL）支払決済グループ東京会議について」金融法務事情一〇六一号〔昭五九〕六頁以下）、UNCITRALでは、一九八二年に、事務局がEFTに関する基本的報告（U. N. Doc A／CN. 9／221〔1982〕）を行い、以後、それに沿って細かな検討が加えられ、一連のリーガル・ガイド草案がまとめられてきた。すなわち、一九八四年四月一八日付の文書（A／CN. 9／250）およびその Add. 1につづき、同日付の A／CN. 9／250／Add. 2ではEFTシステムの概観がなされ、翌日付のA／CN.9／250／Add.3では、資金移動（Fund Transfer）に関する銀行・顧客間の合意、および、資金移動についての指図（instructions）の内容（とりわけ即時の送金・決済がなされるについての銀行・顧客それぞれの関心の分析に重点が置かれている）が検討された。法的に最も重要なのは、それにつづき、やはり一九八四年四月一九日に公表されたA／CN. 9／250／Add. 4であり、そこではＥＦＴに関して生じ得るさまざまな事故とそれに関する法的責任（この部分のタイトルは "Fraud, Errors, Improper Handling of Transfer Instruction and Related Liability" となっている）が検討され、そこにおいて（Id. 17）、画期的なネットワーク責任論（a network liability approach——なお黒田・前掲九頁）が明確に打ち出されたのである（ただし、その原型はUNCITRAL, supra〔A／CN. 9／221〕, Paragraph 65以下において、簡略にではあるがすでに示されていた）。さらに、一九八五年四月二日付のA／CN. 9／266および、同月三〇日付のA／CN. 9／266／Add. 1では、ヘルシュタット銀行の倒産との関係で生じ、本書においても前節で検討のなされたデルブリュック事件での主要な争点ともなった、資金移動の完了時点（finality of fund transfer）の問題（いうまでもなく、これは時間の重要性〔time of essence〕の強調されるスワップ取引についても大きな問題となる。〔実務編〕二一三、二三三頁、二三五頁以下）が、多角的に検討されている。そして、同日付のA／CN. 9／266／Add. 2では、以上のようなＥＦＴによって生ずる法的諸問題が個々の項目ごとに計四一項目に整理され、今後のいっそうの検討のための叩き台として呈示されているのである。

ここで、前記のA／CN. 9／250／Add. 4において問題とされている諸点につき、若干細かくみておくことが便宜であろう。そこでは、まず、ＥＦＴを使ったさまざまな詐欺的行為（fraud）が具体的に示されている。銀行側・顧客側それぞれの使用人による、いわば古典的な詐欺的不正行為が、ＥＦＴ特有の態様で、たとえば顧客側に置かれた端末の操作によりなされ得る点や、通信回線に外部から侵入し、通信を傍受することによって比較的容易になされ得る不正行為などについての、注意の喚起がなされているわけである。ごく最近一部マスコミによって報道された問題、すなわち、わが国で無数に使用されるマネー・カード（磁気カード）などの、いとも簡単なコピーの問題、等にしても、果たして国内の銀行が、諸外国と比較しても、ＥＦＴという本来危険性の高い手段（それはむしろ〃許された危険〃として把握すべきものかも知れない）によって一方で大きな利益を享受しつつ、社会的に要請されるべきそれ相応の高度の注意義務を十分果たしつつこの制度を運営しているのかが問題となるであろう。この点は、自行コンピュータのダウンをもって即座に銀行側が自らの免責事由となし得るかという、後述の論点とも多少関係し、後者の点についてはＵＮＣＩＴＲＡＬのリーガル・ガイド草案がかなり厳しい線を示していることは、これから示すとおりである。

さて、端末の不正な操作や通信回線への外部からの侵入、等々からもたらされる不正行為以外にも、ＥＦＴシステムに内在するさまざまなエラーが大きな問題として浮上する（Id. 10ff）。すでに前節で検討されたエヴラ事件においても、また、それと対比される東京地判昭和五一年一月二六日にしても、意外に初歩的なエラーによって問題が生じているが、もとより、それはこの種のエラーの一態様にすぎない。国際的資金移動に際して内外の複数の銀行の関与のなされる場合、資金移動プロセス中の各ポイントで人的エラーの発生する原因となる re-creation of message (re-keying) の問題は、国際的に承認されたスタンダード・フォームの普及と技術的進歩とによりある程度は防止し得る面があるが、コンピュータのダウンや通信回線の切断、さらには一定の確率で生じ得る数字等のメッセージ内容の偶発的変更（送信データが〃バケる〃と表現される）などから生ずる事故は、いっそう深刻なものとなる。ここでは、ごく最近、米国で発生した一つの重大事件にスポットをあて、問題点をやや鮮明なものとしておきたい。

③バンク・オブ・ニューヨーク事件

バンク・オブ・ニューヨークは、米国の大手国債決済代行業者であるが、因みにその総資産は一六〇億ドル程度とされる。同銀行は米国の財務省証券振替決済システムの一つの要をなす銀行であるが、一九八五年一一月二一日早朝、重大な事故が発生した。それは、同銀行の自行コンピュータのダウンによるもので、具体的にはソフトウエアの故障が原因であった。以下、信頼し得る筋からの情報に基づき事故の概要を記すこととするが、まず、米国財務省証券振替決済システムにおける、コンピュータのソフトないしハードの故障等により、システムの機能が数時間にわたり停止した日は同年中に七〇日以上あるとされ、急激な決済量の増大がその主たる原因とされる。だが、その中にあって、このバンク・オブ・ニューヨークのケースは極めて深刻なものであった。すなわち、一一月二一日分の決済が開始されたのち、一方的に同銀行の連銀勘定が赤残を拡大してゆき、午後二時すぎには、それはすでに二〇〇億ドルを越えていた。バンク・オブ・ニューヨークのコンピュータのソフトウエアにトラブルの生じたことの判明したのは午前一一時半頃であり、さらに具体的なトラブルの部位が中枢のデータ・ベースにあることが数時間後につきとめられた。同日夜八時半には右のトラブルは一応解消したが、その時点で同銀行の連銀勘定の赤残は三〇〇億ドルに達していた。同銀行限りで問題を解決し切れるはずはなく、そこでニューヨーク連銀が、事故発生後、急遽バンク・オブ・ニューヨークに対して特別融資を行うこととなったが、夜を徹しての復旧作業にもかかわらず翌二二日午前一時半の段階で前記赤残は二四二億ドルであり、連銀から、実に二三六億ドルという空前の規模の緊急融資がなされた。もとより、これも無担保でなされたわけではなく、同銀行の国内全資産、および、同地での商慣習上認められている、顧客からの預り証券の担保としての差入れにより、かつ、七・五%の利率でなされた（幸い、それらの総額は融資額を十分カヴァーするものであった）。また、この事故によりバンク・オブ・ニューヨークは五〇〇万ドルほどの臨時の出費を余儀なくされた。なお、一一月二二日になっても同銀行を通じた決済にはいまだ事故の後遺症が残っており、同日昼頃、同銀行経由の証券移動が一時的に停止されたりもした（この事故により種々の利害関係者の被った正確な損害額や民事紛争の発生の有無・程度についての情報は、残念ながら未入手である）。

さて、このような深刻な事態を前にしてまず考えるべきは、右のケースにおいては、連銀の機敏な対応により事故からの影響は最小限に食い止められたが、同様の事故（それはほとんどつねに突発事故として生じてくるであろう）に際して、つねに本件のごとく破滅的事態の発生を未然に防げる保障が、実はどこにもないということである。種々の幸運な事情からして、バンク・オブ・ニューヨークのケースにおいて市場の全面閉鎖までには至らなかったが、そこまでに事が至った場合にどうなるかは、正確には誰にも予測し難いものがあろう。また、バンク・オブ・ニューヨークは幸いにして連銀に対して十分な担保を提供できたからよいが、それのできない場合、つねに中央銀行が不十分な担保しかとらずに同様の巨額の緊急融資をなし得るか。また、それは常になされるべきものなのか。もとよりそれを行わなければ、場合によっては同銀行自体の倒産や連鎖倒産、そして何よりも市場全体の大混乱(国内市場からさらに国際市場にも及び得るそれ)が生じ得る。中央銀行の政策論としてもきわめて微妙な問題が、単なるソフトウエアの一事故から波及的に生じてくるのである。因みに、バンク・オブ・ニューヨークにおける、コンピュータのダウンに際してのバックアップ・システムが水準以下のものであったかといえば、必ずしもそうではない。同銀行はかなり高度なバックアップ・システムを有していたのである。だが、ハードウエアの故障や通信回線の切断ならいざ知らず、バックアップ用のファシリティーにも同一のソフトが使用されていたため、今回のような大事故が発生したのである。

ここで、連銀が緊急に融資した二三六億ドル(当時の円相場で換算して約四兆円)という金額について一言しておけば、かのIJPCへの日本側の融資総額は高々二、五〇〇億円ほどであり、あれだけ騒がれた平和相銀の不良債権の総額も一、八〇〇億円程度たるにとどまる。何よりも、極端な政情不安を背景として、再燃した国際金融不安の一つの焦点とされるフィリピンの対外債務の総額が、昭和六一年二月上旬に判明している限りで約二六〇億ドルである、ということがある。一主要銀行内での、たった半日のコンピュータのダウンによって、フィリピン一国の対外債務総額に優に匹敵するだけのドルが、緊急融資として連銀から出されたことになる。しかも、この金額は、もとよりこの種の事故により緊急に補塡を要する額のミニマムではないかわりに、マキシマムでもないのである。因みに、前記の米国政府証券振替決済システムを通してなされる政府証券の決済は一日平均二、〇〇〇億ドルにのぼるとされるが、わが国としても、この事件を単なる対岸の火事として済ますわけにはゆかないであろう（なお、黒田巌「支払決済機構とシステム・リスク」金融法務事情一〇七八号〔昭六〇年一月〕三八頁以下参照。因みにシステム・リスクの問題はUNCITRAL, supra, A／CN. 9／266／Add. 1, at 25ff で各国ごとの事情を踏まえつつ細かく検討されている）。ＥＦＴシステムは、本来一国内に限定され外国の市場と完全に切り離されたものではあり得ないし（なお、黒田・同三九頁）、今回は、たまたま米国の政府証券市場の中で事故が起きたけれども、同種の事故は、ＥＦＴシステムがコンピュータを要とするものである限り、どこでも起き得るし、ハードの故障よりもソフトの故障はいっそう厄介であり、今回のケースでも故障部位の特定にかなり手間どったことも、忘れてはなるまい。

他面、今回の米国での事故は連銀の敏速な対応で、爆発寸前に起爆装置が止められたようなものだが、ひとつ対応を誤った場合に生じ得る破滅的状況は、われわれの常識以上のものであり得る。ＥＦＴの問題に限らず、国際的な高度情報通信ネットワークの随所で生じ得るさまざまな態様での事故に、十分対応できるだけの保険制度を構築する際（但し、それは、損保業界における ここ数年来の国際的再保険マーケットの現状からして、最終的には国による資金的バックアップを不可欠とするものとなろう）、しばしば原子力損害の場合の保険制度との対比がなされるのは、決して単なる誇張ではないのである（後述）。

わが国でも、コンピュータ犯罪等に対する関心（『ジュリスト』八三四号〔昭六〇〕の特集『コンピュータ社会の安全対策』所収の諸論稿を見よ）の高まる中で、電々公社時代に生じた昭和五九年一一月一六日の世田谷での事故の教訓もあり、各方面で種々の対応が急がれている。だが、あの世田谷の事故にしても、実際にそれが起きる前は、通信回線に事故が生じても、種々のバックアップ・システムが存在していることだし、事故後短時間に修復は可能だから損害賠償の問題はさして深刻ではないとの見方が、関係者の間でも一般的だったように、私には感じられる（事故の一ヵ月ほど前に開かれたある研究会における私自身の体験）。たしかにあの世田谷の事故で三菱銀行の業務がストップしたのは、（事故の要因として若干特殊な回線上の事情があったにせよ）大事件として一般の関心を高める上で大いに機能したが、それとは比較にならないほどの大事件が、とりわけコンピュータのダウンとの関連において、いくらでも生じ得るし、それらを十分カヴァーし得る保険制度も完備していないのが、現実なのである。いってみれば、われわれは裸のまま爆弾をかかえて町を歩いているようなものなのである（因みにこの世田谷の事故について訴訟の提起されたケースもないではないが、ごく少数のようである。日本だからこの程度で済むようなものの、外国、とりわけ米国だったらこうはゆかず、また、日本においても外資系企業が相手であれば同様の事態が容易に予測できるところである）。だが、誰しもそこで疑問に思うであろうことは、バンク・オブ・ニューヨーク事件におけるがごとき事故が、たとえば国際的EFTシステムの中枢で生じ、そのために国際的な送金の依頼者たる個々の顧客にそれぞれかなりの損害が生じたような場合、銀行側に対する損害賠償請求はどこまでなされ得るのかの点である。かりに相当程度の賠償請求が認められ得るならば、銀行側としても漫然として現状に甘んじられるはずはない。むしろ自分からいっそう安全なシステムづくり、あるいは効率的なリスク分散のための制度（たとえば保険制度）づくりに率先してかかわるはずである。そのようなインセンティヴを銀行側に与えず、すべてをディスカレッジしているのが旧態依然たる免責約款論だといったらいいすぎであろうか。

事実、UNCITRALの前記リーガル・ガイド草案でも、銀行のみならずコンピュータ・サービス事業者、電気通信事業者、等が顧客との間にかわす契約上の免責条項の有効性が、法政策的見地から多角的に検討されている。そこで、以下には、EFTに関連して生ずる種々の損害賠償の問題につき、どのような議論がなされてきているかを若干みておこう。

④EFTと損害賠償——若干の事例研究を通して

私が本書執筆のあいまに赤坂近辺を散歩していて「この信号を渡って最初に見つけた銀行に入ろう」と決め、アット・ランダムに選んだ某銀行の支店で入手した「外国向送金依頼書」の第一頁目の裏面には、次のような「外国送金依頼条項」が印刷されている（組戻しに関する第四項は省略する）。

「1、表記送金は、私の費用および危険負担で発送・発信してください。

2、送金実行のため利用する貴行本支店および他行（以下、関係銀行という。）の選定ならびに送金経路は、貴行に一任します。

3、下記の損害については、私がその責に任じます。

(1)発信文書および電信の延長・不着ならびに電信中の字くずれ・誤謬等が原因で生じた損害

(2) 関係銀行の責に帰すべきまたは貴行にとって不可抗力の原因で生じた損害」

他の邦銀の同種約定に比して右の条項は若干簡略とも思われるが、この種の約定（約款）は法的にいかに評価されるべきものであろうか。

ここでも具体的ケースを先に見ておくことにしよう。前節において検討がなされたエヴラ事件と、それに類似する事案に対する東京地判昭和五一年一月二六日（S銀行が被告とされたケース）では、同じく海外への傭船料の送金上の事故に基づく結果損害（consequential damages）ないし特別損害（具体的には傭船契約が解除されたことからもたらされたそれ）の賠償が問題となりながら、表面的にはその結論が逆になっている。この点をごく皮相的にとらえれば、日本の裁判所は米国の裁判所よりも銀行の責任を重く見すぎており、前者の方が不当なのであって、銀行の免責は広く認められるべきだ、といったリアクションも考えられる。そして、事実、前記の金融法学会におけるシンポジウムでも、銀行実務家の側からそのような声も上がっていた。だが、エヴラ事件は、そこで何となくとらえられているのとは逆に、結果損害の発生につき予見可能性があれば銀行が右損害を賠償すべきだとした点にその主たる意義があるのであり（岩原・前掲金融法研究三九頁）、その予見可能性についての判断は、当該事案の具体的諸事情次第で右にも左にも動き得るのである。それとともに、このエヴラ事件では、その一審判決が「仕向銀行の振込依頼人に対する通知様式（Advice Form）に書かれていた免責規定を、附合契約にすぎないとして効力を否定」（同・前掲鴻還暦八二頁）していることが注目さるべきである。もとより送金人（原告）は海運業を営む企業であり、ともすれば、消費者相手の契約は別として企業間の契約上の免責約款には甘すぎる傾向がいまだに見られるが、約款論の進むべき道はおのずから明らかであろう。送金人が一消費者たる場合はもとより、かりに企業であったとしても、銀行側が前記引用のごとき裏面約款のみにより広汎な免責の利益を享受し得るかは、すでにして疑問であるし、のちに論ずるUNCITRALリーガル・ガイド草案に端的に示された、大筋において正当な法政策論的アプローチ（予見可能性の有無についての具体的判断も窮極的にはそこからなされるべきこともちろんである――ただし、同草案は予見可能性がなければ結果損害を負わせ得ないとは必ずしも考えていない。岩原・前掲金融法研究三九頁）からは、なおさらそういえるところである。

さて、ここで東京地判昭和五一年一月二六日、金融法務事情七九四号三〇頁のケースを中心に、その他のわが国の重要事例をも若干含めつつ、日本における裁判所の具体的な判断内容をやや細かくみてゆこう。まず、このS銀行のケースにおいては、エヴラ事件と異なり、エラーは仕向銀行の中で生じた。エヴラ事件では、仲介銀行たるスイス・バンク・コーポレーションのエラーにつき仕向銀行が責任を負うかという後述のネットワーク責任論絡みの問題もあり、この点は責任が否定されているが、このS銀行のケースでも、仲介銀行の行為につき仕向銀行たるS銀行の責任が問われていたとすれば、いっそう興味深い論点が顕在化したわけである（この点は東京高判昭和五九年二月一四日、金融法務事情一〇六六号三六頁の場合について、若干後述する）。

ともあれ、このS銀行のケースは単純な human error によるもので、本書でもすでに検討がなされているように、仕向銀行側が送金人の名を誤記した上で訴外銀行に通知したために問題が生じた。まず争点となったのは、通知払電信送金契約において、仕向銀行が送金受取人に送金人の名を通知すべき契約上の義務を負うかの点である。判旨は、かかる通知をなすことが「長年にわたり確立されている取引上の慣行」だとし、また、「送金の趣旨及び送金人の名称を受取人に通知すること」は「送金人及び受取人の双方にとって重要な実質的内容をもつ事項である」とし、この点は特段の事情がないかぎり「送金契約上の債務の一内容をなす」ものとした。正当である。

次に、原告の主張する特別損害の賠償の点であるが、判旨は次の諸点を正当に考慮している。すなわち、原告が本件送金依頼にあたり被告銀行の行員に即日送金が完了することの確認を得ていること、「海運業界においては、傭船料の支払を行うにあたり、船舶代理人を事務担当者とし、これを通じて船主に支払う方式がしばしばとられていること、傭船契約にあっては、毎月の傭船料の支払いを一回でも遅延すると催告なしに傭船契約を解除できる旨の約定の付せられること」の多いこと、「本件送金が支払期日の切迫した傭船料の支払いのためのものであることを被告が認識しえたことは明らか」であること、そして、「被告〔S銀行〕がわが国でも有数の都市銀行であり、海運業を含む各種業界のさまざまな企業との間で銀行取引を行っている」ことなどである。また、以上に加えて、直接の送金受取人たる「ノートン・リリーは、従業員三〇〇名以上を擁する米国でも有数の船舶代理店であ」ることを判旨があわせて指摘している点も、見すごすことはできまい。かくて本判決は、どこから見ても正当、というのが私の見方である（本件で準拠法が日本法とさるべきことはのちに言及するところからも明らかであろう）。

ここで、わが国の下級審判決において、同種の特別損害の賠償請求が否定されたケースを二件ほど検討しておくことがフェアーであろう。まず、東京地判昭和四七年六月二九日、金融法務事情六六〇号二六頁であるが、これは東京から博多への純然たる国内送金に関する事件である。被告とされたのはF銀行であるが、某日午後一時すぎ頃、被告銀行目白支店に原告が現れ、「商用の金だから大至急送金したいが二時半までに大丈夫かと確かめたところ、テレタイプを利用しているから一〇ないし一五分くらいで送金できる旨の返答があったため」現金四万円についての送金がなされた。けれども本件送金事務は右約定時刻までに完了せず、実際には博多支店で入金手続に手間どり、この点の銀行側の過失が認定されている。だが、原告が賠償請求をした損害は、「担保流れ品の換価処分という特殊な取引」に関係し、「手附金は即日（しかも一定時刻まで）、代金は翌日払いという決済方法が取られており、これを要するに、通常の取引とは可成り異った取引型態であること」が認定されており、他面、本件送金契約締結当時、前記のやりとり以上のことは銀行窓口で何らなされていなかったことも認定されている。判旨は、以上のような状況下において、本件送金にかかる金員につき「所定時刻までに送金事務を完了しない場合、原告にその主張のような損害が生ずるであろうことを被告において予見しまたは予見しうべきであったと期待することは、被告〔F銀行〕がわが国における有数の都市銀行であることを考慮に入れても、困難である」として、前記取引から受べかりし利益についての原告の請求を棄却した。これは同一銀行の国内支店間の送金事故に関するものではあるが、エヴラ事件や前記のS銀行のケースに置き換えてみても、送金依頼者がこの程度のことを告げたのみで特別損害ないし結果損害の賠償までを認めるのは、たしかに仕向銀行にとって酷である。だが、右のF銀行のケースに関する掲載誌のコメントには、送金依頼者が「銀行側に特別事情のあることを告げ、銀行のほうでこれを承知のうえで送金の依頼を受けたとすれば……請求は当然認容される」との指摘がなされており、これには前記のS銀行のケースの裁判所の判断にも一脈通ずるものがあるといえよう。その意味で、エヴラ事件後のごく最近の米国のケースに言及しておくことも、一つの参考となるであろう。これは IFL Rev., 37 (July 1985) に掲載された事例であり、株の売買に絡むケースである。送金依頼者たる Bellmore Investment Ltd. は、取引のある Union Chelsea National Bank に九万二、五〇〇米ドルを Barclays Bank International のニューヨーク支店宛に送金するよう依頼した。ベルモアはその上でその金を株の売買に使用するつもりであったが、一定時期までに右送金がなされないと右売買を行う権利を喪失する立場にあった。仕向銀行（Chelsea）にとって被仕向銀行（Barclays）がコルレス先でなかったため、まず、仲介銀行（Morgan Guaranty Trust Co.）への電信送金（wire transfer ; EFT）を行った。だが、この仲介銀行の仕向銀行への指図が不十分であったため、結局、送金依頼者は前記取引から本来受べかりし利益を喪失し、そこで、この仲介銀行を相手に、かかる結果損害（consequential damages——四五万八、五〇〇米ドル）の賠償をも求めて、ニューヨークで訴えを提起したのである。結論は請求棄却であり、裁判所（The New York State Supreme Court）は、仲介銀行たる被告銀行（Morgan）は送金依頼者の送金目的や、適時の送金完了のなかった場合に送金依頼者が受ける得べかりし利益（lost profits）の程度について知らされていなかったので、このような結果損害の発生を合理的に予期し得なかったことをその根拠として挙げた。そして、かりにそのようなノーティスを与えられていたならば、仲介銀行としても送金の実行に高度な注意を払い、もしくはそれなりの手数料を別途にとるなり保険をかけておくなりの対応ができたし、または送金事務の取扱いを本件につきけじめから差し控えることもできたであろう、ともしている。この判決は、エヴラ事件と同様、ＥＦＴ取引をＵＣＣの適用から外し、一般法理によって処理しているわけだが、IFL Rev., supra のコメントにおいても送金依頼者がまずもって銀行側に、適時の送金のなされない場合に生じ得る結果を含めて特別なノーティスを与えておかねばならないことが、強調されている。エヴラ事件自体についての私なりの評価は、このケースが若干複雑な要素を含むため他日に期したいが、これまでにみた日米の三件の事例をみる限り、裁判所側の判断には、国を異にするにもかかわらず、ある程度共通する姿勢が示されているともいえないではない。Ｓ銀行のケースでは、傭船料の送金であること、送金先のノートン・リリーが業界では著名な船舶代理人であること、同銀行が日本のメジャー・バンクとして、この種の送金にエラーが生じた場合にいかなる損害（特別損害）が起こり得るかを十分予期できる立場にあったこと、などが決め手となろうが、そうした事情に加え、送金依頼者が送金遅延等から生じ得る損害までに至る諸事情を銀行窓口で事細かに説明しておけば、いっそう安全だということになる。もとより銀行側としては、それならば通常と異なる高度の注意義務を尽す上で、それに見あう特別の手数料等をとって防御態勢を整えなくてはならない。だが、物品運送の場合の高価品の取扱いにも似た制度づくりが現在なされていないとすれば、その点についてはＥＦＴシステムの設営者たる銀行側として一刻も早く自ら対処すべきであろう。そして、そのためのインセンティヴを銀行側に与える意味でも、顧客側の意識の一層の向上を踏まえた上で、前記の三つのケースにある程度共通する裁判所側の基本的スタンスは、支持すべきものと、少なくとも私は考える。

ここで、基本的に啓蒙書たるの域を出ない本書における一応の事例研究のしめくくりとして、東京高判昭和五九年二月一四日金融法務事情一〇六六号三六頁について、一言しておきたい。このケースは、外国（米国）への送金事例であり、渉外性（国際性）を有するが、ただ、米国での特許出願の関係で送金を依頼した原告（個人）は、訴訟代理人なしの本人訴訟として訴えを水戸地裁に提起したようであり、被告たる仕向銀行も国際金融市場での活躍が目立つメジャー・バンクではなく、若干ローカルな銀行であったことが、まずもって注意さるべきである。原告・控訴人たる本件送金依頼者は、米国での特許出願を米国の訴外弁理士某に依頼し、この者から出願のための手数料等の送金を指示してきたので本件送金がなされたが、仕向銀行たる被告・被控訴人J銀行から米国の右弁理士の居住地にある訴外バンカーズ・トラスト（被仕向銀行）に対して、送金依頼者の指示に従い、送金到着次第右弁理士宛入金通知をするよう依頼したにもかかわらず、バンカーズ・トラストがそれを怠ったために、右弁理士が送金がなかったものと判断し、特許出願手続に関する契約の解除を本件送金依頼者に通知してきた。本判決は、「控訴人（送金依頼者）は……被仕向銀行としてバンカーズ・トラストを指定し、同銀行の右米国弁理士の口座番号を特定し、同口座へ振込む方法による送金を委託」したと認定し、これが請求（控訴）棄却への決定的事由とされた。因みに、ＵＮＣＩＴＲＡＬ的なネットワーク責任論にきわめて好意的な岩原助教授も「振込依頼人が被仕向銀行における受取人の口座を指定して振込依頼を行った場合、仕向銀行としては、被仕向銀行を選択する余地は無いわけであるから」として本判決の結論を支持される（岩原・前掲金融法研究一六頁。そして、かかる場合には振込依頼者と送金受取人との間では「被仕向銀行を指定した受取人の側がその不利益を甘受すべきであろう」とされる。同・一七頁。もっとも、この立論はもとより日本の送金依頼者と受取人たる米国の弁理士某との紛争において日本法が準拠法とされることを前提としてのものと思われるが、国際的マネー移動のメカニズムの外にあってともにそれを利用する立場の右の両者間の当該紛争について、問題が米国での特許出願に絡むことでもあり、わが国際私法上は、むしろ米国のいずれかの州法が準拠法とされる可能性もあることに注意する必要がある。ただし、事案の諸事情に不明な点が多く、断定はできない）。たしかに、本件送金依頼者が仕向銀行に対してはっきりとその旨の指定をしていたならば、そのように解すべきかも知れないが、本件に限っては、国際送金の実務との関係でも、多少気にかかる点がないではない。金融専門誌たる本件掲載誌のコメント（金融法務事情・前掲三六頁）には、J銀行が本件送金依頼者の送金委託に基づき「（前記弁理士）が口座を有すると思われる米国の（右弁理士の）居住地の銀行数行を（送金依頼者）に示したところ、そのなかから（依頼者）は（バンカーズ・トラスト）（被仕向銀行）を選定した」と記されている。別に裁判所の事実認定を疑うわけではないが、本件は本人訴訟でもあり、どうも釈然としない。実は判旨にも、右のコメントに沿う部分があり、送金依頼者が被仕向銀行を指定した点につき「それが、予じめ被控訴銀行（J銀行）の指定した数銀行のなかから控訴人（送金依頼人）が選定したものである」ことが、カッコ書きで示唆されている。果たして仕向銀行の窓口での交渉がいかなるものであったか、もう少し細かな事実認定がなされてもよかったと思われるし（因みに前記引用のものとは別の銀行の「外国向電信送金依頼書」には「銀行からのお願い」として、「受取人の銀行口座が不明の時には、受取人住所を必ずご記入ください」とある。本件は基本的にはこうした場合だったように思われないでもない）、少なくとも仕向銀行が被仕向銀行の選択にかなりの程度関与しているとき、即座に前記のごとき一般的ルールの上に乗せ、仕向銀行に責任なしとしてしまってよいのか、地方での出来事でもあり、多少気になるところである。

右の点がいずれであれ、本判決についてはその法律構成について、少なからぬ疑問がある。つまり、判旨は「送金依頼人とその委託を受けた仕向銀行との関係、仕向銀行と……被仕向銀行との関係は、それぞれ別個の委任契約関係であり、送金依頼人と被仕向銀行との間には直接契約関係はなく、復委任の関係にあり、民法一〇五条の復代理に関する規定を類推適用すべき」だとし、同条二項からして、仕向銀行が、「バンカーズ・トラストが被仕向銀行として不適任又は不誠実であることを知りながら、これを〔送金依頼者〕に通知し又はこれを解任することを怠ったこと」（そのようなことがあり得るであろうか!?）が認められない以上、仕向銀行の責任は問い得ないとした。これでは実際上送金依頼者は仕向銀行を相手とする限りほとんど救われる余地がないことにもなるが、復委任的構成によるときには、被仕向銀行のエラーのみならず、仲介銀行のエラーについても、同様に送金依頼者は仕向銀行の責任を問うことが、極めて難しくなる。前記引用の某銀行「外国向送金依頼書」の裏面約款にも示されているように、送金経路の決定は、仕向銀行側が独自に定めるのが一般的である。送金依頼者が自ら定めた被仕向銀行のエラーによる責任は、仕向銀行との関係では依頼者が負えという、しばしばなされる議論（ただし、この場合にも、仕向銀行として被仕向銀行が適切な措置をとったかを確認する術は後述のごとくあるのであり、仕向銀行の注意義務はそこまで及んでいると解する余地はあるのではなかろうか）からは、仕向銀行が自ら定めた送金経路において生じたエラーは、送金依頼者との関係では仕向銀行が負え、とする帰結もまた導かれると見るのがフェアーであろう。このような（恐らくは自然な）推論を拒むのが右判決の復委任的構成なのであるが、かかる構成の当否に対しては、幸いにも正当な批判がなされている（たとえば岩原・前掲金融法研究一六頁）。他面、いわゆる履行補助者の行為について本来の債務者たる仕向銀行がいかなる責任を負うかという視角からこの問題に斬り込む場合にも、種々の面から従来の通説（本来履行義務を負う債務者〔この場合には仕向銀行〕の責任が、それによるときにはかなり軽減されてしまう）への疑問が呈示され、議論がかなり流動化してきていることに注意すべきである（岩原・同一八頁以下、および、平井宜雄『債権総論』〔昭六〇〕六〇頁以下。とりわけ落合誠一『運送責任の基礎理論』の大きな影響がある）。他面、従来の履行補助者問題の取扱いにおいて、電気通信事業者や全銀システムなどは「干渉可能性のない補助者として、その故意・過失について仕向銀行……は責任を負わない」（岩原・同右一八頁）との見方が示されていたが、この点も流動化しつつあり、落合・前掲二一六頁が正当に説くように（なお岩原・同二三頁をも参照せよ）、もはや干渉可能性の要件を不要とした上で、本来の債務者（この場合は仕向銀行）の責任を強化する道が切り拓かれるべきことにもなる。

かくて、一連の問題の解釈論的処理（わが民商法上のそれ）は、一歩一歩、UNCITRALのネットワーク責任論へと接近すべきことになるのである（なお安永正昭・前掲金融法研究〔資料編(1)〕一一九頁がＵＮＣＩＴＲＡＬの示す方向を「純然たる立法論」とする点は、同頁に示された特別損害の賠償に消極的な見方とともに疑問であり、岩原助教授が着々と実践しておられるように、解釈論上も、思い切って「政策的考慮を正面に据えて責任負担ルールを考えていくべき」(岩原・前掲金融法研究三三、三六頁)であろう)。

⑤ＵＮＣＩＴＲＡＬのネットワーク責任論

現在、ＥＦＴ問題をめぐる最も突き詰めた形での議論はＵＮＣＩＴＲＡＬの場でなされているといっても過言ではない。ここでは、そこで示されたネットワーク責任論の内容につき、やや詳しく検討しておこう(UNCITRAL, supra, A／CN. 9／250／Add. 4, at 17ff)。

まず、基本にあるのは次のことである。すなわち、外国への送金を考えた場合、具体的な送金経路の選択は仕向銀行の裁量に委ねられ、しかも、高度に機械化されたシステムにおいては、この種の選択はあらかじめ組みこまれたプログラムに従いコンピュータ自身によってもなされ得る。いずれにしても、いくつかの選択の余地のある場合、〔仕向〕銀行は適切な送金手段の選択につき十分な注意を払わねばならない。資金移動が適正になされなかった場合、しばしば、エラーが関係諸銀行・通信回線・集中決済機関等のどこで、いかにして、また、なぜ生じたかを判定することは困難となる。自動化された資金移動システムの外部にあり自らの送金依頼先(仕向)銀行以外との直接の関係を有しない顧客にとってこの種の調査はきわめて困難であり、仕向銀行の選択した送金ルート内の外国の当事者を相手に争わせるのにも種々の困難があるし、何よりも仕向銀行は、エラーをした者に求償をしてゆく上で（顧客より）ベターな地位にある（Id. 17）。

仕向銀行が送金の遅延・不着について責任を負うべきか否かについて、同リーガル・ガイド草案（Id. 21 f）は次のごとくいう。後述のごとき、電信通信事業者が多用する免責条項とともに銀行もまた顧客との契約中に同様の条項を置くのが通常だが、かくては顧客が全部のリスクを負うことになる。銀行側がかかる免責の正当化事由として持ち出すのは、発信後において送信（仕向）銀行はもはや当該メッセージをコントロールする立場にないということである。けれども、少なくとも、この点は、当該メッセージが送信（仕向）銀行のテレックス端末から直接に受信（被仕向）銀行のテレックス端末に送られた場合にはそれほど明確な免責の正当化事由とはならないであろう。送信銀行は正確にメッセージが伝達されたか否かを確認する術を有しているからである。同様のことは送信銀行にとって、コンピュータからコンピュータへのメッセージ交換（たとえばSWIFT経由の通信）においても可能であり（Id. 21）、エラー防止のためのこの種の手段が十分にとり得る以上、かりに最終的に銀行側が電気通信事業者等への求償をなし得ないとしても（後述）、（送信）銀行が一方的に責任を免れることについて、大きな疑問が生じてくる（Id. 22）。

次に、CHIPSその他の決済機関やメッセージ・スイッチングを営む機関におけるミスについても、それらの機関はそれに参加する諸銀行との契約で自身の免責や責任制限を定めるであろうが、それらの機関は銀行のために活動しているのであって、資金移動システムの必須の要素をなす。したがって、全体としてのバンキング・システムが顧客との関係で決済機関等のエラーにつき責任を負うべきでないなどという議論はなし得ない（Ibid）。

また、コンピュータのハードまたはソフトにおける技術的な瑕疵を銀行が自らの免責事由となし得るかについても、かかる免責は注意深く限定されねばならないとされている（Id. at 19）。すなわち、技術的にみて今日かなりの改良がなされてきてはいてもコンピュータのダウンはつねに起こり得る（computor downtime is a regular occurrence）ことであり、そのためのバックアップ・システムを多くの銀行は有しているし、また、有すべきである。したがって、通常予期し得る程度のコンピュータのダウンをもって、容易に、適時の資金移動がなされなかったことに対する免責の正当化事由とすべきではない。これに対して合理的にみて回避し得ない程度の、とりわけ一般の災害や周辺地域を含めた停電などに伴うコンピュータの事故は、免責事由となし得るであろう。ただし、銀行側の者がデザインした、もしくは外部から銀行が調達したソフトウエアの瑕疵による事故は、銀行の免責を正当化するものではない（Ibid）。なお、いうまでもなくこの最後の点について、われわれは既述のバンク・オブ・ニューヨーク事件を想起すべきであろう。

このように、ＥＦＴに関するＵＮＣＩＴＲＡＬのリーガル・ガイド草案は、ＥＦＴシステムの設営者たる銀行側の責任を、とりわけ顧客との関係においてかなり重いものとしている。具体的には直接顧客の依頼を受けた銀行（通常の外国向送金のケースを念頭においたこれまでの議論でいえば仕向銀行）に、ＥＦＴシステムに介在する他の者（電気通信事業者を含む）のエラーについても、顧客に対して右エラーに基づく損害賠償責任を負わせ、最終的にはＥＦＴシステム内での求償によって適正なリスク配分をはかるという基本方針が、そこにおいて強く打ち出されているのである（UNCITRAL, supra, A／CN. 9／221, Paragraphs 65ff ですでにはっきりとこの線が示されていたことは既述）。ただし、注意すべきこととして、顧客との関係で仕向銀行がまずもって責任を負うからといって、顧客が仲介銀行や被仕向銀行、そして電気通信事業者や決済機関など、実際にエラーをした者に対して直接の請求をなし得ないわけではなく、同草案においても、この余地は残されている、ということがある（Id. Paragraph 65, fn. 48. なお、岩原・前掲金融法研究二四頁をも参照せよ）。

最後に、通信ネットワーク――ＥＦＴシステムはその一利用形態たるにとどまる――自体の本来の設営者たる電気通信事業者（telecommunications carriers）の責任について同草案が示すところをみておこう。はっきりいって、この点での同草案の突っ込みは必ずしも十分なものではない。これは、従来、ほとんどの国で自国の通信主権の発露として通信事業が国家独占の状態にあり、米英日などにおけるderegulationによる民営化を除けば、現在もその他の多くの国々でその方向が維持されていることに起因する。ただし、控え目ながら、同草案は次のごとくいう（UNCITRAL, supra, A／CN. 9／250／Add. 4, at 20f）。電気通信事業者の免責を正当化づける理由は、かかる事業者が、メッセージの内容を知らずに送信するため、その延着・不着やその内容的変更から生ずる結果を予期し得ないというものだが、これは少なくとも顧客がこの種の事業者にメッセージ内容を手渡して送信を依頼する場合には十分な理由とはならない。もっとも、いわゆるＩＳＤＮ（integrated services digital network――サービス総合ディジタル網）においては、電気通信事業者はデータ・書面化されたメッセージ・音声・映像のいずれを伝達しているかすら知らないかも知れない。だが、今日、本来の通信事業とコンピュータ・サービス事業との限界が不明確となっているのであり、もはや銀行やその他のユーザーは、一般の電気通信事業者からもＶＡＮ事業者からも同様のサービスを受けられるに至っている。したがって、電気通信事業者の免責が従来の基本的（basic）なサービスについては維持され得るとしても、高度化された通信サービスについては、果たして同じことがいえるか問題だし、米国のような民営化の進んだ国もあり、もはや電気通信事業者の免責は、自明のものではない、というのである。

　基本サービスか高度情報通信サービスかの分類は米国的なものであり、わが国の電気通信事業法下では、さまざまな問題をはらみつつも、電気通信回線設備を有するか否かという区別に基づき、それを有するのが第一種事業者、否の者（第二種事業者）のうち一般のＶＡＮ事業者等が一般第二種事業者とされ、そして、特別第二種事業者については、国際ＶＡＮ事業に関してＩＴＵ条約、ＣＣＩＴＴのＤ１、Ｄ６勧告との関係が種々問題とされていることなど、いずれも周知のごとくである。たしかに電気通信事業が今なお国家独占の状態にある国々では右のごとき慎重な事業者の免責への配慮がなされ得るが、少なくともわが国では、今日のＮＴＴが、公衆電気通信法一〇九条の下で法規定をもって認められていた広汎な責任制限ないし免責を、新法の下でそのまま享受し得るはずはない。それは民間銀行等の種々の約款同様、私契約上の単なる免責約款でしかなくなったのである。かの世田谷の事故に際して公衆電気通信法上の右規定の不当性について高まった社会的批判は、民営化後のＮＴＴの種々の免責約款（それらは基本的には電々公社時代のそれを受け継ぐものである）の合理性について、より鋭い形で維持されてゆかねばならないであろう。われわれとしてはＵＮＣＩＴＲＡＬのリーガル・ガイド草案の趣旨を、この場面ではもう一歩進めてゆくべきものと思われる。

かくて、ＥＦＴシステムを運営する諸銀行、決済機関（少なくとも民間のそれ）、電気通信事業者、そしてコンピュータ・サービス事業者は、ともに制度の設営者・運営者として、顧客（end user）との関係では一体として把握されるべきものであり、一連の免責約款の有効性をめぐっても、制度改善へのインセンティヴをひとまずはそれらの設営者・運営者の側に与え、最終的には社会的コストとして全体としての制度利用者の側にも負担させてゆくという見地（とりわけ UNCITRAL, supra, A/CN. 9/250/Add. 4, p. 28 参照――いわば社会全体としてのリスク・マネージメントの問題である）から、法政策的にアプローチしてゆく必要がある（消費者に対する電気通信事業者の責任については、たとえば岩原・金融法研究三八頁。その趣旨が非消費者たる顧客〔customers〕一般に対する関係でどこまで徹底されるかが今後の問題として残ろう）。たとえば、電気通信事業者が干渉可能性のない履行補助者だからその者の行為については仕向銀行が責任を負わないといった既述の従来の議論についても、この見地からの反省が必要であろう。

もっとも、以上のような立論と、わが国の銀行実務家（本書執筆分担者を含む）の一般的な意識とのギャップが、相当大きいことは認めなければなるまい。たとえば金融法学会の前記シンポジウムでも、仕向銀行がメッセージの発信後も仲介者による適切なその伝達を含めて広汎な義務を依頼者に対して負うべきだとする見方（岩原・前掲金融法研究二〇頁以下、安永・前掲一一八頁以下）に対して、銀行実務家の間から次々と異論が出された。だが、依頼者の側としては被仕向銀行の当該口座に適時の入金がなされることをもって依頼の基本的趣旨と考えるのはしごく当然なことであり、一般の法感情にも沿うものであろう。また、EFTシステムはまさにそのようなことを実現するためのものとして銀行側が顧客一般に提供したものといえる。にもかかわらず、仕向銀行が単なる発信の適切性についてのみ責任を負うという主観的意思のみを有しているということ自体が不自然なのであって、両当事者のかかる主観的意思のあり得べき不一致に対しては規範的・法政策的な契約解釈をもってのぞむべきである。

この場合の契約の性格を請負と表現するか、委任という言葉を用いつつその委任の内容ないし趣旨がそこまで広く及んでいるというかは同じことであり、いずれにしても「政策的な考慮」(岩原・前掲二一二頁)が決め手となることである。

⑥EFTシステム内部におけるリスク分散——SWIFTのルールを中心に——

このように、顧客との関係でEFTシステムを全体としてとらえ、いわばシステム自体において、種々のエラーに基づく損害を負担するという基本構想に沿って実際の解釈論的作業が進められるべきだとしても、ただ一方的に、顧客から直接資金移動の依頼を受けた銀行が、システム内の他者の責任をもかぶればよいというのでは、かかる立場に立った銀行としてはたまらない。システム内部での求償ないし償還請求がスムーズになされてはじめて、UNCITRALの前記草案のような構想は現実的なものとなる。そこで次には、EFTシステム内部でのリスクの分配方法としてUNCITRAL自身の注目するSWIFTのルールについて若干検討し、電気通信事業者への求償の可能性も含めて、システム参加者それぞれの責任分界を一応なりとも整理しておくこととしよう。そして、その上で、最終的なリスク分散の手段たる保険制度につき、ＥＦＴのみにとどまらず、高度情報通信ネットワーク特有のリスクを直視した場合、どのような損害補償制度の構築がのぞましいか、という視点から一言のみしておくこととしよう。

いうまでもなく、ＳＷＩＦＴ（Society for Worldwide Interbank Financial Telecommunication――国際銀行間金融通信協会）とは、ブリュッセルに本部を有し、国際的な銀行・送金業務等に関するメッセージの伝送・交換のための国際的通信網を運用・管理する民間の組織であり、一九八三年末現在の数字では、世界の主要銀行九四〇行（三九ヵ国、邦銀五八行）がそれに加入している。目下のところ、ＳＷＩＦＴの提供する主要なサービスは、メッセージの転送であり、具体的には郵便やケーブルないしテレックスに代わる高度化された通信サービスが提供される。わが国の場合、公衆電気通信法下においてＳＷＩＦＴが直接国際通信に関与し得なかったため、ＳＷＩＦＴとＫＤＤとの間に契約がとりかわされ、他方、わが国の銀行はＫＤＤと契約をし、ＫＤＤの提供する国際金融情報伝送サービス（ＩＦＩＴＳ）により、昭和五六年三月からＳＷＩＦＴの国際的通信網と接続する形でＳＷＩＦＴを利用するに至った。そして、この体制は電気通信事業法下の今日においても受けつがれている。ＩＦＩＴＳのサービス取扱地域は直接にはシンガポールと（アラスカ・ハワイを除く）アメリカ合衆国だが、それらの地域にあるＳＷＩＦＴの交換設備を経由して、ヨーロッパ諸国やカナダ・香港などとも通信ができることになる。

ＳＷＩＦＴのサービスの内容および組織、内部的責任ないし義務の配分等はＳＷＩＦＴのユーザー・ハンドブックにまとめられている。私が本書執筆と離れて（三井銀行から得た情報としてではなく）たまたま研究上参照し得たそれに基づきつつ、本書においてこれまで論じてきた点との関係で若干その内容につき言及しておこう（ただし、ＳＷＩＦＴのルールは頻繁に改訂がなされており、正確には最新のものを参照する必要があるが、以下においては一九八四年八月改訂の邦語のものに基づいて論ずる）。

まず、送信（仕向）銀行の責任を重く見るネットワーク責任論的見地から注目すべきは、ほかならぬＳＷＩＦＴのルールにおいて、銀行（ユーザー）は、自行の送信したメッセージがＳＷＩＦＴによって承認され引渡（転送）されたか否かを検査する義務を負っており、引渡を保証するためのシステム・メッセージをＳＷＩＦＴから提供される立場にあることである（一九八三年一〇月一二日のルール。ＳＷＩＦＴユーザー・ハンドブック第一巻第四部〔安全保護手順〕第六章〔銀行の責任〕六の四の二。以下、煩雑ゆえルールのナンバー等は省略）。ＳＷＩＦＴの高度化されたメッセージ認証手段により、メッセージ・テキストのいかなる変更も発見されるようにシステムが組まれており、しかも、銀行は、送受信したメッセージのコピーやそれについての情報をもＳＷＩＦＴから入手できることになっている（「メッセージの保存及びオンライン・オフラインによるリトリーヴァル」）。この情報要求は送信・受信銀行がともに行えるのであって、未受信・延着につき、送信銀行は容易にメッセージ引渡の確認ができる立場にあるのである。オフライン・リトリーヴァルについては料金がかなり高いが、緊急を要する資金移動についての顧客のニーズを満たすためにはオンライン・リトリーヴァルを考えればさしあたり十分であろう。最も確実にはＳＷＩＦＴ経由の通信についてとることが可能であり、かつ一部は義務としてとるべき右の手段とあわせて、仕向（送信）銀行が被仕向銀行宛に別途受信の確認を要求することも技術的にはきわめて容易なはずであり、国際的送金について緊急度が高く確実性の要求されるものについては、物品運送の場合の高価品の取扱いのように別途の料金システムをつくり、右のごとき送・受信のチェックに万全を期し、かつ、そのコストを顧客にも負担させてゆくことは、いくらでも可能だということになる。いずれにしても、送信（仕向）銀行がメッセージ転送の正確性・適時性につき顧客に対して何ら責任を負わず、あまつさえ「表記送金は、私（送金依頼者）の……危険負担で……発信してください」とし、「電信の延着・不着ならびに電信中の字くずれ・誤謬等が原因で生じた損害」については「私（送金依頼者）がその責に任じます」といった類の免責条項を置くがごときことは、SWIFT経由の国際的資金移動が一般化している今日、そもそも右に見たような制度の実態と符合しない面が少なからず見出だせるし、著しく不合理でもあろう。

さて、次に、SWIFTのルールにおいて、送信銀行・SWIFT・受信銀行それぞれのいわば内部的な責任分界を定めた条項が、支払の遅延からもたらされる利息の損失について存在するので、それをみておこう。簡単にいえば、送信銀行が支払遅延に基づく利息の損失を内部的に負担すべきことになるのは、送信銀行の発信したSWIFTの規格に従うメッセージがSWIFTによって受信され、転送されたことを、送信銀行が一定のルールに基づき確認しなかった場合であり（一九八三年七月一五日のルールでは六つの場合が細かく挙げられている）、SWIFTが責任を負うのは、主としてSWIFT自身が受信・転送の確認等につき加入者への適切な通知を怠った場合である（一九八四年七月一日のルールでは三つの場合が示されている）。これに対して受信銀行は、受信されたメッセージに従った処理をしなかった場合のほか、システムの運用に関するメッセージ（system messages）に適切に対応しなかった場合等、五つの場合に、利息についての責任を負う（右と同日付のルール）。

ＵＮＣＩＴＲＡＬ（supra, A／CN. 9／221〔1982〕, Paragraphs 59〔fn. 39〕）でも右のごときＳＷＩＦＴのルールが注目されていた（ただし、右に紹介したルールと一九八二年の当時に参照されたルールとの間には、すでにして若干の差があるようである）。そして、利息分の損害（loss of interest）の内部的配分についての既述のルールを、少なくとも為替変動からもたらされる損害についても同様にモデルとしてゆくべきことが、そこでは提案されていた（Ibid）。ＥＦＴ関連で生じ得る損害（元本・利子・為替差損、そしていわゆる結果損害——Ibid）の細かな態様ごとに内部的責任配分を分けて考えてゆく必要がどこまであるかは多少疑問であり、システムの維持・管理についての技術的側面の裏づけをも有しつつ決定されるシステム内各当事者の責任分界に関するルールは、それらの者の法的責任の分界点を決定する上で、前記のごとき損害の態様によらず一般的にも大いに参考とすべきであろう（なお、その限りでは、たとえば、電気通信事業者や全銀システムの責任に関して論ずる安永・前掲一一七頁を参照せよ）。

なお、支払遅延から生ずる利息分の損失に関する既述のルールのほかにも、ＳＷＩＦＴは自らの責任に関する一般的なルールを有している。だが、そこでは、技術的な欠陥や不可抗力が原因でＳＷＩＦＴがメッセージを送信できなかったり、それが遅延した場合の損害については、原則として責任を負わず、ただ、ＳＷＩＦＴの過失（不注意な処理、誤り、見落とし）やＳＷＩＦＴ

またはその代理人の被傭者の不正行為により損害が生じた場合には、直接的損害についてのみそれを負担するものとされる。そこでいう直接的損害とは、送金された金額の元本・利息のみとされ、いわゆる結果損害については免責される旨の条項がある。そして、SWIFTの負担する損害額は、一件につき場合に応じてそれぞれ一〇億ベルギー・フラン、四〇億ベルギー・フランとされるが、それぞれについてユーザーは四〇万ベルギー・フラン、八〇万ベルギー・フランまでの損害につき自力で処理すべきものとされる（一九八三年四月一五日付のルール）。その他、細かなルールは省略するが、基本的に重要な点は、SWIFTとの取引が国際契約であることを反映して準拠法条項が設けられ、SWIFT・ユーザー間の法律関係はベルギー法によるとされていることである（紛争解決はブリュッセルでまず仲裁に付されるが、裁判所に訴える道は残されている）。

結果損害（ないし特別損害）や技術的欠陥に基づく損害等についての免責が妥当か否かは大いに問題であるが、以上のごとく、SWIFTでの損害の内部的配分については、不十分ながらかなりのルール化がなされている。

けれども、ここで、国際的EFT取引、さらにはそれをも包摂する国際的高度情報通信ネットワーク内のそれぞれの場で、また、ネットワーク外の一般の顧客との間でとりかわされる具体的な契約群を若干検討してみると、それらが厖大な数の免責条項や極端に低額な責任制限を定めた条項の山であるといっても過言ではない状況にあることに気づく。銀行やSWIFTの約款のほかに、電気通信事業者、コンピュータ・サービス事業者がユーザーととりかわす契約においても同様である。電気通信事業者の責任が、たとえばユーザーが当該サービスを連続して二四時間以上利用できなかった場合に限り、その日数分の基本料金の五倍に相当する額を限度として損害賠償請求に応ずる、といったものでよいかは大きな疑問であるし、コンピュータ・サービス事業者の責任についても、たとえば当社の損害賠償責任は、債務不履行、法律上の瑕疵担保責任、不当利得、不法行為、その他請求の原因、訴訟形態のいかんにかかわらず、総額六〇〇万円、損害発生の直接原因となったサービスの契約期間中における年間最低料金、または、当該サービスに対し過去一二ヵ月間に支払われるべき総額のうちいずれか大きい方の金額をもって限度とします、といった条項は、前記の某電気通信事業者の約款ほどではなくとも、なお相当程度不十分といわざるを得ない。

まず、後者の約款についていえば、契約上の責任制限条項をもって不法行為その他に基づく請求にも対抗できるかが問題となる。たしかに、不法行為と契約のいずれに基づく請求かの差で責任制限を簡単に外されてはたまらないという発想が、研究者の間でもかなり根強くあることは私自身体験しているところであるが、それは、その種の約款が社会的に見て、また法政策的に見て妥当か否かの判断と深くかかわる。約款論一般の問題ではなく、EFTを含む高度情報通信ネットワークという多大な社会的効用と思いもかけないほど巨額かつ深刻たり得る損害(ないし被害)発生の危険とを内包するシステム内での法的リスク分散をいかにすべきかがここでの問題である(EFTのみを考えれば所詮は金でカタがつく問題ではないかともいわれかねないが、この種のネットワークを通して伝送される情報が場合によって多数の人の生命を左右し得ることまで考えた立論がこの場合にはとくに必要となろう)。かりに、高度の法政策的配慮からして当該約款の定める責任制限ないし免責があまりに不当と断ぜられる場合には、やや古くさい解釈論的手法かも知れないが、やはり契約上の請求と不法行為上のそれとは別だとして、実質的に当該約款への司法的介入の度を深めるのも、少なくとも一つの方法たり得るはずである。

また、ＥＦＴに関するＵＮＣＩＴＲＡＬのリーガル・ガイド草案もあえて強調しているように(supra, A／CN. 9／250／Add. 4, at p. 18)、銀行間、あるいは銀行とＥＦＴシステム内の他の法主体との間でかわされた契約上の免責条項は、銀行と顧客との関係については影響を及ぼさないし、顧客はまた自らが直接の契約当事者ではない法主体(電気通信事業者やコンピュータ・サービス事業者、等)に対して、それらの条項とかかわりなく請求してゆける立場にある(因みに一言すれば、たとえば国際送金の場合に顧客と仲介銀行やその他の仲介者との間に直接の契約関係があるか否かがしばしば問題となるが、直接の契約関係の有無それ自体を一般的・抽象的に決する必要はないのであり、ここでも利益衡量論を徹底し、個別の効果ごとに右の点を決してゆけば十分である)。

いずれにしても、ＥＦＴシステムを含む国際的な高度情報通信ネットワークが実際には厖大な免責条項(もしくはそれに準ずる責任制限条項)の山によって埋め尽くされているともいえることは大きな問題である。極論すれば、これは法的無責任の体系ともいうべきものであるが、たとえば契約外の第三者からの請求によってシステム内のいずれかの者が多額の賠償を余儀なくされたような場合のシステム内での求償のしかるべき連鎖が、かかる免責条項等によっていくばくかにせよ阻害されるとすれば、いずれにしてもシステム外でのリスク分散を考えねばならない。他面、UNCITRALが既述のごとく指摘していたように、単なる通常のコンピュータのダウンなどを即座に不可抗力と把握し一般法理上も免責事由とすることには実情にそぐわない面がある。そこで問題となるのが、高度情報通信ネットワークに内在する種々のリスクを十分にカヴァーするために、従来の通常のニュー・メディア保険等で十分なのかということである。

⑦高度情報通信ネットワークと保険

エヴラ事件にせよS銀行（ノートン・リリー）のケースにせよ、顧客の依頼による個別の送金について事故が生じた場合に銀行等が結果損害ないし特別損害を負担させられたとしても、それ自体としては相当ショッキングなことかも知れないが、その程度のリスクは従来型の通常のリスク処理の方法をうまく活用すれば何とかカヴァーできるはずである。けれども、基幹通信回線の切断や通信の要たる中枢コンピュータの故障、そしてたとえば国際金融界で活躍する主力銀行におけるコンピュータ中枢の破壊、等からもたらされる損害ははかり知れない。もとより不可抗力免責の余地はつねにあるが、技術的にみて相当高度のバックアップ・システムの存在とその適切な維持・管理がそれぞれの場で必要とさるべきであり、それをもってしても防ぎ得ぬ〝災害〟が、この場合真に不可抗力と呼ぶべきものであろう。

高度情報通信ネットワークのセキュリティ上は、自然災害のほか、知能的・暴力的不正行為による人為的災害、そして、ハードウエアの故障やソフトウエアの故障（バグ）、等が問題となる。

それらに対する十分なセキュリティ対策がなされていなかった場合に、安易にそれを不可抗力と見るのは問題である。

さて、既述のバンク・オブ・ニューヨーク事件を想起すればわかるように、この場合の損害は容易に巨額なものたり得る。のみならずバンク・オブ・ニューヨーク事件よりもはるかに怖ろしい事件が今後生じ得ないと誰が断定し得ようか。そして、今のところブラック・ボックスの中にあるその未知の事件は、明日起きるかも知れない。

たしかに、通信回線上の事故については、回線の多ルート化によるバックアップ・システムが通常は完備しており、その意味で、かの世田谷の事故は例外的ケースとして位置づけられ得るものであった。そして、今日の国際通信の主軸をなす衛星通信に何らかの支障（技術的に予期し得るものとしては、たとえば衛星食による場合、等）が生じた場合には海底ケーブル通信への切換えがなされ、その意味でのバックアップ態勢は整っている。もっとも衛星の通信容量と比較すると従来の海底同軸ケーブルのそれはかなり見劣りするが、近々のうちにわが国からも光海底ケーブルが敷設される予定であり通信容量面でのバックアップ態勢は一層向上するであろう（衛星が故障し、ケーブルがすべて切れたらどうなるのかまで法律家が心配する必要はさほどないであろう）。いずれにしても、全地球規模で通信が途絶した場合には、多くの場合、純然たる不可抗力（まさしくAct of God）として処理されるであろうが、若干注意すべき点もある。それは、ほかならぬインテルサット（国際電気通信衛星機構）の運用協定一八条(b)項が、インテルサットまたはいわゆる署名当事者（Signatory——すなわち、締約国または締約国が指定した電気通信事業体（わが国の場合はKDD〕）が「権限のある裁判所による拘束力のある決定を理由として……〔インテルサット〕協定及びこの運用協定に基づきインテルサットによって実施され又は承認された活動から生ずる請求……の支払を要請された場合」の手当てについて規定していることである。もとよりインテルサットは国際機関であるが、商業活動を営む国際機関として、それに認められる特権免除（exemption, immunity）は本来極めて限定されたものとなる（山本草二『インテルサット恒久協定の研究』〔昭四八〕一五一頁以下）。同条(a)項で「〔インテルサット〕協定又はこの運用協定に基づいて提出され又は提供されることとなる電気通信業務の利用不能・遅滞又は欠陥によって受ける損失又は損害」について、署名当事者間、また署名当事者とインテルサット間では免責が規定されるが、同様の損害賠償が第三者からなされる場合は別とされるのである（山本・同二六二頁以下）。インテルサットが本来商業活動を営むことを目的とするものである以上、インテルサット協定一五条の下でインテルサットと締約国とが結ぶことになっている特権および免除の議定書も、必ずしも常にこの点について十分なガードを提供するものではないのである（なお同協定作成過程でのわが国の対応の一端につき山本・同一八〇頁以下）。したがって、インテルサットや（とりわけ私企業たる）署名当事者は、商取引上の通常の免責約款や損害保険等で自らを防備する他ないとされるのである（山本・二六七頁。なお前記運用協定一八条(b)項参照。他面、ITU条約二一条は、電気通信の利用者との関係での連合員〔国家〕の免責を定めたものであるにとどまり、いわゆるRPOA〔認められた私企業〕がこの規定により免責されると見ることは出来ない。因みにこの最後の点は、わが国における国際VAN事業の推進問題との関係でも一つの重要な問題となる）。

かくて、かのインテルサットもまた、原則として、国際的な高度情報通信ネットワーク内の法的リスク分散システムにおいて、その一翼を担うべきことが予定されているのであるが、このことからもある程度予想されるように、ＥＦＴシステムをも内包する全体としての国際的高度情報通信ネットワークから生じ得るさまざまな損害をカヴァーするために、果たして従来の通常の損害保険でどこまで対応し切れるのかが、既述のごとく大きな問題となる。

そこで、何の誇張でもなく、わが国でも各方面の英知を集めて早急な検討を要するのは、一つには、すでに実地に移されて久しい原子力損害賠償制度との類比における、総合的なリスク分散システムの構築なのである（因みにこれは私個人のみの見方というよりは、実際にわが国において一部で、数年来真剣に検討されてきた問題であったことを付言しておく）。

まず、参考とすべきわが国の原子力損害賠償制度について一言しておこう（『ジュリスト』二三六号〔昭三六〕六頁以下の諸論稿、等を見よ）。この制度は昭和三七年制定の原子力損害の賠償に関する法律（原賠法）に基づくもので、同法の数次の改正を経つつ現在に至っている。同法は、核原料物質、核燃料物質および原子炉の規制に関する法律によって定められた原子力事業者に、賠償責任を集中し、かつ、その者に無過失責任を負わせる一方で、事業者に損害賠償措置を講じておく義務を課するものである。この措置の具体的内容は、原子力損害賠償責任保険（責任保険）と原子力損害賠償補償契約（補償契約）の締結（もしくは供託）とである。因みに賠償措置額は一サイトあたり、それぞれの場合に応じて二〜一〇〇億円であるが、これは原子力事業者の責任制限を意味するものではないとされる（原賠法施行令二条）。右の補償契約は、原子力損害賠償補償契約に関する法律に基づき原子力事業者が政府（科学技術庁長官）と締結する契約であり、責任保険でカヴァーし得ない原子力損害の補償を目的とする。原子力事業者は無限責任を負うが、原子力発電所の場合を例にすると、右の二つの損害賠償措置でカヴァーされる損害（一〇〇億円までのそれ）を越えた損害については原賠法一六条により、国会の議決に基づき政府の援助が、必要に応じてなされる。

既述のバンク・オブ・ニューヨークのケースにおいて連銀が緊急融資した約四兆円という金額は、もとよりバンク・オブ・ニューヨークが負う損害賠償額とイコールではなく、具体的な賠償責任の有無（不可抗力に基づく事故か否か）、賠償をなすべき者（右銀行かソフト提供者か、等）、そして賠償総額は、一連の提起され得べき訴訟等がすべて終結してはじめて確定され得る。それが四兆円を大きく下まわるか、それとも重過失等が認定され、かつ予見可能性もあったとされ、多くの利害関係者に生じた結果損害まで同銀行が負担することになるかは、いずれ判明することでもあろう。けれども、同種の事故の態様はさまざまであり、所詮右の事件は、長い年月の経過の中で（かつてのポーランドの金融危機がそうであったように）、単なる one of them としてしか位置づけられなくなるものであろう。だが、ＥＦＴを含めた高度情報通信ネットワークにおいても、損害の規模において原子力災害（一九八六年のソ連原発事故を想起せよ）と同程度の事故が起こり得ることは、あらかじめ覚悟しておいた方がよいであろう。

だが、その上でリスク分散のための新たな制度づくりを考える際、原賠法下の制度を平行移動しただけで問題が済まないことは明らかである。すなわち、今日においても原子力事業者は社会的に特殊な存在といえ、国内におけるその総数も知れている。そこで、その者に責任を集中させ、前記のごとき補償措置をはかることは十分にできるであろう。ところが、高度情報通信ネットワークには、原子力事業者のような核となる存在があるようで実はなく、登場人物は比較にならぬほど多く各地に分散し、さらにいえばわれわれの日常生活にまで深く食い込む存在となってきている。公衆電気通信法下においてはともかく、監督官庁の許認可権の確保にばかり目を奪われた観なきにしもあらず、ともいえる電気通信事業法下で、既存のNTT、KDDのほか、すでに名乗りをあげている第一種事業者のみならず、今後ますます多方面で登場してくるであろう種々のVAN事業者の数を考えてみる必要もあろう。さらに、そこで起こり得る事故については、第一種・第二種の電気通信事業者のみならず、一般のコンピュータ・サービス事業者や無数のユーザー端末、等々の存在をも考えなければならない。事故は通信回線で生ずるかも知れず、電気通信事業者・ユーザー等、いずれかの者のコンピュータないし端末（そのハードウェアまたはソフトウエア）でも生じ得る。たしかにそれらすべての予想される事故のために原賠法と同様の大規模な補償措置をそれぞれの者に義務づけるのは、はなはだしい牛刀論かも知れない（ただし、この点が通信コストの上昇につながるから、あるいは通信事業への新規参入にブレーキをかけるから問題だといった見方は、社会全体〔国〕としてのリスク・マネージメントの問題を直視していない点で、疑問である）。だが、第一種や特別第二種の電気通信事業者に限ってみたらどうであろうか。あるいはVAN事業者まで広げる必要もあるかも知れぬ。何よりも通信ネットワークのユーザーではあるがEFTの主役たる銀行についてはこの種の保険構想と単純に切り離してしまってよいのか、そもそも通信にウェイトを置いて考えるべきか、コンピュータ（を利用した種々のサービス）の側面に着目すべきなのか……等々といった多方面に拡散する問題の、これから先の検討は、とても専門外の一研究者たる私の手に余るものである。その他、一般の製造物責任についても無過失責任論の提唱されて久しい今日、果たして（ＥＦＴを含めた）高度情報通信ネットワーク絡みの問題につき、従前の一般損害賠償法理のみで十分なのか（若干の点は、ＥＦＴの場合の結果損害の賠償を予見可能性の点にかからせることで十分かを疑問視するＵＮＣＩＴＲＡＬの前記草案にも示唆されているといえよう。UNCITRAL, supra, A／CN. 9／250／Add. 4, at p. 27）、あるいは、せめてネットワーク外の第三者からの不法行為責任の追及につき、過失の立証責任を転換しておくべきではないのか、等々。

恐らくはこうしたかなり大がかりな制度づくりの必要性がわが国の一部で正当に認識され、実際に種々の基礎的作業が今後も続けられてゆくのであろう。それにつけても、卑近な顧客向けの外国向け送金依頼書にも見られる漠然たる内容の免責約款のみによって自らを妨禦してゆけばよいとする旧態依然たる対応が、今なお根強く示されているのはどうしたことなのか。大事件が起きてからあわてふためき、あるいは社会的批判の前に自らの企業イメージを大きく低下させるより、前向きに考え、新たな制度づくりのためのイニシアチヴを率先してとってゆく方が賢明な選択なのではないか、と私は思わざるを得ないのである。

⑧国際的ＥＦＴ取引と国際私法

本稿ではこれまで、ＥＦＴシステム、そしてそれを包摂する高度情報通信ネットワークにおいて生ずる法的諸問題を、主としてマクロ的に考察してきた。実定法研究者のなすべき作業としては、もとより（本稿でも部分的にそれを試みてはいたものの）個々の法的問題についての緻密かつミクロ的なそれの方が重要であるともいえるが、それらの問題の詳細な検討は、わが国でのＥＦＴ法理の本格的研究につきパイオニア的役割を果たしてきた岩原助教授の諸論稿をはじめとするさまざまな個別的研究（ＥＦＴと消費者保護については、さらに前田重行教授の諸論稿、例えば金融法務事情一〇七八号（昭六〇）所収のもの、等）にひとまず譲ることとしよう。前記の金融法学会のシンポジウムでも、米国・西ドイツのＥＦＴ法理、そして、本稿でも多少取扱ったＵＮＣＩＴＲＡＬのリーガル・ガイド草案などを踏まえつつ、わが国におけるＥＦＴ法理の検討がなされてきている。それらの主として商取引法的アプローチに加えて、不十分ながら本稿でも一言した新たな損害塡補（保険を含む）のための制度構築の問題があるわけである。だが、既述の原子力損害賠償制度も、この点に関する多国間条約の存在を前提とし、それを考慮しつつ構築されたものであり、ＥＦＴ（あるいはさらにコンピュータ・システムを基幹とする高度情報通信ネットワーク）の問題についても、こと損害保険に関する限り、当該保険を対象とした国際的な再保険市場の整備によりいっそうのリスク分散をはかっておく必要がある。だが、文字どおり日進月歩のこの分野での技術革新のペースに、法制度を含めた種々の社会制度がついてゆけないのが実情であり、かつ、技術開発（技術面での国際的標準化・調整等は国際電信電話諮問委員会〔ＣＣＩＴＴ〕等で活発になされている）がある程度の安定期にはいらない限り、社会的諸制度の整備に関する国際的コンセンサスづくりには多大な困難がともない得る。ＥＦＴに関するＵＮＣＩＴＲＡＬの作業が、従来のようなＵＮＣＩＴＲＡＬの条約至上主義的発想（その基本的問題点については石黒・上二〇頁以下。なお曽野和明・国際法外交八四巻六号〔昭六一〕一頁以下と対比せよ）を捨て、条約をハード・ローとすればいわばソフト・ローとしてのリーガル・ガイドの呈示に当面の努力が傾けられているのは、各国国内法の統一のための最も妥当かつ現実的な方法は何か（条約上の義務で各国独自の法発展を制約するのがよいのか、米国のＵＣＣのようなモデル・アクト方式でアプローチするか）という純粋な理論的観点からも興味を引くところである。けれども、そのような一般的問題とは別に、ＥＦＴについてはそれなりの、前記のごとき特殊事情があったことを忘れてはならない。

ＵＮＣＩＴＲＡＬ（supra, A/CN. 9/266/Add. 2, at 12f, 14f）でも、ＥＦＴによる国際的資金移動（international fund transfer）の法的規律につき、各国国内法の統一にまで至るべきか、それともこの点は各国法の不一致（抵触）を処理するための各国の在来の国際私法に委ねるべきか、さらに、（たとえばハーグ国際私法会議の場などを利用しつつ）せめてこの点に関する各国国際私法の統一だけははかっておくべきかが、今後の問題としてとり上げられている（因みに、国際私法上の問題については夙にA/CN. 9/221, **Paragraph 69**でもメンションされていたことに注意すべきである）。いずれにしても、条文だけを各国で統一したところで、その条文の明確性・一義性の程度もあり（たとえば一九八〇年の国連〔ウィーン〕統一売買法にはこの点での問題が多い〔石黒・上四〇頁以下。ごく簡単には、同・国際私法一三頁〕）、また、各国の裁判制度までを国際的に統一しない限り、真の意味での各国法の牴触状態は解決しない（国際司法裁判所〔ICJ〕の紛争解決機能とて、極めて限られたものであるにとどまる）。

最近注目を集めつつあるわが国の（国内民商法〔実質法〕上の）EFT法理の構築問題を垣間見つつある私は、国際私法的見地からして、諸外国での具体的問題解決のバラつきとともに、それらを参考としつつ適宜取捨選択し組みあわせた上でさらに発展させようという基本的スタンスの下に今後いっそうなされてゆくであろうわが国のEFT法理の展開が、やはり仔細に検討するときにはわが国独特のものとなるであろう、と感じている。

そこで想起すべきは、かのエヴラ事件もデルブリュック事件も、そしてS銀行（ノートン・リリー）のケースも、純然たる渉外（国際的）事件であったことである。それではEFT問題について、準拠法選択や国際裁判管轄等々、国際私法（いわゆる国際民事訴訟法をも含めた広義のそれ）上の諸問題はいかに処理すべきなのか。各国の国際私法（牴触法）もまた、各国民商法（実質法）とともに基本的に国ごとに異なる状況にあることは本書の随所でも言及されているとおり、注意を要するが、ここではわが国際私法上の取扱いに関する基本的アプローチにつき、ごく一言のみしておこう。

実は、私は昭和五八年の著書（『金融取引と国際訴訟』）において、国際的マネー移動のメカニズムの内部にある者と、そのメカニズムの外にあってそれを利用する立場の第三者（顧客）との関係について、後者の保護の問題を国際私法上の弱者保護問題の延長線上でとらえ、のちにUNCITRALの前記リーガル・ガイド草案において明確化されたネットワーク責任論と基本的方向を一にするアプローチを、わが国際私法上の問題処理として採用すべきことを提唱していた（信用状取引に関する同書・一一七頁以下、国際金融取引における代理を論じた同・一五九頁以下、等）。

因みに、本書においても既に扱われた東京地裁昭和四五年三月二七日判決、下民集二一巻三・四号五〇〇頁では、国際的な荷為替手形の決済に関して、わが国の売主Xから依頼を受けたわが国のB銀行からC銀行（某米銀）パリ支店経由で同地のY銀行宛、順次取立委任がなされたが、Y銀行がエラーをし、そのためXがわが国でY銀行に損害賠償の請求をしたのである。このケースでは、わが国の国際裁判管轄がないとして不当に事案が処理されたが（石黒・前掲書一一八頁）、興味深いのはX側の主張であり、X側はまさに、B銀行→C銀行→Y銀行という銀行間の取立委任の流れを一体のものと把握し、XY間には「直接の法律関係」があり、これらの取立委任は「手形金取立という単一の事務処理のためのもので、一個の法律行為と目すべきである」と主張したのである。

このケースを、本書でこれまで主として論じてきたEFTによる外国向け送金に置きかえた場合、かりにXがB銀行を相手にY銀行（あるいはC銀行）のエラーを理由として訴えていったとすれば、右のケースにおけるX側主張とUNCITRALのネットワーク責任論とが、少なくとも考え方の基本において共通のものを有することが、明らかとなるであろう。なお、実質法（民商法）上は送金依頼者が自ら被仕向銀行を指定した場合に、被仕向銀行のエラーによる損害までを仕向銀行がかぶるべきか否かが既述のごとく問題とされているが、抵触法（国際私法）上は、顧客との関係で国際的なマネー移動のメカニズムを、被仕向銀行まで含めて一体化して考えて何ら差しつかえない。そして、この見地からは、一般の信用状（L／C）取引について、依頼者（買主）、L／C発行（開設）銀行、確認（買取）銀行、受益者（売主）間で、さまざまな紛争当事者の組合せに応じて示しておいた一応の準拠法選択上のアプローチ（同右・一二〇頁）が、国際的EFT取引に関する準拠法選択問題の解決についても、かなりの程度参考となるのではないかと、今のところ私は考えているのである（なお、S銀行（ノートン・リリー）のケースに関する同・一二一頁以下をも参照せよ。また、国際裁判管轄については、とりわけわが民訴五条の義務履行地管轄に関して論じた同・上三二三頁以下を参照せよ）〔石　黒〕。

5 本書以後に残された諸問題

(1) 実際に国際金融法務の最前線で活躍している方がたの眼からは、本書において辛うじて言及できた諸問題が国際金融取引をめぐって生じてくるさまざまな法的問題の全体像と対比した場合、ごくごく限られた、断片的なものでしかないことは、明らかなところと思われる。本書全体の構成をどうすべきかを考える上でも、この点は私なりにかなり悩んだ点でもあるが、限られた紙数の中で全体を概観しようとすることから必然的にもたらされる内容の希薄化は、まずもって回避すべきものと思われた。本書の頁数との関係でこの点はやむを得ない制約だったわけだが、それにしても、最低限、とりわけ最近の実務・理論の両サイドから問題となっているいくつかの点について、第2部のしめくくりとして、それぞれ一言のみしておくことが、やはり必要であろう。もっとも、それらについては、いわば無数の氷山の中から、ほんのわずかのものを選ぶのみで、しかも水面下の問題の広がりについて論ずることがもはや紙数の関係で不可能なことは、極めて残念なことではあるが。

(2) まず、最近注目を浴びている金融先物（financial futures）について一言。国際的レヴェルで通用する金融先物のガイド・ブックとしては、数年前に刊行されたものだが、ユーロ・マネー社から出ているM. Desmond Fitzgerald, *Financial Futures* (1983) が、まず挙げられるべきであろうが、取引やマーケットのしくみはともかく、ここにも種々の法的リスクのともない得ることに注意する必要がある。金融先物や一般の商品先物をも含めた広義の先物取引（futures trading）については、各国の国際的な市場が相互に手を結び、真にワールド・ワイドなマーケットづくりが強く志向されていることは、周知のごとくである。けれども、そこにおいて各国独自の法規制が国際的に統一されずにいまだ残っていること（それは現状においてやむを得ないことである）から、国ごとの規制方針のくい違いによる法的リスクの問題が、まず顕在化する。国際的な金融先物取引を論ずる際にも、広く先物取引一般を見渡した上で、法的問題点を洗い出してゆく姿勢が、もとより必要である。その際には、同じヨーロッパの中でも英国と西ドイツとの間で生じた若干の問題（IFL Rev., 43f〔1985 January〕; NJW, 2037〔1984〕）にも興味深いものがあるが、Markham/Bergin, Problems with futures trading, IFL Rev., 23ff(1984 May）に示されている論点の方が、理論的にも重要であり、一言する。国際的な先物（およびオプション）取引の重点が米国のマーケットを主軸としつつ急速に展開しつつあることは、それ自体としてロンドンを中心とするユーロ市場にとっても大きな脅威となることであるが、そもそもユーロ市場が、米国の種々の法規制を逃れる目的をも有しつつ形成され発展してきたということを想起すべきである。国際的先物取引が米国市場への傾斜を強めれば強めるほど、米国の各種法規の域外適用の危険は高まるのであり、しかも、この点はすでに大きな問題として、先物取引に携わる銀行との関係でもとり上げられている（Id. 24f.）。すべてについてインフォメーションの適切な開示に重点を置く、米国の法規制上の基本方針は、国際的な先物（およびオプション）取引についても貫かれるに至っており、重大な問題となる。つまり、いわゆるディスクロージャーの問題であるが、米国のこの種の法規制は、米国の先物(およびオプション)市場を利用する“foreign brokers, traders and customers”についても及ぶものであり(Bettelheim/Geolot, Obstacles to transnational futures trading, IFL Rev., 11〔1986 February〕)、しかも、その際、米国側当局への種々の情報の開示ないし提供を禁ずる法規制が外国にあっても、そのこと自体が米国での免責事由とはならないことが注意されるべきである。これは、米国独禁法の域外適用に対して英国・オーストラリア・カナダ等で一九八〇年代に入ってからいわゆる対抗立法の制定がなされ、結局は国際的活動を営む私企業がこの域外適用と対抗立法との板ばさみにあって疲弊する、例のパターン(レイカー〔Laker〕航空事件は、その意味で極めて象徴的なケースであった。一連の問題の理論的分析は石黒・上一九九頁以下、四九七頁以下。簡単には、蔵掛直忠=石黒「〔対談〕多国籍企業をめぐり混迷する法的環境」月刊NIRA一九八六年四月号三二頁以下)が、ここでもくり返されることを示している。そして、それは、国際的な先物・オプション取引において、すでに実際にも生じている(Bettelheim/Geolot, supra, 12)。国際的な金融先物取引が、「取引に参加する人が安心して取引ができる」(〔実務編〕二六二頁)ものになっているかは、個別市場ごとの取引所のしくみ、等の問題を離れて、もう一歩踏み込んで法的に突き詰めて検討するとき、どう評価さるべきものなのであろうか。

また、矛盾・抵触する各国の法規制の問題を別として、個々のマーケットの体質にも問題とすべき点がないではない。現状において、たとえば英国と米国とでは、先物(およびオプション)取引に対する規制の基本方針が異なっており、とくに英国においては、この種の取引の基本については取引所自身のいわば自治的コントロールにほとんどすべてが委ねられているため、そこからもたらされ得る種々の危険が指摘されている（Id. 11）。そこで誰もが想起するであろうことは、国際的なすず取引をめぐってＬＭＥ（ロンドン金属取引所）を舞台にくり広げられた最近の破滅的な事態の推移である（IFL Rev., 4ff〔April 1986〕なお、そこでも問題とされた国際組織たるＩＴＣ〔国際すず理事会〕のイミュニティが、英国での訴訟においてwaiverがあったとされ否定された点につきId. 5〔May 1986〕; Id. 38f〔June 1986〕参照）。昭和六一年三月頃、わが国の新聞にも大きくとり上げられたこの問題は、果たして一般の商品取引に限定されたものであって、ここでわれわれが問題とする国際的な金融先物（およびオプション）取引には全く無縁のものなのだろうか。それとも、破滅的状況においては、一見堅固かつ安全と思われている取引所のしくみが案外頼りにならず、窮極的にはほとんど無数の訴訟（しかも国際民事訴訟！）の山に、取引に関与した多数の当事者が埋もれざるを得ないこと（すず取引についてはまさにこれが現実のものとなった）を直視し、やはり金融先物についても、窮極の法的リスクとしてはっきりとそれを認識しつつ、個々の取引に臨むべきなのだろうか。すずに限らず、最近の一次産品の国際マーケットにおける混乱には憂慮すべきものがあるが、先進諸国を主体とする国際的金融先物（およびオプション）取引についても、その真の法的リスクの分析と、それに対する明確な対処についての、いっそうの検討がなされるべきなのではないか。

(3)　最近のわが国における注目すべきケースの一つとして、東南アジアの林業開発プロジェクトの挫折に関する東京地判昭和六〇年七月三〇日（判タ五六一号一一一頁）がある。事案は、このプロジェクトに関与していた日本の総合商社Ｙが、マレーシアの元副首相で実業家たるＸから、契約締結上の過失による損害賠償責任を追及されたもので、Xは一、〇〇〇万米ドルないし二一億五、〇〇〇万円を請求したが、約六五六万円について請求の一部認容がなされたにとどまった。商社に限らず金融機関も、この種のケースにおける国際的プロジェクト・ファイナンス（その一応の抵触法的検討は石黒・九一頁以下）において、いわば一体として関与することになるが、その場合、プロジェクト実施国側の当事者からこの種の訴訟を提起される可能性のあることは、あらかじめ覚悟しておくべきところであろう。ただ、右のケースにおいて、きわめて低い損害賠償額しかわが国での訴訟において手にし得なかった経験に照らし、現地当事者が、今後同種の紛争に際して、現地あるいは第三国の裁判所で訴えを提起し、その判決の承認・執行をわが国で求めるという形に戦術の転換をはかることが、ある程度予測される。その場合には、右のケースでX側が求めていたような（あるいはそれ以上の）多額の支払が外国の裁判所で命じられることも、もとよりあり得る。そのような場合のための対応としては、まず仲裁条項の活用が考えられよう。だが、たしかに仲裁条項が現地での訴訟において思わぬ威力を発揮するケースもないではないが（典型的には、米国独禁法の適用との関係での最近の三菱自動車のケースがある。105 S. Ct. 3346〔1985〕. なお、たとえば Goodman, Arbitrability and Antitrust : Mitsubishi Motors Corp. v. Soler Chrysler-Plymouth, 23 Columbia Journal of Transnational Law, 655ff〔1985〕; Jayme, IP Rax 46〔1986〕. 因みに、このケースで日本でなされる仲裁手続がどのように進められるかには、理論的にも極めて大きな興味をひくものがある。なお右の合衆国最高裁判決多数意見のIIIに付された注19・20に十分注意せよ。そこに多数意見のいわば本音が、示されていると見得るからである）、最終的な仲裁判断の中身がどのようなものになるかは、厳密な法の適用による裁判所のそれよりも、さらに予測しがたいものがあるのとともに、多国間条約との関係で、一度外国仲裁判断が有効なものとして出されてしまうと、それのわが国での承認・執行に対しては、一般の外国判決の承認・執行（民訴二〇〇条、民執二四条）の場合よりも、争い方の上で制約が大きいことにも注意する必要があろう。次に、仲裁条項のかわりに専属的な国際裁判管轄の合意条項を入れておき、forum fixing をあらかじめはかるという方法もあろうが、こと国際金融取引においては、本書でも若干言及したように、非専属の管轄合意をするのが大勢であることに、ある種の実務体験に基づく知恵が働いているとすれば、この点も慎重に検討した上で対処する必要があろう。

いずれにしても、外国判決の承認・執行制度や、その延長線上にある外国の国有化・収用措置の国際的効力の問題、さらには、日立対ＩＢＭ事件（そして、工業所有権の属地性との関係でもいっそう興味深い問題を含む、昭和六一年三月の、日電による日本ＴＩに対する逆提訴）などで示された、外国での訴え提起に対する逆提訴のテクニック（理論的には、いわゆる国際二重起訴ないし国際的訴訟競合の問題がこの点と関係してくる）に対する徹底した分析・検討（それらについては石黒・上三八〇頁以下）が、真の意味での法的理論武装のためには、必要となってくるはずである。

(4)　最後に、一応の検討は本書第3部においてなされる点だが、最近の諸国国際契約法における（とりわけ各国強行法規の矛盾・抵触ないしそれらの交錯とその抵触法的処理をめぐる）大きな流動化をどうとらえるべきかという問題がある。詳細は別な機会（石黒・二三一頁以下）に論じたが、国際契約において契約の両当事者が準拠法条項を置いておけばそれによりすべての契約問題が処理されるというほど、問題は単純ではなくなってきているのであり、ＥＣ諸国やスイス、そして米国などの抵触法（conflict of laws）の動向には、とりわけ十分な注意を要する。米国の中でも、とくにニューヨーク州は、伝統的な国際私法理論と訣別し、関係諸州（国）の governmental interest を重視する、いわゆる抵触法革命（石黒・上六〇頁以下参照）のはじまった州であると同時に、従来の米国州（国）際私法の流れからしても、当事者が契約準拠法を定めればただそれに従うという国際私法上の当事者自治の原則が、そのままの形では同州において受入れられていないとの指摘がなされているほど、準拠法条項の取扱いが従来不明確だったということがある（石黒・上一〇二頁の注284参照）。もっとも、一九八四年から同州は一定の場合には準拠法条項があればそれに従う旨、立法をもって対処しているが（IFL Rev., 38f〔Sept. 1984〕）、他州（国）、および法廷地州の種々の強行法規との関係でそれがどう運用されてゆくかの点まで含めて、今後十分な検討を要するところである（なお同州の最近のケースにつき Id. 40f〔February 1986〕）。

(5)　以上、若干補足した諸点をもってしても、本書第2部について当初計画された執筆項目のごくわずかの部分しかカヴァーし切れなかったことは残念であるが、国際金融取引の最前線で何が問題となっているかについての関心が今後いっそう高まってゆく（そうでなければ極めて危険な事態がこのまま放置されることになり問題である）過程で、それらについても、本格的な研究ないし検討がなされてゆくことを、とりあえずは期待しつつ、第2部における叙述を、一応終えることとする〔石　黒〕。

第**3**部

転換期の国際金融法務

〔はじめに〕

以下、第3部においては、まず、1において、本書全体を通じて研究者・実務家の両サイドから出しあったさまざまな問題を踏まえつつ、国際私法理論の実践的側面と性格に対する基本的認識をあらためて明確に示し、その上で、2において、邦銀側にとって、かつてないほどの大事件であった米・イラン金融紛争絡みの問題を、一つの〔事例研究〕として示すこととする。第3部が、なぜこのような構成をとっているかについては、のちに3で述べることとしよう〔石　黒〕。

1 国際金融取引と国際私法

1 概　説

国際金融取引は、金融契約の締結、確言と保証（representations and warranties）の誤りなきことを含む前提条件（condition precedent）の充足、資金の受渡、貸付期間における諸誓約（covenants）の遵守、期間満了時の弁済という過程を経て完了する。この取引の全過程が円滑に推移し完了すれば望ましいところであるが、実際には、取引の各過程で当初予想していなかった障害が発生し、取引の完遂ができなくなることがある。極端な場合には、締結したつもりの契約が違法（illegal）とされて無効となったり（輸入禁制品のファイナンスを目的とする契約など）、債務者所属国におけるモラトリアム等強行法規の事後的発動によって履行不能の状態に陥ったりする。したがって、そのような不測の事態をも考慮してかからなければならない。

このような事態の発生により、国際契約の当事者間で紛争が生じた場合、当事者間での交渉、仲裁制度の利用を別にすれば、その司法的解決に至るプロセスで生ずる法律問題は次のとおりである。

①紛争の発生　→②ある国の法廷への提訴　→③法廷地の裁判管轄権の有無の確認　→④法廷地抵触法（国際私法）の適用＝準拠実質法の発見・指定　→⑤準拠実質法の適用・裁判　→⑥判決　→⑦〔執行地が外国となる場合〕当該外国における外国判決の承認　→⑧執行判決　→⑨執行。

不測の事態の考慮とはこの司法的解決の各段階をも視野のうちに入れて契約を締結するということにほかならない。右の①から⑨に示したように渉外契約債権にかかわる紛争の解決には国内事件の場合とは異なる問題がある。どこの国の法廷で訴えられ得るか、また、原告としてどこの国の法廷に提訴したら最も好都合であるかの問題、そこの法廷地に当該事件の裁判管轄権があるか否か、あったとしてそこでは申立人の訴権が認められるか否かの問題、法廷地抵触法（国際私法）の内容がいかなるものであるかの問題、訴訟手続上われわれが親しまない制度の有無の問題、外国法が準拠法とされたときその適用をめぐる問題、執行地が外国となった場合の執行地における外国判決の承認と執行ルールに関する問題、等々渉外事件特有の問題は多岐にわたるのである。
金融機関を含めてわが国企業の海外進出はめざましく、渉外契約債権の当事者の所在地からみて、今や、一方の当事者がわが国に所在するいわゆる内―外、外―内契約ばかりでなく、外―外契約もきわめて多くなってきている。その結果、わが国銀行などが外国法廷に立つ機会も増加してきている。

ところで、現在の国際社会では、抵触法（国際私法）は各国の国内法であり、その内容も国によりさまざまであるのが実情である。したがって、渉外事件の解決過程において中核的重要性をもつ準拠法の選定も事件が係属した法廷地いかんによるところが大であるといってよい。

従来、わが国における講学上の「抵触法」ないし「国際私法」がもっぱらわが国裁判所における渉外民事事件に対する抵触規定の解釈・運用に焦点が合わされていたため（坪田潤二郎・国際取引法の基本問題二頁）、外国抵触法情報についての実務家のニーズに十分応えていないという面があったのではないかと思われる。もっとも、実際問題として、現在の国際金融の流れの大宗はユーロ・ダラー市場、米国市場から発しているのであり、結果として金融契約の関連法規は英米法が中心となっている。したがって、法廷地となる可能性および準拠法として適用される可能性の両面において、英米法、なかんずくイングランド（ロンドン）とニューヨーク州（ニューヨーク）の裁判制度と法律制度の知識が実務家にとってきわめて必要度が高いのではないかと思われる。

以下では、裁判管轄権（判決の承認・執行を含む）と準拠法の二点につき国際金融の貸手側当事者たる立場から実務上の知識、留意点を解説していきたいと思う〔澤木・一沢〕。

2　紛争とフォーラム

①裁判管轄権（jurisdiction）

裁判管轄権とは紛争の司法的解決の判断者（decision maker）は誰か、つまり、どこの国の裁判所が当該渉外事件に対して裁判をする権利を有するのかという問題である。裁判管轄権を行使する法廷は当該法廷地国の抵触規定に基づき準拠実質法の選定を行うから、裁判管轄地すなわち法廷地の決定が準拠法の選定を規定するということとなり、その意味でも渉外事件の解決にとって裁判管轄権は重要である。

そもそも裁判管轄権は国家主権の一部たる司法権がどの範囲に及ぶかの問題であり、国際法により規律されると考えるのが自然であるが、この点に関し国際法は明確なルールを定立していない。したがって、各国は独自の考えに立脚し自国の裁判管轄権の限界を決定し行使しているのが現状である。コモン・ロー諸国の例をみると、裁判管轄権の及ぶ範囲は伝統的に領土主権の範囲と関連づけられ、被告が領土内に所在し、正当な手続で訴状が送達され得る範囲とされてきたが、近年、事件の属地性、効果の属地性、事件当事者の属人性の観点から、いわゆるロング・アーム・スタチュートないしルール（"long-arm"statute or rule）の適用が盛んになっている。もっとも、いささかなりとも事件と自国との牽連性があれば自国の裁判管轄権行使を辞さずというのでは国際主義の理念に反するとみられ、管轄権の存在は主張しても行使は自制するという現実的運用がはかられている。

このように裁判管轄権の行使の規準は各国ごとに異なっているが、一般にどのような原則がとられているのか概観してみよう。第一は、応訴管轄である。英国、米国、その他多数の国では、訴えられた借主が応訴のために出廷に及べば当該法廷は管轄権を持つとされている。英国では管轄抗弁のための出廷ですら管轄権の成立原因とされるが（Wood, 61）、米国ではそこまで極端ではない。合意管轄として別に述べるように海外の借主がある国の裁判管轄権に服すると明示の意思表示をしていれば、一般にそれが管轄権の根拠とされるが、英国では自動的に管轄が認められるためには、英国内に送達代理人を指定しておかなければならない。送達代理人の指定がない場合には、管轄域外に所在する者に対して召換令状（writ）を発し得るか否かは裁判所の裁量（discretion）による。

第二は、原告関係による管轄である。これは若干の大陸諸国により採用されている原則である。フランスでは民法一四条により、原告がフランス国民であればフランス法廷に管轄権が与えられる。被告の国籍のいかんを問わない。そこでは法人の国籍は本拠地（通常は本店所在地）によるものとされる。フランスと類似の原則がルクセンブルクでも採用されている。オランダでは、国籍を問わず原告の住所がオランダにあればオランダ法廷の管轄が成立し、ベルギーでは、原告の住所ないし居所が国内にあればよいとされる。ベルギーの場合、若干の例外があり、訴えられた外国人が自国法廷がベルギー人に対してかかる原告関係管轄を行使することはないと立証すれば相互主義の見地から管轄権行使を自制するとされる。イタリーでも原告がイタリー国籍であればイタリー法廷の管轄が成立するが、外国人被告の所属国がイタリー人に対して同種の扱いをする場合に限っており、やはり相互主義の原則を採用している。原告関係に立脚した裁判管轄権の主張は合理性を欠いた過剰管轄（excessive jurisdiction）として批判されている。

第三は、被告関係による管轄である。これには、被告の住所地国の管轄を原則とする主義が重要であるが、その他に領土主権の観念と結びついたものがある。その後者は、英国やその他コモン・ロー諸国により採られる原則で、英国では、国籍や居所のいかんを問わず英国内に被告が現実に所在し（通過の途次であっても構わない）、訴状の送達を受け得るかぎり、英国法廷の管轄が成立する。米国でも同様の原則から、裁判区の上空を通過中の旅客機の中で訴状が送達された事例すらある。訴えられる者が法人の場合は、当該法人が自国法に準拠して設立されているとき、および当該法人の本拠地が自国内に在るときに自国の管轄権が成立する。また、外国法人の支店が国内に在る場合も当該法人に対する自国の管轄権が成立する。多くの国では外国法人の支店は登記が義務づけられ、訴えの提起があったときに送達宛先人となる者の登録が要求されている。したがって、各国に支店を展開している法人はその各国で訴訟の被告として召喚されるリスクに曝されていると考えてまず間違いはない。以上の場合に該当しなくても、英国の場合単なる駐在員事務所の存置によって当該法人が英国の管轄に服することはないが、米国では外国法人が法廷地州内で事業活動をしている（doing business）ときは、法廷地の管轄権が認められるので留意の必要がある。すなわち州内で、①会社本来のビジネスの遂行、②一般的代理権を有する事務所、代理人を有すること、③会社利益のために居住し行動する従業員を有すること、④定期的な出張をしている従業員がいること、⑤定期的に契約を締結すること、のいずれかの要件が満たされている場合には当該法人の拠点がなくとも、管轄権の成立が肯定されている（伊藤廸子『アメリカ駐在員のための法律常識』（昭五九）二九頁）。米国の場合、さらに外国法人の米国子会社の存在をもって当該外国法人を自国管轄権の傘の中へ引込もうとする事例があるので注意を要する。そこでは、単に親子関係にあるというだけでは海外親会社に対して米国（州）の裁判管轄権ありというには十分でないが、親子関係にあることに加えて、法律上の本人代理人関係の存在を疑わしめるような、または子会社が親会社の一部門のごとくコントロールされている緊密な経済的関係が親子間にある場合には海外親会社に対する米国（州）の裁判管轄権を認めるのに有力な要素となりうるとの見解が示されている（Bulova Watch Co., Inc. v. K. Hattori & Co., Ltd., 508 F Supp 1822 (1981) 伊藤・前掲四〇頁、Taca International Airlines v. Rolls-Royce of England, 15N. Y. 2d 97, 204 N. E. 2d 329 (1965) Wood, 63）。

第四は、取引関係による管轄である。この原則は、国際金融取引がある一国の法制度に準拠した契約により成立っている以上、その法制度によって保護されることの見返りとして、契約上の争いなどが発生した場合は、当該法制度の規律に服すのが当然であるとする思想に立脚したものである。英国においては最高裁規則（Rules of the Supreme Court）により、①本人ないし英国内で業を営むまたは英国内に居住する代理人を経由して英国内で締結された契約、もしくは、②明示、黙示にかかわらず、英国法に準拠した契約に関しては英国法廷の裁判管轄権が認められる。また、英国内で発生した金銭債務の不履行のごとき契約違反に関しては英国の裁判管轄権が成立する。ところが、米国では各州により差異があるものの、契約準拠法が自州法であるというだけでは契約当事者に対する自州法廷の管轄権成立には不足で何らかの取引上の関係の存在が不可欠とされる（minimum contacts の必要）。ニューヨーク州民訴法の解釈によれば、貸付契約の署名が同州内で行われただけではミニマム・コンタクトを形成せず、貸付契約の交渉のために州外から契約当事者または契約当事者たる法人の高級職員が自らの意思で来州した事実があれば足りるとされる。

第五は、所在財産関係による管轄である。国によっては被告の財産が自国内に所在するだけで自国の裁判管轄権を認める。最も極端な例が西ドイツとオーストリアにみられる。そこでは、ホテルに置き忘れたスリッパーに立脚した対人管轄権（"hotel bedroom slipper" jurisdiction）が成立する。このように、ほとんど価値のない物品の偶然的所在を原因とする高額な債務支払請求について裁判管轄権を認める例は過剰管轄（excessive jurisdiction）であるとして批判が強いが、西ドイツとオーストリアではこの原則が守られており、所在財産の価額と訴訟請求額の関係は考慮されず、また、当該財産の差押の必要もない。このような極端な形をとらないものの所在財産に立脚して裁判管轄権を認めるベルギーとオランダの場合には、当該財産の差押が手続上の必要条件とされる。

契約債権上の請求に関して、英国やフランスでは、債務者の一般責任財産の所在のみに立脚して対人管轄が認められることはないが、スコットランドでは英国と違いそれが認められる。また、米国では、一般に、自国（州）所在財産の差押を前提とし、当該財産の価額を限度として裁判管轄権が認められてきたが、近年、インターナショナル・シュー・カンパニー事件の判例に徴し、自州とのミニマム・コンタクトの存在が裁判管轄権成立の必要条件とされている。

第六は、訴訟との牽連関係による管轄である。英国最高裁判所規則一一条によれば英国裁判所は自国で係属中の事件に関係が深く、訴訟追行上不可欠かつ事件の一当事者たるべき者に、たとえその者が外国に所在していても、自国管轄権を行使しうるものとされる。具体的には、借主が自国裁判管轄権に服することを合意しているが、保証人が合意していないケースなどにこの管轄原因は有用となろう。

②わが国における裁判管轄権の考え方

わが国における裁判管轄権の決定基準については、すでに多くの研究が発表されているので、ここでは深くは立入らない。わが国には裁判管轄権に関する明文の規定は存在していないと解されている。従来、民事訴訟法の土地管轄の規定を準用し、あるいはこれから逆推して、裁判管轄権の存否を決定するという立場が有力に主張されてきたが、一条理法としての裁判管轄権の決定にあたっては、普遍主義の立場から検討されるべきであるとされる。つまり、渉外事件の争訟をどの国が裁判することが民事訴訟の理念的要請たる裁判の適正、公平、能率等に最も沿うことになるかという観点からする管轄権の国際的配分が基本となる。そのような基本から発して、財産関係事件に係わる裁判管轄についてわが国では具体的には次のような見解がとられている。第一に、国家および国家機関は、他国の裁判管轄権に服しないという国際法上の主権免除の原則が認められている（ただし、不動産を対象とする訴訟や外国が任意に応訴した場合には管轄権を行使しうるとする例外がある）。そして主権免除は国際機関にも適用される。第二に、「原告は被告の管轄裁判所に訴えを提起することを要す」（Actor sequitur forum rei）という古くからの管轄原則が認められる。外国法人の場合、日本に営業所があれば管轄権が認められるとする最高裁判例がある。第三に、不法行為地、不動産所在地、船舶所在地などが日本にあるときに、日本の裁判管轄権が成立する。第四に、日本が義務履行地であったり、財産所在地であったりする場合に、それが管轄原因となるか否かについては議論が分れている。まず、財産所在地の裁判管轄権であるが、当該財産が請求の目的物そのものであれば十分管轄原因たり得る。ところが、請求の内容とは直接関係のない債務者の一般責任財産の偶然的所在に基づき管轄権を認めるのは公平に反するとした判例がある。義務履行地による管轄については、義務履行地が契約準拠法を探究してはじめて決せられるようなものでなく、契約の内容上一義的に特定できる場合に認められるというのが通説的見解である。

③裁判管轄権の自制

国際的裁判管轄権が専属的または排他的にのみ認められる特殊な場合を別とすれば、渉外事件は通常複数の国の裁判管轄権に服する。たとえば、国際的貸付をめぐる紛争では貸主所属国、借主所属国、ローンの組成地など複数の国が裁判管轄権を持ち得る。そして各国とも自国管轄権の伸展に熱心であるのが一般傾向ではあるが、ロング・アーム・スタチュート（long-arm jurisdictional statutes）による管轄権の行使は裁判所により自制されることがある。ニューヨークおよびスコットランドにおいてはいわゆるフォーラム・ノン・コンビーニェンス（forum non conveniens）の法理が認められており、自国（州）法廷が当該紛争を審理するのに最も便利かつ自然（most convenient and natural）でなければその事件に関する裁判管轄権を行使しないとされる。しかし、米国における国際間の訴訟では米国の利益に反する場合この法理は適用されないとの報もある（坪田・二三三頁）。イングランドでも管轄域外所在の者に対して被告として召喚状を発する必要のある場合には裁判所は事実上このフォーラム・ノン・コンビーニェンスの法理を考慮するとされている。フォーラム・ノン・コンビーニェンスの法理はかように裁判管轄権の国（州）際的競合がある場合に当事者（原告、被告）の便宜と証拠蒐集の容易さなど裁判上の便宜を考量して最適法廷地を決めることであるが、国際貸付契約や国際債の発行に関しては実際上たいした重要性をもつものではない。なぜならば、国際貸付や国際債における借主は一般に大企業であり、世界のどこで訴追されても、個人借主のごとく応訴の便を欠くというような事情になく、被告保護の要請が発生し難いからである。また、通常、国際貸付や国際債の発行に際し、あらかじめ特定法廷地へ専属的管轄合意がなされる場合には、いざとなったときにフォーラム・ノン・コンビーニェンスの法理を持出してみても無力とみられるからである。

④合意管轄

国際金融や国際債の発行において、当該取引に関する紛争を付託すべき法廷地をあらかじめ当事者間で指定しておくいわゆる管轄合意がしばしばなされる。貸主は当該約定により、借主の所在地法廷のみならず指定された法廷地で訴訟を提起するオプションを確保しようとするものである。借主が国際的企業でその財産を世界各国に保有している場合には、判決の執行の便からみても、必ずしも借主所在国の法廷に訴え提起を要するものではないからである。

さて、管轄合意の自由が認められるとすれば、いかなる観点から法廷地の選択がなされているのであろうか。第一は、借主所在国ないし借主たる国からの介入を回避することにある。なぜならば、たとえ契約準拠法が外国法とされていても、借主所在国において訴えが提起されるとき、その地でたとえばモラトリアムが発動されているような場合には、訴えが係属した裁判所はその強行法規を適用せざるを得ず、貸主は借主所在国の立法に翻弄されることになるからである。

第二は、準拠法国と法廷地の一致がはかれることにある。むろん、準拠法と裁判管轄権は別の問題であり、現代諸国家においては、外国法を準拠法とした裁判は普通に行われるところであるが、両者を一致させておいた方がベターである。なぜなら、この場合外国法の適用に際して発生する自国法規との抵触、公序問題等に裁判所は煩わされることがなく、一番通暁している自国法の適用に専念できるので、当事者にとっても法の予測可能性が高まるからである。

第三は、当事者が信頼できる法廷地ないし法廷を指定できる点にある。当事者が信頼できるとは当該法廷地に内国人偏重保護や国内政策優先の傾向などが少なく公平な裁判が期待できるということであるが、それに加えて、国際金融に関する裁判経験が豊富で国際金融の実務知識が高いこと、仮差押や略式判決が利用できる制度をもつこと、証拠法の分野で煩瑣な手続が要求されないこと等が考慮される。なかでも、順当な期間内に判決が得られることが当事者にとって重要である。

第四は、主権免除（sovereign immunity）に関し相対的免除主義をとっている法廷地が選べるということである。借主が国家ないし国家機関である場合、当該国の法廷では自国政府財産に対する執行判決はまず与えられないから、貸主はその可能性のある国に合意管轄地をもっていく必要がある。英米両国とも、主権免除を明示的に放棄（express waivers）している契約にあっては自国内にある外国政府財産の差押を許容する（Wood, 60）。

争いが発生したときに、それを特定の法廷地へ係属せしめる合意を専属的管轄合意というが、それではそのような合意は各国の裁判所で認められるのであろうか。自国が専属的管轄合意地に指定された裁判所は、国際民事訴訟法に照らし、事案の自国への牽連性がありさえすれば、その合意を認めるのにやぶさかではないのが一般であるが、問題となるのは合意により管轄権の排除が意図された法廷地国でその効力が認められるかどうかである。

イングランド、フランス、ベルギー、西ドイツにおいては、管轄合意により自国法廷が排除され外国法廷が選択指定されることが一般に一定の条件付で認められる。イングランドの例でみると、外国法廷を管轄合意により指定するのが認められる要件として、①事案と法廷地の牽連性が強いこと、すなわち事案の重点（center of gravity）が当該法廷地にあること、②契約が外国法に準拠しており、法律問題につき争いがあること、③原告が外国法廷において、政治的に、人種的に、または宗教やその他の理由で不当な差別を受けたりする危険がないこと、等があげられている。

米国でも類似の扱いがなされており、当事者の一方が不当な影響力を行使したり、圧倒的な交渉力の優位を利したりすることなく、自由意思をもってなした国際的契約は合意管轄についても尊重される。

ところが、イタリーでは、外国法廷への管轄指定は契約が外国の人間ないし外国人とイタリーに居住せざるイタリー人の間に締結される場合にのみ限定して認められるにすぎない。なお、合意管轄条項が附合契約に含まれている場合には特別な問題がある。すなわち、社債発行に際し、合意管轄が決められていても、社債保有者は必ずしもその管轄条項に縛られることはないとされる（Wood, 70）。社債権者は社債発行者と社債発行条件の確定にあたり交渉の機会を与えられていないというのがその論拠であるが、この論理は国際的な消費者金融についても汎用性を持つことになろう。

次に、他国を専属的管轄地とする合意のわが国における扱いはどうか。「管轄の合意は訴訟行為的合意であり、かつ、問題が法廷地の裁判権の排除に関するものであるから、これを問題とする法廷地の国際民事訴訟法によって決定されるべき（大阪高判昭和四四年一二月一五日、判例時報五八六号二九頁）との考えに立って、事件の国際性および合理的国際慣行を斟酌しつつ条理により問題を処理するのが通説である。

なお、管轄合意の方式については、少なくとも当事者の一方が作成した書面に特定国の裁判所が明示的に指定されていて、当事者間における合意の存在の内容が明白であれば足りるとされる。

また、合意の有効要件としては「当該事件がわが国の裁判権に専属的に服するものでなく、指定された外国の裁判所が、その外国法上、当該事件につき管轄権を有すること〔最判昭和五〇年一一月二八日、民集二九巻一〇号一五五四頁〕」の二つが基本となるが、なお、具体的事件に即し、内外裁判所と当事者および事件との牽連の度合い、立証の難易、訴訟追行費用の多寡、判決の実効性ならびに管轄合意の目的の合理性等総合的に考量する必要があるとされる〔澤木編・争点一五四頁〔三ツ木〕〕。

⑤国際的二重起訴

国際金融契約の場合には、合意管轄地を複数ないし多数としておく例が多い。通常の場合、貸主が自分に最適な訴訟地を選べるとの動機に基づくものであるが、状況によっては、複数の国で同一の借主に対して同時訴訟を提起する根拠ともなる。借主の財産が複数の国に所在していたり、結審の早い国がどこか不明であったり、ある国では勝訴の見込があるが他の国では不明であったりする場合に、貸主にとってこうした必要があるのは否めない。国際的二重起訴とは、同一の訴訟物につき同一の被告に対して複数の国で訴えが提起されることであるが、二重起訴の場合の処理は各国民訴法により区々さまざまであり、一般化は困難である。イングランドの例をみると、貸主が国内および国外で借主に対して同時起訴をなした場合、裁判所は、貸主に訴訟地の一本化を要求するか、自国における訴訟を停止せしめるか、いずれかの途を採ることになる。貸主が内外法廷でいずれも原告である場合、イングランドの法廷は自国法廷での裁判を優先させる傾向があり、被告がこれに反論するためには、単なる応訴の不便をあげるだけでは不足で、濫訴であることの立証責任が課せられる（Wood, 71）。

わが国では、同一の当事者間の同一紛争について、内外の複数の裁判所で少なくとも実質的には目的を同じくする訴訟が行われるとすると、判決の抵触、複数の裁判所で応訴させられる被告の不当な負担、裁判所のコスト増大、等の弊害が生ずる恐れがあるとの見地から、この問題は、訴訟競合ないし二重起訴の禁止の問題として論じられている。そして、外国法廷に訴訟が係属している事件について、わが国で訴訟物を同じくする訴えが提起されたとき、その外国判決がわが国で承認される可能性がない場合には、わが国での訴訟を制限する必要はないが、外国判決がわが国で承認され得る場合には、わが国での二重起訴を制限すべきであるとされている。もっとも、わが国の従来の裁判例では、外国ですでに訴訟が係属している事件について、わが国で訴えが提起された場合に、民訴法二三一条にいう裁判所には外国裁判所は含まれないとの理由から、外国での訴訟の係属を無視して自国裁判を進める態度がとられている。

⑥仲　裁

国際金融契約の条件交渉に際して、当事者間で将来契約上発生しうる争いにつき、特定国の裁判管轄権に付すことに替え、仲裁に付すべきとの合意がなされることがしばしばある。国家の司法機関である裁判所によらず、私人である仲裁人をして紛争の解決を行わしめる仲裁制度は、たしかに国際商取引契約において有用性を認められてきた。仲裁の三大特徴とされる一回性

（finality）、商実務に通暁する専門家による事実認定と判断、非公開性はある種の国際取引につき訴訟よりも仲裁を優れた紛争解決手段としている。しかし、このことが国際金融取引についても同様に妥当するか否かは一考を要するところである。以下に国際金融にかかわる仲裁制度の得失を検討する。

第一は、一回性であるが、たしかに合意内容の解釈規定などについては、これがあると紛争の発生のつど裁定を経て契約内容の順調な実現をはかる上で至便であるが、貸付契約の場合にはさほどの意義を持たない。国際金融には通常巨額の資金が投下されることでもあり、貸主としてはむしろ上訴、上告の機会がある方を多とするのではないかと思われる。

第二は、商実務に通暁する専門家による仲裁判断が得られる点である。複雑な技術や特殊な商慣行が絡む契約上の紛争の解決については専門家の仲裁は有用であるが、国際金融契約に関しては複雑な技術的問題があまり絡む余地はない。また、ほとんどのケースが支払の履行の請求であって、事実の争いより法律上の争いが中心となる。しかも、現在では国際投融資関連の争訟解決に熟達した多くの裁判所が存在している。

第三は、仲裁の非公開性である。一般的には非公開性は貸主の利益に反することとなろう。なぜならば債務を履行しようとしない借主を公開裁判にひき込むぞといって圧力をかけるのが貸主のとっておきのカードになる場合が多いのが現実だからである。

裁判手続によることの利益が失われるという問題である。たとえば、事実に争いのないような問題につき仲裁に付属する途を選んだとすれば、裁判所における略式判決（summary judgment

米国における裁判制度で、事実に関する真の争点が存在せず、中立当事者が法律問題として判決を受けることができる場合に、陪審員を召集して事実審理をすることなく裁判官が判決を下す制度）をすぐ得られるメリットを貸主は失うことになる。

第五は、仲裁機関が特定されることである。通常、仲裁地、仲裁機関は特定されるので、貸主は合意管轄における法廷地選択のオプションないしフレキシビリティを持てない。

第六、仲裁手続に関するものである。一般論として、仲裁機関における証拠ルール、裁定手続は裁判所の証拠法、手続法ほどには洗練されておらず、その意味では仲裁判断の予測可能性は低いとみられる。また、当事者の一方が非協力的であると、迅速な仲裁裁定は事実上不可能となってしまう。

第七は、仲裁判断の執行に係わる問題である。仲裁は紛争の当事者の住所や財産が所在していない場所いわば中立の第三国で行われることがある。そして、仲裁判断に当事者が自発的に服する場合は問題がないのだが、そうでない場合には債権者は仲裁判断の執行判決を関係国の裁判所へ求めざるを得なくなる。そのとき、執行判決を求められた裁判所にとって、第三国で行われた仲裁判断をそのまま承認することは仲裁判断が本来、私人の裁定であるだけに、外国判決を承認する以上にむずかしいものと思われる。もっとも、「一九五八年外国仲裁判断の承認と執行に関する国際条約」が成立しているので、この条約批准国との関係では仲裁判断の執行問題にあまり重きを置く必要は薄れているともいえる。

第八は、国家などパブリック・セクターとの契約に関するものである。国によっては、自国ないし、自国の公的機関が外国の私人との間で契約を締結するにあたり、仲裁条項の規定を禁じたり、仲裁判断の執行を禁じたりするところがある（たとえばベネズエラ、Wood, 70）。

第九は、仲裁付託と仲裁手続の合意に係る問題である。仲裁条項が慎重に規定されていないと、いざ仲裁に付託しようという事態になってから、仲裁条項の効力、解釈につき紛争が発生したり、そもそも予定した仲裁機関が仲裁権限をもたないなどとの紛争が表面化する事例がある。

第一〇は、費用の点である。仲裁による紛争解決が裁判によるより一般にコスト安であるといわれているが、必ずしもそうでない。事案と法廷地によっては裁判による解決の方がずっと経費安で短時間で済むケースもあることに留意すべきである。

最後に仲裁判断の基準の問題がある。仲裁制度は裁判のように法の厳格な適用を要求するだけでなく、善と衡平の一般原則（ex aequo et bono）に準拠した判断を下すことも認めるものである。国際金融契約の貸主はむしろ契約の厳格解釈の方にメリットを感ずるのが普通と思われるので、この面でも仲裁の魅力は少なくなるのではないだろうか。

以上、一一項目にわたり、国際金融における仲裁の有用性につきコメントした。結論として、国際金融の貸主にとって仲裁条項を活用する場面はあまりないのではないかと思われる。

ただし、世銀やアジア開銀等の国際金融機関による金融契約においては仲裁条項が例外なく置かれている。その理由は、これらの国際金融機関が、各国の商業銀行と違って、条約によって成立した国際組織であることおよび借主もまた国家やそれに準ずる機関であることが多いことに求められよう。機関の中立性や主権免除の原則への考慮が働いているものと思われる。追加的な理由としては、これらの機関の目的が途上国の開発そのものにあり、必ずしも自らの収益確保を至上命題としておらず、また、国際法上の主体として外交交渉力を保有するから国家裁判所に事件の解決をゆだねる必要が少ないからだともいえよう。

⑦外国判決の承認・執行

先に述べた世銀・アジア開銀等国際金融機関による融資契約は別として、商業銀行による国際融資契約では、契約上の紛争解決に関し貸主所属国もしくは融資が組成された市場の属する国等へ管轄合意をなすことが慣行となっている。問題は管轄合意のなされた法廷地国での判決がその他の国でどう扱われるかである。もし、他国においても、当該判決が執行され得るものであれば、勝訴した貸主は借主の所属国もしくは借主の財産所在国で回収手続が容易となる。反対に承認されないとすると、財産所在地国で別訴を提起する必要が生じ、二重の手数となる。このように判決の承認は管轄合意決定にとって重要な前提条件である。しかし、たとえ外国判決を承認・執行すべきものとしても、主権の独立を基本原理とする近代国家にとって、外国判決の自国内執行が当然に許されるものではなく、自国裁判所による承認と執行の手続が前提となる。

諸国で行われる外国判決の承認の方法は大きく分けて四つのタイプがある。第一は、外国判決を訴訟原因として新たな訴えの提起をなさしめる方法、第二は、事件の実体に立ち入って審査した上でこれを承認するかつてのフランス、現在のベルギーで行われる方法、第三は、外国判決につき一定の要件が充足されていればそのまま承認する方法、第四は、条約により相互に相手国の判決を承認し合う方法である。

英国では外国判決を訴訟原因として内国での新たな訴えの提起を認める。もっとも、外国で敗訴した場合や外国判決がすでに充足されている、つまり、被告が判決に服した場合には、訴えの提起は認められない。

一定の要件が充足されていれば、外国判決をそのまま承認し執行判決を与える国がある。この場合、一定の要件の吟味が重要となる。ドイツおよびわが国はこのカテゴリーに入る。

次に、条約により加盟国判決の承認・執行を行い合うシステムがあるが、この目的で締結された条約には、民商事裁判管轄と判決執行に関するブラッセル条約（一九六八年、いわゆるEEC判決条約）、民商事外国判決の承認と執行に関するハーグ条約草案（一九六六年、いわゆるハーグ判決条約、未発効）等がある。

一国による単独立法にせよ条約によるにせよ外国判決の承認・執行については、一定の要件が課せられるのが普通である。その内容は国により異なるが、共通性の強い要件として以下のものがある。

第一は、判決国の裁判管轄権に関する要件である。判決国が当該事件に関し判決国法に照らし管轄権を有することは当然の前提であるが、承認国からみても判決国が国際管轄権を有していなければならないとされる。英国では、過剰な管轄権を行使した外国判決、たとえば、単に原告の国籍や住所に管轄根拠を置く外国判決は承認されない。原則として、被告が判決をなした外国へ管轄合意をしていたか、または、当該国に所在していたかが問われる。企業の場合であれば当該国内で相当の期間にわたり営業行為をなしていたかの事実が問われる。英国法はロング・アーム・ルールに立脚した外国判決の承認に関してはかように厳格である。前述のハーグ草案、ＥＥＣ判決条約のいずれもが、過剰管轄に立脚する外国判決の承認を制限している。ロング・アーム・ルールにリベラルである米国の統一承認法（U. S. Uniform Foreign Money-Judgments Recognition Act）においてすら通過中の者に対してなされた送達に管轄根拠を置く他国（州）判決の承認の可否は、裁判官の裁量で決すべしとしており、また、外国の裁判管轄権につき一般に寛容な態度をとる西ドイツ裁判所も通過中の者に対してなされた送達は十分な管轄根拠とみなさない。

ところが、明示の管轄合意の存在はほとんどの国で管轄要件を満たすものとみなされているので、その意味から融資契約や公社債契約においては裁判管轄条項が重要である。

第二は、裁判の公正度に関する問題である。公正な裁判が行われたことという要件は、しばしば外国判決承認の必須要件となる。判決の相互執行条約締結国間でもこれは要件とされる。公正な裁判とは具体的には正当な召喚手続がとられ、十分な弁論機会が与えられ、裁判上、自然法的正義の原則が守られたかどうか、裁判が詐欺や偽証に立脚していないか、適正な送達手続が踏まれたかどうかなどである。デュー・プロセス・オブ・ローの原則として知られるこのような要件は、米国では憲法修正第五条および第一四条にその根拠を発している。また英国では、連合王国一九三三年法第四条一項ａ－iiiが正当な送達手続につき規定する。西ドイツでは承認が求められた外国判決が公示送達に立脚してなされたものであれば当該国に十分な管轄権があったとはみなさない。民商事事件に係わる裁判上および裁判外の文書の外国での送達に関するハーグ条約（一九六五年）が送達手続に関する国際的な基準を示していると考えられるが、この条約の結果、フランスやギリシャにおいては民訴手続が改正され、送達受領官選代理人制度が廃されるに至った。

第三は、金銭給付判決への限定問題である。一般に、差止命令や特定履行の請求に関する外国判決は承認の対象とされない。国際金融に係わる紛争では給付の請求が主体となるからさほどの不都合はないと思われるが、融資契約の誓約条項（covenants）における質入禁止条項、資産処分制限条項、合併禁止条項等の違反に対する差止命令が欲しい場合には貸主にとって不都合が発生することになる。

第四は、確定判決でなければならないことである。英国および米国では控訴上告の可能性の残された外国判決を承認することが禁じられているわけではないが、裁判官は外国裁判が確定するまで自国の判決手続を停止させる裁量権をもつとされる。フランスでは外国判決が確定済であるか否かにかかわらず、当該外国で執行可能の状態になっていればよいとされ、ベルギーもこの例に倣っている。一方、西ドイツにおいては控訴・上告の可能性のある外国判決の承認・執行は禁じられている。

第五は、承認国の公序に反することがないかどうかの問題である。承認国の公序に反する外国判決は承認されない。一般に、大陸法系諸国の裁判所が公序を援用する傾向が強いとされ、外国判決が自国法規全体から導かれる結論と相違するときや自国強行法規に抵触するときには承認を拒否することが多い。

第六は、相互の保証に関してである。外国判決の承認に際し、当該外国が逆の立場に立った場合自国判決を承認するかどうかを要件の一つとする主義である。この主義にあまり合理性は認められないが、事実上の問題として把握しておかなければならない。

第七は、revenue law doctrine とか no tax claim doctrine とか称される主義に関するものである。一国は他国の徴税活動を助けずというのは国際的に広く認められたルールである。よって他国の徴税判決は承認されない。この主義を拡大して、いかなる国の裁判所も外国の公共的政策を実現、強制するための執行機関となる義務はないとすれば、裁判所は外国の財政法規を承認・強制すべきでないことになる。もっとも、国際融資契約上、源泉税の借主負担約定とか事後増税の借主負担約定とかは外国税務当局の徴税活動を助ける行為ではないから外国判決の承認要件とは無関係とみなされる。

第八は、外国判決の承認にあたり、事件の実体に立ち入って審査をするかどうかの問題である。英国では外国判決を訴訟原因として内国での訴えの提起を認めると既述したが、種々の条件が充足されている場合、外国判決の実体に立入った審査は行われない。ニューヨーク法廷も同様の立場をとる。しかし、ベルギー法廷は実体の再審を必ず実施し、イタリー法廷は外国判決が被告欠席による敗訴判決である場合には実体の再審を行う。カナダのケベック州法によると、外国裁判で提出された抗弁の再提出が許される。フランスでは一九六四年にそれまでとってきた実質審義主義（revision au fond）が判例により廃止され、外国判決が自国と同じ抵触法ルールに準拠している限りそれを承認するようになった。西ドイツでもかりに自国抵触法ルールを適用してみた場合自国当事者に有利な判決が導かれることはないかどうかをチェックするにとどめており、ルクセンブルクやスイスも同様に事案の実体審査は行わない。

わが国における外国判決の承認・執行についても研究が多いので、ここでは簡単に言及するに止めておく。わが国においては、外国裁判所の確定した判決であって、民事訴訟法二〇〇条各号の要件をみたしているとき承認される。

〔民事訴訟法二〇〇条〔外国判決の効力〕〕

外国裁判所ノ確定判決ハ左ノ条件ヲ具備スル場合ニ限リ其ノ効力ヲ有ス

一　法令又ハ条約ニ於テ外国裁判所ノ裁判権ヲ否認セサルコト

二　敗訴ノ被告カ日本人ナル場合ニ於テ公示送達ニ依ラスシテ訴訟ノ開始ニ必要ナル呼出若ハ命令ノ送達ヲ受ケタルコト又ハ之ヲ受ケサルモ応訴シタルコト

三　外国裁判所ノ判決カ日本ニ於ケル公ノ秩序又ハ善良ノ風俗ニ反セサルコト

四　相互ノ保証アルコト

外国裁判所とは外国において裁判権を行使する権限を有する司法機関を意味する。裁判権を行使するという実質的な機能があれば名称は問題ではない。私法上の争訟に関するものであれば、わが国の特許庁や公正取引委員会に相当するような準司法機関でもよいとされる。確定判決とは判決言渡国の手続において、通常の不服申立の方法が許されなくなった判決、つまり、終局判決を意味する。一号の趣旨は、判決を下した外国裁判所が当該訴訟事件に関して、わが国の国際民事訴訟法の規則（明文となっているかどうかは別にして）に従い裁判管轄権を有していることである（「わが国における裁判管轄の考え方」（二五八頁参照））。二号は敗訴の被告が日本人である場合の内国人保護に関する規定である。第三号の公序則の適用範囲については外国判決の主文のみならず理由にも、また、判決の成立手続にも及ぶとされている。第四号の「相互の保証」とは判決言渡国がわが国判決を承認する際、わが国と同等ないしより緩和された条件でそれをなすことを要件とするという意味に解されてきたが、最近では、外国における判決承認の要件が、わが国で定める要件と重要な点において同じであり、実質的にはほとんど差がない程度のものであれば足りるとされるようになった（最判昭和五八年六月七日）。

次に外国判決にもとづきわが国で強制執行をなすためには、民事執行法二四条によって執行判決を得なければならない。

〔第二四条〕

①外国裁判所の判決についての執行判決を求める訴えは、債務者の普通裁判籍の所在地を管轄する地方裁判所が管轄し、この普通裁判籍がないときは、請求の目的又は差し押えることができる債務者の財産の所在地を管轄する地方裁判所が管轄する。

②執行判決は、裁判の当否を調査しないでしなければならない。

③第一項の訴えは、外国裁判所の判決が、確定したことが証明されないとき、又は民事訴訟法第二百条各号に掲げる条件を具備しないときは、却下しなければならない。

④執行判決においては、外国裁判所の判決による強制執行を許す旨宣言しなければならない。

執行判決を得るための要件は、第三項にあるように、外国裁判所の判決が確定したものであることと、民事訴訟法二〇〇条の要件が充足されていることであり、その他の点については、二項により、実体に立入った審査はなされない〔澤木・一沢〕。

3　国際金融取引と準拠法の決定

①抵　触　法

国際金融の法的側面の複雑さ、むずかしさは複数の国家法が関与するためである。一例をあげてみよう。米国、英国、カナダ、ドイツ、フランス、日本、クェート各国の商業銀行がシンジケートを組成してタイ国借入人（タイ石油公社）へユーロ・ダラー融資を実行することとし、融資契約書（loan agreement）においていわゆる契約準拠法（governing law）が英国法とされたとする。ここで関係すると思われる法は、まず借入人の所属国法であるタイ国法、貸出人の所属国法である米、英、加、独、仏、日、クェートの各国法に加え、融資通貨所属国かつ支払地国である米国法、契約準拠法国とされた英国法があげられる。これらの各国法がいかなる範囲で、またいかなる程度で、当該融資取引を規律するものであるかは一見して明らかというわけにはいかない。契約準拠法として英国法が指定されているからといって、取引の全局面が英国法で規律されるものでもない。このような国際取引において、どこの国の法が取引のどの局面を規律するのかを定めるものが国際私法（private international law）ないし抵触法（conflict of laws　衝突法とも訳される）といわれるものである。

換言すれば当事者が二ヵ国以上にわたっている国際取引において紛争が発生し、法的解決が求められた場合、当該事件を裁判する基準つまり準拠法を決定し、決定した準拠法（自国法のときもあれば、外国法のときもある）に照らして裁判を行うことになるが、この準拠法決定と適用ルールが国際私法ないし抵触法であるともいいうる。前掲の事例において、タイ国借入人（タイ石油公社）が適法な借入権限を持っていたか否か（たとえば当該公社が特別法に準拠して設立された法人であってその特別法で借入額の上限が決められていたり、借入については大蔵大臣の認可が要件とされていたりする）が事後的に争われるような場合、判断の準拠法とされる法は契約準拠法たる英国法でなく、ほぼどこの国の抵触法の上でも、タイ国法とされるのは間違いはなく、同法に照らして借入権限内であったかが判断されることになる。また、担保物権が設定されるような場合には、それも独自の準拠法決定がなされることになる。このように渉外事件（当事者、訴訟物等について複数の法秩序の関係している事件を渉外事件という）の裁判に際しては、判断過程がつねに二段階（準拠法の決定と決定された法の適用）になっていることを理解しておく必要がある。しかも、抵触法は世界各国国ごとに独自に定められており、そのことが事をいっそう複雑にしている。また、国際金融取引の盛行にともない、近年各国の抵触法における学説進化、立法の動き、判例の蓄積が著しくなっているが、いずれも単純化の傾向をみせるどころか、むしろ多様化の途をたどっているように観察されるのは国際取引の当事者にとって頭の痛いところである。以下、本章では抵触法の各部門のうち、国際金融にとって最も重要な契約準拠法の決定を中心に取扱うこととする。

②契約の準拠法たりうる法

国際金融契約を成立せしめ有効ならしめる法的基盤は当該契約の準拠法である。いかなる契約も当事者間の約束事項だけに準拠しては成立し得ないのであって、何らかの外部の客観的な法に準拠しなければならない。では、そのような法、いいかえれば契約準拠法たりうる法とはどのような法かということになるが、簡単にいうと、それは各国の国内法と国際法である（準拠法としての国際法については二九五頁参照）。国家の中には不統一法国があり、そこでは地方によって行われる法が異なる。したがって、そのような場合、準拠法の決定にあたって対象とする法をさらに特定しなければならない。後述する準拠法指定にあたっては、日本やフランスのごとき単一法国家については、「日本法」「フランス法」で十分であるが、米国や英国のごとき不統一法国家の場合、「ニューヨーク州法」とか「イングランドの法（English law）」とかの形で指定をなす必要がある。

③準拠法と裁判管轄権

裁判管轄権については二五三頁以下で述べた。準拠法と裁判管轄権は密接な関係にあるが、しかし、独立した問題である。つまり、ある渉外事件が裁判所に持込まれたときに、当該裁判所がその事件を裁判する権限があるか否かを決するという問題が裁判管轄権の問題であり、それが有りと決せられたとき、次に、事件を裁判する判断基準たる準拠法が求められることになる。そして、その準拠法は法廷地国の抵触法規定に従って、外国法のときもあれば法廷地法たる自国法のときもあるのである。

ところが各国の抵触規定の内容は法廷地によって大きな差異があり、この差異に着目して、訴えの提起に際し、原告は自己に有利な判決が得られそうな法廷地を漁ること（forum shopping）がおこりうる。

④当事者の準拠法選択要因

国際金融契約の当事者に契約準拠法選択の自由が認められるとした場合（準拠法選択の自由に関しては次節で詳述する）、いかなる要因から特定の準拠法が選択されるのであろうか。選択の対象となり得る法としては、①借入人の所属国法、②貸出人の所属国法、③ユーロ・ダラー市場、ＡＣＵ市場等の市場国法、④当事者にとって中立な第三国法、⑤国際法、等が考えられる。当事者にとって自己が通暁しており自己の権利を最大に保護してくれる法が望ましいのは当然であり、貸出人、借入人とも自国法を、契約の準拠法にしたいと思うのが一般であろうから、利害の対立が生ずる。そうした場合、たいてい貸出人の意向が通っているか意向に添った妥協がなされているのが実情のようである。なぜならば、融資契約成立前では貸出人のバーゲニング・パワーが借入人に勝るのが通常であるからである

準拠法選択にあたって、法律外の要因が働くことも見落とせない。具体的には、当事者の威信、面子、愛国心とかが大きく係わってくるときがある。しかし現実問題として、国際金融に使われることの少ない国法を準拠法に選定することは契約書作成のための事前調査に多大の時間と費用を要し能率的でない。また、通暁度の低い国法を準拠法とした場合、当該金融における貸出銀行

や投資家は自己の債権保全に確信が持ちにくくなる問題がある。

国際金融の債権者の立場に立って考えてみると、第一に、選択されるべき法は国際金融取引の実態を十分カバーし、かつ安定した法でなければならぬということである。国際金融の技術面の進歩は日進月歩の感があるが、それにともない新しい型の契約も次から次へ発生する。取引の進化に適合でき、当事者にとって法適用の結果が予測可能でかつ整備された法である必要がある。また、政治的に安定し、裁判上の公正を重んじる伝統を持った国の法が望ましいのは自明である。第二に、選択されるべき法は、まさかの事態に備えて、強制執行を円滑に実行可能ならしめる法であるべきである。この目的からみると、借入人はその資産を自国に存置しているのが通常であるから、最終的に執行判決を求めにいく法廷地国たる借入人所属国法を準拠法と指定することにも一理あることになる。そうしておけば、裁判所は自国法のみに基づき容易に判決が下せるからである。もっとも、この考えには反論がありうる。まず、おおかたの国際金融にあっては借入人が自国以外の国に資産を保有しているケースが多いだろうから、そこで提訴すればよいではないかとする反論と、借入人所属国へ執行判決を求めざるを得なくなっても「外国判決の承認と執行」が一般に制度化されている以上、それはさほどの難事ではないとする反論である。こうしてみると、結論としていえることは、借入人の資産保有状況や借入人所属国の裁判制度とかの個別事情に係わるところが大きいから、それらの事情をよく踏まえて選択すべしということになる。第三に、準拠法は、当該国際金融契約が借入人所属国における法改正や立法の形をとる政治的介入の影響をできるだけ被らないような見地から選択されるべきだということである。端的にいうと、そういう恐れがある場合には、借入人所属国法を準拠法として選択するのは回避した方が賢明である。借入人所属国法を準拠法とする国際金融契約において、借入人所属国が、モラトリアムを発したり、金利減免立法をしたり、あるいは対外債務の返済を現地通貨払に限定するような措置をとった場合、それらの効果は当然かつ直接的に当該契約に及ぶと考えられるからである。むろん、借入人所属国法以外の国の法を準拠法にしたからといって前述のようなリスクが全面的に回避できるというわけではない（二七頁参照）。

⑤当事者自治の原則

契約の準拠法を当事者の意思に従って決定する原則を当事者自治の原則という。契約準拠法の決定については、従来、客観主義と主観主義とが対立してきた。客観主義とは、契約準拠法の決定にあたって、契約関係を構成している客観的な要素（当事者の国籍、住所、契約締結地、契約履行地、目的物の所在地等）を連結点として利用しようとするものであり、主観主義とは、契約準拠法の決定を当事者の意思によらせるものである。契約関係は主として当事者の意思によって形成される関係であって、人工的、作為的性格が強いから、具体的な場合に応じた準拠法の決定を当事者の合理的な期待にまかせた方が、当事者の期待を保護し実現するとの見地から、また、おおかたの場合、契約の締結地、履行地、当事者の住所等の連結点の拡散がみられ、とりわけ優越する連結点を認識し難いという事情もあって、主観主義が当事者自治の原則の名で広く各国の法制で採用されるところとなっている。ただ、当事者自治の原則が無条件で容認されているわけではなく、各国ごとに種々の修正ないし制限が加えられている。

では、当事者自治原則に対する修正ないし制限が各国でどのようになされているのか概観してみることにする。

第一に、選択される準拠法は当該契約と何らかの合理的な牽連性をもたねばならぬとする説がある。たとえば、契約の交渉地・締結地、当事者の住所、融資代金の調達地、支払の履行地、債券の上場地等当該契約となんらかの関係にある地の法に準拠法選択の範囲を限定しようとするものであり、これは量的制限説といわれる。しかし、この論拠のみに立って、当事者が選択した準拠法が否認された例はあまりない模様である。現に、国際的な傭船契約においては契約と牽連性が一切ない国の法であっても準拠法として取引規律の利便性をもっぱらの理由として採用されている実情にある。

第二に、当事者による準拠法指定の自由を任意法の範囲に限定すべきだとするいわゆる質的制限説がある。

第三に、法律回避を目的とする準拠法の指定が否認されるケースがある。契約のいわゆる otherwise applicable law（当事者の明示的な指定がない場合抵触規定により客観的に準拠法とされる法）によれば当該契約がその強行法規に服すべき場合に、その強行法規を潜脱する意図で他の準拠法を選択することは許されぬとする国がある。米国、豪州、フランス等に判例がみられ、とくに米国において事例が豊富である。英国の裁判所も基本的に同じ立場にあると思われる。ここでいう強行法規としては、利息制限法、貸金業法、不買同盟法等があげられる。弱者保護の見地から立法される消費者金融法も該当するが、国際金融取引とは関係する局面が少ないと思われる。

第四に、国家契約（state contract）の場合、準拠法選択の余地を認めない国がある。国家契約とは、国家と他国の私人との間に成される契約であるが、ベネズエラ、コロンビア、サウジアラビア等憲法上の規定等によって、そのような契約の準拠法は自国法でなければならないとされるものがある。

第五に、準拠法指定の自由を制約するものではないが、場合によっては結果的に指定した準拠法が無視される事態がありうる。その場合とは、当該準拠法を適用すると法廷地国の公序良俗に反する事態を招くことになる場合が一つ、法廷地または第三国に絶対的な強行法規があってそれを適用せざるを得ない場合が一つである（この問題は第4節で論及する。石黒四三頁以下）。

これに対して、わが国では、法例第七条第一項「法律行為ノ成立及ヒ効力ニ付テハ当事者ノ意思ニ従ヒ其何レノ国ノ法律ニ依ルヘキカヲ定ム」の規定により当事者自治の原則が明示的に規定されているので、当事者による準拠法指定自体を制限すべきだとの見解は受容されない。したがって前に述べた「量的制限説」「質的制限説」「法律回避行為の禁止説」等は採られず、当事者は、法廷地の公序良俗に反しない限り、自由な意思に基づき、いずれの国の法をも準拠法として指定しうるとされている。しかし、そのように自由に選択された準拠法のみが当該契約関係を規律するものではないという形で、実質的に当事者自治原則の修正が行われている。社会・経済秩序の維持、取引の保護、経済的弱者の保護等の見地から、国家は外国為替管理、金約款の禁止、利息制限等の強行法規を制定し、契約の自由に制限を課しているが、このような公法や強行法規は契約準拠法とは別の次元から自らの適用を迫ってくるものであるから、それを認めなければならないという見解がある。このように、当事者自治の原則を前提としながら、当該契約の成立および効力に関する範囲で法廷地の強行法規の適用を認め、当事者の選択した法の適用に制限を加えようとする見解は、公法の属地的適用の理論として、わが国で受容されるところとなっている。

さらに進んで、法廷地の強行法規にとどまらず一定の状況にあっては、第三国の強行法規をも適用すべきであるとの見解が「強行法規の特別連結の理論」の名で主張されているが、その説明は専門書に譲りたい（澤木編・争点九八頁〔山田〕、二八～二九頁〔山本〕、石黒・五〇頁以下）。

⑥当事者による指定がないときの扱い

ユーロ・シンジケート・ローンやユーロ・ボンド等の正式な契約書においては準拠法条項が置かれるのが通常である。しかし、場合によっては、準拠法を意識することなく書信の交換だけで国際融資がなされることもあり得る。また、借入人が政府機関で憲法上の制約や威信保持の見地から外国法を準拠法とすることに同意せず、妥協策としてあえて融資契約上、準拠法の明示がなされない場合もある。

このような準拠法につき明示の指定がない契約に関し、どこの国の法を準拠法とすべきかを確定する方法は各国ごとに抵触法により定められているが、この点について、各国にわたる統一されたルールはない。むしろ種々の理論が主張され混迷状態にあるとさえいえる。

以下、各国で採られている扱い方につき概観し、末尾にわが国における状況につき述べる。

〔黙示意思の推定〕

契約準拠法に関し当事者自治の原則が認められている結果、融資やボンド発行の契約書上、準拠法の指定が明示されていない場合でも裁判所は、通常契約書上、当事者が特定国法を適用すべく意図していた証左がないかどうかをチェックする。そこに、自国法廷への裁判管轄付託合意や自国を仲裁地とする表示があれば、大抵の裁判所は当該契約に自国法を準拠法とする黙示意思があると推定する。たぶんニューヨーク州でも自州法適用の大きな誘因となると思われる。英国、イタリー、フランス、ドイツ、スカンジナビア諸国でこの扱いがとられる。

黙示意思の推定の手懸りとされるその他の要素としては、使用言語、特定国に固有の専門用語、特定国法令の言及とかがあげられるが、金融の国際化に伴い、これらの事項は各国関係者に共有される傾向にあるから、強い手懸りとはみなされなくなりつつある。契約書上に当該契約がある特定の国において締結されたと記載がある場合には、その国の法が準拠法とされるかなり有力な材料となりうる。

〔重点理論〕

黙示意思の推定ができないとき、多くの国の裁判所で重点理論による解決方法が採用されている。重点理論（centre of gravity theory）とは、はじめは、米国判例法により発展したものであるが、個々の法域ごとに、それが当事者および係争事項について有する連結関係を系列的に集合させ、個別的事案と各法域の連結関係の粗密の度合を衡量することにより、最も密接な関係を有する法規を発見しようとする方法である（澤木編・争点三四頁〔本浪〕）。そこでいう連結関係とは連結点を媒介とした法域と事案の結びつきの関係であり、連結点は、支払通貨の種類（米ドル、英ポンド等）、当事者の所在地、融資資金の調達市場所在地、支払履行地、契約の交渉地、契約締結地、債券の上場地、証券現物の所在地、等々である。重点理論の中核部分は連結関係の粗密の度合の衡量にあるが、実際の問題となると、法廷地での裁量に左右されるところが大きいといわざるを得ない。諸判例からみると、裁判所は連結関係の集中度合を単純計算で測って判断するのではなくて、質的判断を加えるのは確かである。たとえば契約締結地などは、当事者によって容易に変えられるから、あまり重要度が与えられないとされる。となると、重点理論の難点は、抵触法の大きな目的である法適用の予測可能性確保を減じかねないというところにある。事実、カナダの借入人がユーロ・ダラー・ボンドをロンドン市場で発行し、スイス、クエート、ドイツの証券会社によりマネージされ、ルクセンブルクとシンガポールの証券取引所へ上場されたような事例を考えると、連結点の拡散が著しく、重点理論をもってしても、どこの地との連結関係が一番大であるのかほとんど判断ができない（Wood, 12）。

ともあれ、重点理論は現在、他の理論に比較して妥当性が高いことをもって多くの国で採用されている。英国、フランス、ドイツ、スイス、スカンジナビア諸国、ギリシャ、ハンガリー等の国がそうであり、政策利益理論への傾斜を強めながらも基本的にはニューヨーク州の採るところとなっている。

〔米国における政策利益優先諸理論〕

米国においては、固定的連結主義やそのままの形での重点理論は、輩出した改新的な学説により斥けられているのが実情である。諸学説は、法廷地法優位主義（forum preference）、政府利益の理論（governmental interest analysis）、結果選択主義（result-selective principle）、等の名で知られる。これらの学説の内容は以下のように要約できよう（折茂豊・国際私法講話〔昭五三年〕一五四頁以下）。

渉外的事案の解決にあたって法廷地法がその適用を欲しているときは、当然に法廷地法が適用され、しからざるときのみ、外国法が適用されるとするエーレンツヴァイク（Ehrenzweig）の法廷地法優位主義。

抵触法問題の処理にあたっては、まず関係各国（州）の法規に内在する法律政策が当該事件を包摂するかどうかを確認し、二ヵ国（州）以上の法規が真正に事件と関連するときは、法廷地の政府政策からみて、その規律につき政府利益（governmental interest）を有する国（州）の法が適用されるべきであるとするカーリー（B. Currie）の政府利益の理論。

渉外的事案は、これに関連を有する複数の国（州）の法のそれぞれを適用するときに、いかなる結果がえられるかを比較検討し、結果が最も正当と思われるいずれかひとつの法を選んでそれを準拠法として、解決されるべきであるとするケイヴァース（Cavers）の結果選択主義。

サヴィニー以来の伝統的抵触法が、最も密接な関係にたつ法体系への連結という一義的価値によって抵触規定の定立を試みていたのに対し、米国ではこのように、抵触している法規のうち、どれがその制定目的に照らして、具体的事案に適用されるべき最も強くまた正当な利益を有するかを問うアプローチがとられるに至っているのである。

〔抵触法第二リステートメント〕

以上に説明した諸学説は、一九七一年の米国抵触法リステートメント・セカンドに重点理論と折衷する形で採用されている。因みに、一九七〇年代以降のニューヨーク州の裁判所では、従来の重点理論、政府利益の理論、抵触法リステートメントの原則の三者のうち、どれに依拠すべきか気迷いの風が伺われるようである（Wood, 14）。

リステートメント第六条は、法抵触の解決にあたり、考慮されるべき基本事項を以下の七項目としている。

①州際的および国際的秩序の要請
②法廷地の法律政策
③関係他州（外国）の法律政策および当該事案の解決に係わる関係他州（外国）の利害
④正当な期待の保護
⑤各個の法分野の基礎となっている基本政策
⑥法的安定性、適用結果の予測可能性、統一性
⑦準拠法の決定と適用の容易さ

これらの原則を踏まえて、一八八条に、当事者による準拠法選択のない場合に対する準拠法決定のルールを以下のように定めている。

①契約上の紛争問題に関する当事者の権利と義務は、その問題に関し、第六条の原則に照らして、当該取引と当事者に最も重要な関係（most significant relationship）を有する州（国）の

法に準拠して、決せられる。

②当事者による有効な選択のない場合、第六条の原則に従って、事件に適用されるべき法を決定するに際して、考慮される連結点は、契約締結地、契約交渉地、履行地、契約の目的物所在地、当事者の住所・居所・国籍・会社設立地・業務執行地等を含む。

　これらの連結点は個々の争点との関連でその各々が有する重要度の程度に応じて軽重を評価されねばならない。

③もし契約交渉地と履行地が同一州（国）であれば、一八九条から一九九条までおよび二〇三条に別段の定めのない限り、通常当該州（国）の法が準拠法とされる。

当事者による明示指定がない場合の契約準拠法決定ルールは以上のとおりであるが、ひるがえって、明示指定がある場合でも、当該事案に他州（国）が重大な政策利益を有する場合には、それが否認されるときがある。リステートメント一八七条二項(b)において、客観的連結によって定められた法（当事者の指定がないと仮定して、前述一八八条の方法で決定される法、いわゆるotherwise applicable law といわれる）の所属州（国）であって当該問題を処理する上でより大きな利害を有する州（国）の基本政策に反する場合には、当事者の法選択はその州（国）の任意法の枠内でのみ機能すると定められているからである（石黒・四六頁）。

　抵触法リステートメントは、新旧理論のごた混ぜであり思想の統一性を欠くとか、争訟事案ごとのアプローチをなすから個別妥当性は期せられるものの予測可能性に欠けるとか、また、州際間事案にのみよく適合する抵触法規で国際案件には向かないとか、はたまた、政策利益を重視するところから牴触法の本来的理念を逸脱するものである、との批判を浴びている。しかし、前に述べた重点理論、米国諸学説とともに裁判所の依拠する基準とされているのは実情であるから、実務上よく理解しておく必要がある。

〔固定的連結主義〕

この主義は、特定の連結点を媒介にして機械的に契約準拠法を決定する方法をとる。通常利用される連結点は、国籍、常居所、契約締結地、契約履行地等である。かつて、英国や米国でも契約締結地が準拠法の決定基準とされたことがある。しかし、契約締結地は人為的に移すことができるし、また、隔地者間契約の場合、どちらの国が締結地となるか国によって規定が異なるという問題がある。たとえば、英国では承諾の発信地が締結地とされるが、ドイツやスイスでは受信地とされる。

契約履行地をもって準拠法を定める国もある。一般に、締結地より偶然性が低く、契約との関連度はより密接であるから、この方法の方が優れているとも考えられないではないが、国際的なボンド発行などの場合には、履行地が複数となるから、うまくあてはまらない。

客観連結の基準として契約締結地を採用する諸国は、スペイン、ポルトガル、オーストリア、台湾等である。エジプトとモロッコは黙示意思の推定ができないときの連結点の優先順位を、①当事者の国籍・住所、②契約締結地という風に定めている。ソ連も一九六一年に契約締結地を連結点に採用した（Wood, 17）。

メキシコ各州とチリは、契約履行地をもって第一義的連結点としている。因みに、一九四〇年モンテヴィデオ条約はまず契約履行地を、それが確定できない場合は契約締結地を連結点にすると規定している。

〔単純な自国法主義〕

発展途上国で渉外契約関係等がほとんど発生をみなかった国にあっては、抵触法規の概念そのものを欠く場合がある。そうした国の法廷においては、単純に自国法の適用がなされうる。抵触法以前の問題である。

〔有効的解釈の原則〕

「およそ事物は、これを無効ならしむよりは有効ならしむべし」との法諺がある。この原則を渉外契約関係にあてはめ、債権債務関係に入ったとの当事者意思は尊重されるべく、関連法規中当該関係をあるものは有効視し、あるものは無効視する場合、有効視する法規を選択するという原則である。

〔国家契約〔state contract〕に関する学説〕

すでに述べたように、国家と他国の私人との間の契約については、種々の事情から準拠法が明示指定されないケースがある。

国家といえども、たとえば外国投資家課税に関連した行政契約（特定資源開発投資についての優遇課税措置）のごとき主権行使としての契約は別として、通常の商行為上の契約をなす場合には、抵触規定によって定まる準拠法の規律に服するとするのが、欧米法域で一般に認められている考え方である。もちろん、抵触規定の適用上、借入人が国家である場合には、それ自体が一つの連結素として扱われうる。そして、たとえば、当該借入が国家の徴税権でもって担保されているような契約があるとすれば、そのことが準拠法を借入国へ送致する大きな要素とみなされる可能性がある。

他方、ソ連および多くの社会主義諸国においては、国家が契約当事者となる場合には、当該国の法が準拠法とされなければならないという見解がとられているようである。

また、コロンビア、ベネズエラ、サウジアラビア等、国家が契約当事者となる場合に、憲法上の定めにより外国法を準拠法とすることを禁じられている国がある。こうした国家との契約上の紛争が当該国以外の法廷に持込まれたとき、当事者国の事情は重要な要素として衡量されるであろうが、必ずしも、決定的な要素とはならないと思われる。

各契約の個別事情により契約準拠法の明示指定が困難な場合であって、しかも、ある特定国法に準拠させる必要がある場合、以上にみたような客観連結の諸準則を考慮して、契約を作成することが有用であろう。すなわち第一は、望ましい国の法廷へ紛争発生時の裁判管轄付託につき合意し表記すること、第二は、契約中に望ましい国の法制度に特有の法律専門用語を使用したり、当該国法令の引用を行うこと、第三は、契約に関し、交渉地、調印地、支払履行地、ブッキングの地を望ましい国にできるだけ集中せしめること、等である。

〔わが国での扱い〕

わが法例七条二項は、「当事者ノ意思カ分明ナラサルトキハ行為地ニ依ル」と定めている。当事者間に明示の準拠法指定がなかった場合でも、ただちに、本項の「意思分明ナラサルトキ」と解釈すべきでなく、契約の内容、性質、当事者、目的物その他の具体的事情を考慮して、当事者の契約準拠法決定に関する合理的意思を推定し、黙示意思による指定を認めるべきだとするのが一般に認められた原則となっている。黙示意思の探究は個別的、具体的事情を考慮してなされるべきだとされるが、そのテクニックは二八六頁に述べた諸外国における方法と共通するところが多い。

当事者の黙示の意思による指定があったと判断することができない場合、法例七条二項が適用され、「行為地法＝契約締結地法」が準拠法となる。異法地域者間の契約の場合、契約締結地をどこに定めるかという問題があるが、法例九条二項の規定「契約ノ成立及ヒ効力ニ付テハ申込ノ通知ヲ発シタル地ヲ行為地ト看做ス若シ其申込ヲ受ケタル者カ承諾ヲ為シタル当時申込ノ発信地ヲ知ラサリシトキハ申込者ノ住所地ヲ行為地ト看做ス」による。ところが、取引の実際では、国際電話やファクシミリ、テレックスなどの国際通信手段により、当事者双方からの契約草案の提示など、紆余曲折した交渉を経て、契約が成立に至るのが普通であり、申込に対する承諾というシンプルな形で契約が成立することはまずないから、申込の発信地を確定するのは極めて困難で、本項の規定は実際にはワークし難いのではないかと思われる。

行為地（契約締結地）が確定し難いか行為地に法がないケースもあり得る。グレイハウンドのバス中で契約が締結され、その時点にバスが何州を走行中であったか不明のケース、法のない南極大陸上で契約が締結されるケース等である。あまり発生するケースでもなさそうであるが、そういった場合には、当該契約関係における具体的諸事情を勘案して、行為地法以外の準拠法を定めるべきだと説かれている。

⑦非国家法の準拠法指定

国際的な融資契約や債券発行、コンセッション（利権契約）等において、その準拠法として、国家法ではない法ないし法概念が指定されたり援用されたりすることがある。国家法ではない法ないし法概念とは、国際（公）法、国際法の法源ともいわれる「文明国が認めた法の一般原則（国際司法裁判所規程三八条一項ｃ）」、善と衡平の原則（ex aequo et bono）、商人法（lex mercatoria）等である。

まず国際（公）法であるが、その法源は条約と国際慣習法であるとされ、それに「法の一般原則」と国際司法裁判所の判例、最も優れた法学者の学説を加える見方もある。「文明国が認めた法の一般原則」は国際法の一般原則であるとか、文明諸国の国内法に共通して見出される法原則であるとか、またはその両方であるとか説かれるのであるが、国際司法裁判所の裁判官や国際仲裁にあたる仲裁人は、自分が通暁している自国法体系の基本原則に照らして、この「一般原則」を考える傾向が強いといわれる。

善と衡平の原則は仲裁の際に援用されることの多い原則である。国際司法裁判所規程三八条二項においても、当事者の合意があれば、この原則に従って仲裁判断をなし得ると定められており、また、世界銀行の「国家と他の国家の国民との間の投資紛争解決条約」の四二条三項においても、当事者が合意した場合には、この原則に基づく仲裁が認められている。善と衡平の原則といっても、それは不文であり、具体的内容は裁判官や仲裁人の観念・感覚による裁量次第の度合が大きいといわざるを得ない。

商人法は、中世における欧州各国の商人間で行われた国家法から独立した仲間内の取引規範を指し、その規範に準拠して商人間の紛争が裁かれた（今の意味で仲裁された）ものであるが、現代においても、国際商取引を規律する超国家法（トランス・ナショナル・ロー）原則としてその復活を唱える説がある（たとえば、喜多川篤典・国際商事仲裁の研究〔昭五三〕）。実際上、これがlex mercatoriaだと指し示すことのできる法規が存在するわけでなく、各国における商取引関係法規が徐々に統一方向を示しつつあり、なかでも、国際契約を規律するにあたって、各国の司法態度が共通の方向に向かいつつある傾向を指摘した一般的表現と理解されるべきであろう。

〔準拠法としての国際（公）法〕

国家間の借款は国家間の関係であって、その契約はいわば条約であるから、当然に国際法の規律対象となる。国家と国際法上の主体性が認められる国際組織との間の契約、たとえば世銀融資についても同じである（ジュリスト六八一号一四七頁）。ところで、商業銀行の外国政府、外国政府機関等に対する融資契約においても準拠法の指定が「国際法」ないし「法の一般原則（the general principles of law recognised by civilised nations）」とされるケースがある。この場合、特定国の国家法を意味せず、国際（公）法ないし国際（公）法の法源たるべき原則を準拠法として採用したものと理解される。

このような、私人の外国国家に対する国際投融資契約において、国際（公）法ないしその原則が準拠法として採用されることを、諸国の司法機関は普通容認する（Wood, 21）のだが、法廷地に当該準拠法の規律を排除する強行法規が存在するような場合、つまり国際（公）法と国内法の抵触が発生する場合には、どのような扱いとなるのであろうか。裁判所は、自国憲法の規定に照らして適用の優先を決めざるを得ないこととなろう。因みに、各国における国際（公）法の国内的効力の位置づけをみてみると、英国では、憲法慣行上、法律に抵触しない範囲で国際慣習法の国内的効力を認める。つまり、法律優位を認め、米国では連邦憲法六条二項において、条約の州の憲法および法律に対する優位を明示し、判例上、条約は連邦の法律と同等であり、両者の効力関係を「後法は前法を破る」という原則で処理することが認められている。ドイツにおいては、国際法の一般規則は連邦の法律に優先すると憲法に規定され、フランスでは、第五共和国憲法により正規に批准されまたは承認された条約が国内法に優先する原則を相互主義の留保つきであるが認めている。わが国憲法には明文の規定がないが、条約および確立した国際法規（国際慣習法）の誠実遵守を規定した九八条二項の規定からして法律に対する優位が一般に承認されている（小田滋・石本泰雄・寺沢一編・現代国際法五五頁）。

〔国際（公）法の実用性〕

国際（公）法が国際金融契約の準拠法として指定される場合、その実用性につき疑問がなげかけられることがある。国際（公）法が商取引を規律する法規としては、各国民商法のごとく洗練された段階にまで発達していないという論拠からである。「法の一般原則」を準拠法とする国際金融契約の上で、争いが発生し、それがある特定国の法廷に持込まれたとき、当該法廷は「法の一般原則」といっても、自国法にもっぱら依拠して判断される法の一般原則を適用して裁判をせざるを得なくなろう。となれば、契約の当事者が必要とする、法の予測可能性や安定性の確保が、いささか心もとなくなってくるのは事実であろう。

⑧準拠法指定に係わる市場慣行

〔準拠法指定の表現〕

実際の国際契約において、準拠法の指定はきわめて簡単な形で行われている。契約条項のなかでも、表記が最も短く簡単である条項とすらいいうる。例示すると、

"This Agreement shall be governed by English law"（本合意書はイギリス法に準拠する）といった具合になる。

英国の弁護士はこの表記に加えて、「本契約は英国法に従って解釈される（to be construed in accordance with English law）。」とするケースが多く、米国の弁護士は、「本契約はニューヨーク州法の下で締結された（to be made under New York law）。」とするケースが多い。そのような表記が追加されるのは、分割指定説（doctrine of depecage）との絡みに由来がある。分割指定説とは契約の各局面、たとえば、契約の「成立」「効力」「解釈」「履行」等の各局面ごとに契約締結地法、履行地法等異なった法を指定・適用できるとする説であった。現在では、準拠法単一の原則（unitary control by the proper law）により、契約の重要部分（substantive aspects）は単一の準拠法により規律されることとなっているので、前述の追加的表記は無害記載文言的位

置づけを与えられている。

〔跛行事態発生への対応〕

契約を成立せしめ有効ならしめるものは準拠法であり、契約当事者間の債権債務関係はその準拠法により規律されるのは当然であるが、契約当事者の一方に事後的に強行法規が課せられ、契約の履行をなそうとすると、当該強行法規に違反してしまうといった事態が考えられる。国際金融の実務上はこうした跛行事態の発生、たとえば、貸主側で、金融の継続や（金融）源資調達等が違法とされる事態が発生した場合には、原契約は解除し得るものとするような条項が設けられている。国際債でいえば、その支払に関し、支払時に支払地で有効な法令、規制には全面的に服するものとするという条項が設けられているのが一般的である。

〔実質法的指定（インコーポレーション・オブ・ロー）について〕

国際金融契約において準拠法とは別の法の全部または一部を借りてきて契約主体や客体の定義づけ等を行うことがしばしばなされる。たとえば、契約上、借入人たる会社を定義するにあたって、「A国会社法X条に規定する……会社」というように表記する。このようにすれば長い表現をせずに確実な定義ができて便利である。このように、契約内容として一国の法を条文を記述することなく包括的にはめ込むことをインコーポレーション・オブ・ローと呼ぶ。理論的には、一国の民法典全部を契約内にはめ込むことも可能である。

さて、インコーポレーション・オブ・ローと準拠法の指定の違いとして、実務上重要な点はインコーポレーション・オブ・ローは、ある特定時点、たとえば契約締結時において行われる法を固定して採用するのに対して、契約準拠法として指定された法は生きた法であって、固定化しえない点である。つまり、契約締結後に準拠法として指定した法が改正されると、改正法が準拠法となるわけである。

このことから以下のことが導かれる。時々利用される約定であるが、「この契約の準拠法は契約締結時に行われるA国法とし事後の改正を含まぬものとす」というような事例はインコーポレーション・オブ・ローとみなされ、準拠法の指定とはみなされない。別途「この契約の準拠法はA国法である」との条項を設ける必要がある。他方、鉱業コンセッション、資源開発協定等で契約準拠法を現地国法（資本受入国、債務者所属国）とした場合、現地政府による事後立法や行政措置による税制変更、国有化、利権の打切り等の効果が当該契約に及ぶことを防止するため、契約書上に「借主はたとえ事後の法改正により債務内容の変更があったとしても、原契約条件どおりの債務の履行をなすことに合意する」と規定しても企図した効果は得られない。契約準拠法の内容変更があれば、新法が適用されるのが当然だからである。

〔選択的指定の効果〕

借入人の国法以外の法（貸出人の国法や第三国法）を準拠法とした国際金融契約においても、もし、紛争が発生して事件が借入人の所在国の裁判所に係属するような事態となる場合には、借入人所在国の法を準拠法と認めて事件の解決をはかることができると規定する例がある。このような例は、外国法を準拠法とすることを嫌う政府借入もしくは政府系企業借入の際に一種の妥協的規定として登場する。契約準拠法の選定に関する当事者自治の原則からは、このような約定も有効とみなされようが種々の問題を惹起することになる。たとえば、貸出人が、ある国で提訴をなした場合に、借入人は、自国において別途反対提訴をして自国法の適用を主張し得ることとなり、判決の抵触が発生し得る。こうした事態を懸念して、裁判所は準拠法の選択的指定について好意的でないのが実情であるとされる。すなわち、裁判所は、当事者の準拠法指定が選択的である場合には、他に十分な連結点が見出せれば当事者の指定を無視して、そちらの方に依拠して準拠法を決定する傾向があるといわれる（Wood, 25）。

〔市場慣行〕

国際金融契約における準拠法指定の慣行は、貸出人が商業銀行のごとき私人の場合と国際金融機関や地域開発機関のごとき国際法上の主体の場合とで違っている。

まず、貸出人が商業銀行のような私人である場合、準拠法条項に債権保全機能を期待する度合が国際機関よりも大であるのは自然である。商業銀行は国際法上の主体でなく、たとえば、対国家融資の場合、外交的交渉力において国際機関に比べれば劣勢たらざるを得ないからである。したがって、商業銀行は対外融資にあたり、借入人所属国ないし所在国法以外の国法を融資契約の準拠法として選定したいと望むのが一般的である。現実に採用される融資準拠法は、当該融資を組成する商業銀行の所在する市場の国法である場合が多い。ロンドン支店により組成される融資の準拠法は英国法、スイス所在銀行によりアレンジされ引受・売出されるスイス・フラン建外債の準拠法はスイス法といった具合になるのが通常である。ロンドンとかフランクフルトとかの国際金融市場における融資や起債について、契約準拠法が中立性の見地からスイス法とかスエーデン法とかに指定されることは今ではなくなっているのが実情である。

次に国際金融機関の場合は、機関の性格により随分と差違がある。世銀融資契約は、その一般条件九・〇二条において、「本融資合意書・保証合意書・債券合意書における世銀・借入人・保証人間の権利と義務の関係は合意書条件自体により有効かつ執行可能となるのであって、いかなる国家ないし地方政府の法律の影響を受けるものでない」と規定し、国家法の介入を排除している。国際開発協会（International Development Association: IDA〔第二世銀〕）もほぼ同じ条項を使用している。米州開銀（Inter-American Development Bank）の条項も同趣旨で、「本契約で確定せられた権利と義務は契約条項自体によって有効かつ執行可能であり、いかなる国家の規制の影響を受けるものでない。したがって、米州開銀も借入人も本契約のどの条項についても無効と主張し得ない」と規定している。アジア開銀（Asian Development Bank）も世銀と類似の条項を使用している。

世銀、国際開発協会、アジア開銀の融資契約では、当事者は紛争の仲裁過程においても、当該融資契約が融資機関の設立準拠定款に違反するから無効であると主張することすらできないほど、契約自体を強く規範化するしくみになっていると解せられるが、米州開銀の場合には、若干のニュアンスの違いがある。米州開銀はある紛争案件が仲裁に付された際、仲裁法廷は契約諸条項自体に準拠して仲裁をなさなければならないものの、契約諸条項の解釈・適用については、善と衡平の原則に従って行われるべきであると述べたことがある（Wood, 26）。

世銀の見解に従えば、世銀融資契約は当事者間の法律関係を国家法の規律から解放したものとなる。国家法が排除されるとなると、準拠規範のない法律関係というものは理論上考えられないから、国際法が準拠法だということになる。実際問題として、世銀融資は国家に対して行われるか、ある国家の保証の下に当該国内の借入人に対して行われるのがつねとなっているので、当該契約は国際法上の主体性を認められた当事者間の契約、いわば、条約に匹敵するものとみなすことができる。国連憲章一〇二条は、加盟国に対し締結した条約を国連へ登録することを義務づけており、国連の専門機関もこれにならって自分が締結した条約を登録しているのであるが、世銀の融資契約も条約に準ずるものとして登録されているのである。

その他の国際金融機関では、まず国際金融公社（International Finance Corporation：IFC）は当初準拠法をニューヨーク州法、裁判管轄地をニューヨーク州と定めていたが、その後、特定国への準拠法・管轄指定をやめている。欧州投資銀行（European Investment Bank：EIB）は投融資契約上、借入人が加盟国に所在する場合には当該加盟国法を、加盟国以外に所在する場合にはスイス法を、準拠法として指定する。加盟国間の公平維持および言語問題の回避がその理由であると説明されている。スイス法が指定される理由は、金融取引を規律する法として十分に熟した法であること、法が独・仏・伊の三ヵ国語で公布されており便利なこと、中立国の法であること等の特性が勘案されたものと思われる。

これに対して、国家の公的金融機関の場合は、自国法を準拠法として指定するか、または、準拠法条項を記載せずに融資契約書を作るかの二とおりに別れているようである。日本の輸出入銀行は日本法を準拠法としている。その主たる理由は、国際法が投融資取引分野では、まだ十分発達していないとみられること、借入人所属国法を準拠法とするにはそれを十分に研究する必要があるが、そうする余裕がないこと等があげられている。フランス経済協力中央金庫（French Caisse Centrale de Cooperation Economique）は準拠法条項を記載していない。協力対象諸国が旧仏領諸国であって、それらの国々との間では事実上重要な法の牴触問題が発生することがないからだとされる。米国国際開発局（United States Agency for International Development）も準拠法条項を契約書に記すことは全くしていない。政府間紛争は外交経路を通じた交渉で解決されるのであって司法的解決にはなじまないのだとする方針がそこにみてとれる〔澤木・一沢〕。

4　準拠法の適用

これまで準拠法の選定についてその概要をみてきたのであるが、その次の段階として、そうして選定された準拠法（governing law）が、いかなる事項を規律する（govern）のかという問題がある。これもまた難しい問題で、法系、各国法、先例、学説等の違いにより、その解決は多岐に分かれているが、多少の差異を捨象して、各国にわたる一般的な傾向、骨格的な事項について述べることとしたい。

①国際金融取引に適用されうる法

国際金融取引は、当事者が二カ国以上にわたる、または、そうでなくても外国通貨が使用される債権契約である。そこで次のような法が国際金融取引に関係してくることになる。

◇契約関係の原因を述べ、契約を成立せしめるべき契約準拠法……lex causae
◇当事者の住所・居所・所在地の法……lex domicilii
◇本国法……lex patriae
◇法廷地法……lex fori
◇契約締結地法……lex loci contractus
◇義務履行地法……lex loci solutionis

◇担保等目的物の所在地法……lex situs
◇証券の発行・募集・販売・上場地法……law of the place where bonds are issued, subscribed, sold, listed
◇使用通貨の所属法……lex monetae

これらの関係法規の全部がある一つの国際金融取引に適用される、つまり重畳的または累積的に適用されるとすれば素人目でみても大変な事態だということがわかる。しかし、実際には事案に応じて、これらのうち限られた数の法規が適用されるにすぎない。問題はどの法がどのような事項に適用されるかなのである。

②準拠法単一の原則

国際取引を規律する法に関して、取引の各局面をできるだけ単一の準拠法に依らしめ、そうすると不合理さが回避できない局面に限って別の法規を適用するという、いわゆる準拠法単一の原則が多数の国で採用されている。この原則は国際金融取引のみならず、統一的な生活事実関係は極力単一の準拠法により統一的に処理すべきであるとの国際私法上の基本原則となっている。この立場からすれば、一個の契約について、複数の法律を準拠法として指定することは許されないことになる。

この原則が確立をみるまでは、デプサージュ（仏 dépeçage、英 depeçage）とかスプリッティング（splitting）とかの名で、一つの契約を局面ごとに分割して、その各々に別個の法を連結する方法が行われることがあった。たとえば、契約の成立と解釈はA国法、履行はB国法、貸手の義務はその所属国法たるC国法、借手の義務はその所属国法たるD国法といった具合に別々の法を適用するやり方である。しかし、実際問題として、契約の解釈とか履行とかは分ち難く結びついているのが常態であるし、契約の当事者にとっても、可能な限り自らのなした契約関係が単一の法で規律されるのが便利であるから、こうした方法が廃されるに至ったものと思われる。しかし、種々の理由から、近年再び分割指定（デペサージュ）が見直されていることは注意しておく必要があろう。

③準拠法の規律対象（適用範囲）

さて、それでは準拠法が規律する範囲、対象は何かということになるが、それは、一般に、契約の「成立」「解釈」「効力」「履行と免責」に整理される。まず、契約の成立とは、その契約が法的に拘束力を賦与されるか否かの問題であるが、契約内容に当該準拠法が禁止しているところの金約款とか高利の約定が設けられていたり、準拠法国の為替管理に違反する条項が当事者間で合意されていたとすれば、契約の有効性はあやうくなる（その場合、契約が無効となるかどうかは、準拠法上の禁止法規によって決定されることとなる）。

契約の解釈とは、融資契約や公社債発行契約の諸条件の意味の決定であり、これも一般に契約準拠法に従って確定されることになる。

たとえば、融資契約上リーエン（lien）という言葉が使われている場合、そのリーエンが英国法でいう狭義のリーエン（possessory interests：留置権）なのか、それともそうではなくて、担保物権（security interests）一般を指す広義のリーエンなのかは契約準拠法が何国法であるかによって決定をみることになる。

契約の効力とは契約当事者の権利義務の内容のことである。具体的には、貸出人・借入人がそれぞれ相手方に対して何をなさなければならないか、相手方から何をしてもらうことができるかということであるが、契約で約定されている以外の事項については、これも契約準拠法により決定される。

契約債務の履行と免責も契約準拠法によって決定される。融資契約の当事者が、それぞれ約定どおり融資弁済を実行し債務の履行をなせば債務がなくなるのは当然の話であるが、その他の場合にも契約債務が免責されることがありうる。たとえば、簡単な例が消滅時効の適用である。また、不可抗力事態発生による履行不能や、借入人所属国における対外モラトリアムの発動があれば、契約どおりの債務履行は妨げられることになる。こうした場合にどのような事態が不可抗力にあたるか、不可抗力による履行不能の効果などの問題を規律し必要があれば救済を与えるのが契約準拠法である。

④準拠法単一の原則の例外

以上、債権契約の成立、効力に関する諸問題は一般に単一な準拠法によるべきであると述べた。しかし、事項によっては、契約準拠法とは別の法を適用する方が適当な場合、否、適当どころかそうしなければ不合理である場合がある。

そのような事項や場合としては以下のようなものがある。

〔法人格の有無，法人の権利能力・行為能力，法人の機関の代表権限〕

借入人が法人格を有するか否か，有するとすればそれは会社であるのか，パートナーシップであるのかといった問題，その法人格において借入人が当該取引を確約しうる能力を保有するのか否か，また，契約締結にあたり，代表権限行使の方式が正当になされているか否かの問題は，借入人の属人法によって判断される。借入人が会社であれば，当該会社の設立準拠法ないし本拠所在地（本店または主たる営業所所在地）法によって判断される。

〔法廷地における強行法規の介入〕

法廷地に為替管理法，証券取引法，高利禁止法等が存在し，事案となった契約債権の準拠外国法と異なる規定をしている場合，準拠外国法を斥けて自国法を適用することがあるが，そうするか否かは裁判所の政策考慮に依存するところが大であり，その決定にあたり，裁判所により，まず第一に考慮されることは当該自国法規が国内取引のみを規律対象としているか，あるいは，国際取引をも対象範囲に包含しているかの識別であり，ついで自国法規の強行性の程度である。

〔履行地で違法となる契約〕

契約に定められたとおりの履行をすると，履行地で違法行為をなさしめる事態を招来することがありうる。そのような場合，英国の裁判所は契約当事者に履行を強制することはしないのが普通である。少なくとも，契約準拠法が英国法であって履行に関しそのような事態が発生する場合には必ずその立場をとるといわれる。たとえば、英国法に準拠した金銭消費貸借において、支払地たるA国で立法があり、対外支払が禁止された場合、英国裁判所は債務者に当初の契約どおりの履行を強制するような判決は下さないのである（Wood, 30）。

〔国際通貨基金協定八条二項b〕

ＩＭＦ加盟国は、同協定八条二項b（「いずれかの加盟国の通貨に関する為替契約で、この協定の規定に合致して存続し、または設定されるその加盟国の為替管理に関する規制に違反するものは、いずれの加盟国の領域においても強制力を有しない」）の規定により、一定の状況下では、他国の為替管理に反する為替契約は執行しえないことになる。ただし、この条項の規制対象、実効性については異論が多い（石黒・五一～五四頁、本書五九頁、坪田・一六六～六八頁）。

〔履行の態様に関する諸事項〕

金銭債務弁済の具体的方法、弁済の日（営業日・取引日）、弁済の時間（営業時間・取引時間）等を総じて履行の態様に関する事項というが、これらは、履行地の法に準拠して処理されるのが一般的である。その他、銀行勘定への振込で弁済が完了するか否か、それとも、現金の手交によらなければならないのかといった問題、また、弁済にあたって一定の猶予期間（grace periods）が与えられるか否か等の問題は弁済の行われる地の法によることとなる。履行の態様といっても、それがどの範囲の事項を包含するかを直截に定義するのは困難であり、一応履行の実質ないし本体に関しない事項と概念的に把握しておくにとどめたい。

〔通貨所属国法〕

国際金融において使用される通貨が契約準拠法所属国の通貨でない場合には、当該通貨所属国法がつねに通貨の定義・名目価値などを定める。これが通貨準拠法であり、通貨をめぐる諸問題にはこれが適用されることが多い。通貨なしには国際金融は考えられず、国際金融を論ずる場合、通貨の問題を検討しなければ核心をつけない。

たとえば、日本円の準拠法は当然日本法であるが、日本法のどの法が該当するかをみると、まず、政府の発行する通貨については、明治三〇年の金本位制度採用のときできた「貨幣法」で、この法律は空文化した部分が多いものの今日まで廃止されずに残っている。現在流通している補助貨幣は、昭和一三年にできた「臨時通貨法」によって鋳造されたものである（同法第一条は「政府ハ当分ノ内貨幣法第三条ニ規定スルモノノ外臨時補助貨幣ヲ発行スルコトヲ得」とある）。つぎに、中央銀行が発行する通貨については、日本銀行法第二九条が、「日本銀行ハ銀行券ヲ発行ス」（第一項）、「前項ノ銀行券ハ公私一切ノ取引ニ無制限ニ適用ス」（第二項）と規定し、日本銀行券に法貨（リーガル・テンダー：**legal tender**. 国内での国民相互の間の支払とか、国庫への支払とかについて法的に強制通用力を与えられた通貨）たる地位を与えている。

政府の発行する通貨や中央銀行の発行する通貨は法貨としての資格を与えられているのに対し、預金通貨（要求払銀行預金、小切手などにより行われる民間決済の原資となる）にはその資格は与えられていないが、取引の便宜上、預金通貨は通貨の役割を演じている。しかし、預金通貨が法的に通貨の役割を演じ得るのはその法貨への交換ができる限りにおいてである（不渡小切手による支払は有効な弁済とならない）のは自明である。

米ドルの準拠法は、連邦準備法とCoinage Act of 1965である。連邦準備法は連邦準備銀行に連邦準備紙幣（Federal Reserve Notes）の発券機能を与え、Coinage Actは、米国において発行された鋳貨と紙幣のすべてに法貨としての地位を賦与している。そもそも、米国で流通している鋳貨と紙幣のすべてを法貨としたのは、一九三三年五月一二日のいわゆる「トマス修正条項（Thomas Amendment）―AAA Farm Relief and Inflation Act の Section 43(b)(1)」であったが、同法の趣旨がCoinage Act of 1965に受継がれたものである。因みに米ドル紙幣（Federal Reserve Note）の表には "This note is legal tender for all debts, public and private" と印字されている。

以上、一国通貨の場合をみたが、ＳＤＲやＥＣＵのごとき複合通貨（composite currency）の準拠法はどう考えるべきか。一国通貨の場合になぞらえて、それらの複合通貨を創出したＩＭＦやＥＣ等国際組織自身の規律によることとなろう（石黒・一六五～六六頁）。

〔法廷地手続法〕

渉外事件について訴えが提起されたとき、裁判所は、実体的権利関係の規律に関しては準拠外国法を適用する場合があっても、手続問題は原則として法廷地手続法によって処理をする。換言すれば準拠法の適用は、実体法上の問題に限られ、手続法上の問題については別個の法が適用されることになる。これは「手続は法廷地法による」という一般原則として広く各国に承認されている。具体的には、裁判管轄権の決定に関する問題、仮差押が可能であるか否かの問題、損害賠償等のいかなる救済制度が利用可能であるかの問題等が該当する。この原則の適用上、手続とは何かが問題となる。概念的には法を実体法と手続法とに分け、その手続法が対象とする事項であるということができるが、そういってもあまりクリアーにならない。

たとえば、消滅時効を権利の消滅に関する制度として実体法に位置づける国と、訴権の消滅に関する制度として手続法に位置づける国が対立していることは、ひろく知られている。そうすると、「手続は法廷地による」という原則の適用にあたって、まず、実体と手続の性質決定という作業が要求されることになる。さらに、実体問題の規律を外国法に求めた場合、当該法制内に対応してセットされている手続法規に相当する手続法規が法廷地に見当たらないといった困った事態も発生する可能性があり、問題は簡単ではなくなる。これがいわゆる「適応問題」であるが、この点の説明は専門書にゆずりたい。

⑤公益的理由による外国準拠法の排除

事案に契約準拠法（外国法）を適用した結果が、自国公序に背反する場合には当該準拠法の適用がなされない。裁判官の公序の考え方が問題となるが、公序（public policy）とは、英国では正義と秩序の感覚（sense of justice or decency）、米国では正義の基本原則（fundamental principle of justice）、良俗の観念（prevalent concept of good morals）、公共の福祉についての根深い伝統（deep rooted tradition of common weal）とか抽象的に定義される（Wood, 29~30, 坪田・一〇九頁）。公序則の具体的発動例は、英国では、懲罰的・差別的・圧政的な外為法規、国益を侵害する融資、外国における革命・内乱を幇助する資金の貸付のごとき外交関係を損なう取引、経済制裁に違反する対外融資等である。

因みに、公序則の適用に関し、英米では、一般に他国の懲罰法不適用の原則（penal law doctrine）、他国の財政法不適用の原則（revenue law doctrine）があって、他国の警察法規や徴税関係の財政法規は承認・強制すべきでないとする立場がとられている（坪田・一〇七頁）。〔澤木・一沢〕

（参考文献）

◇澤木敬郎『新版国際私法入門』昭和五九年、有斐閣。
◇山田鐐一『国際私法』昭和五七年、筑摩書房。
◇池原季雄『国際私法（総論）』昭和五五年、有斐閣。
◇折茂豊『国際私法（各論）』昭和五九年、有斐閣。
◇石黒一憲『国際私法』昭和五九年、有斐閣。
◇石黒一憲『金融取引と国際訴訟』昭和五八年、有斐閣。
◇石黒一憲『現代国際私法（上）』昭和六一年、東京大学出版会。
◇中山信弘・石黒一憲・小寺彰・中里実『多国籍企業の法と政策』昭和六一年、三省堂。
◇Philip Wood, Law and Practice of International Finance, Sweet & Maxwell, 1980.
◇遠藤浩・林良平・水本浩監修『国際取引契約(1)』（現代契約法大系8）昭和五八年、有斐閣。
◇遠藤・林・水本監修『国際取引契約(2)』（現代契約法大系9）昭和六〇年、有斐閣。
◇鈴木禄弥・竹内昭夫編『為替・付随業務』（金融取引法大系3）昭和五八年、有斐閣。

◇鈴木忠一・三ヶ月章監修『国際民事訴訟・会社訴訟』（新・実務民事訴訟法講座7）昭和五六年、日本評論社。
◇坪田潤二郎『債権保全・国際金融』（国際取引実務講座Ⅲ）昭和五六年、酒井書店。
◇金融財政事情研究会編『実戦国際金融取引』昭和六〇年、金融財政事情研究会。
◇田中誠二『新版銀行取引法』昭和五九年、経済法令研究会。
◇山本敬三『国際取引法』昭和五九年、学陽書房。
◇澤田寿夫他著『国際取引法講義』昭和五七年、有斐閣。
◇山本草二『国際法』昭和五九年、有斐閣。
◇杉原高嶺『国際裁判の研究』昭和六〇年、有斐閣。
◇櫻井雅夫『国際経済法の基本問題』昭和五八年、慶應通信。
◇田中英夫『英米法総論上・下』昭和五九年、東京大学出版会。
◇伊藤正己・田島裕『英米法』昭和六〇年、筑摩書房。
◇伊藤正己・木下毅『アメリカ法入門』昭和五九年、日本評論社。
◇木下毅『英米契約法の理論』昭和五五年、東京大学出版会。
◇小林秀之『アメリカ民事訴訟法』昭和六〇年、弘文堂。
◇M・Dグリーン著、小島椎橋・大村共訳『体系アメリカ民事訴訟法』昭和六〇年、学陽書房。
◇小原三佑嘉『新国際取引法の講座』昭和五六年、外国為替貿易研究会。
◇松下満雄『日米通商摩擦の法的争点』昭和五八年、有斐閣。

◇伊藤迪子『アメリカ駐在員のための法律知識』昭和五九年、有斐閣。
◇岩城謙二・吉川精一・山川洋一郎『ビジネス文書のノウハウ』昭和五九年、有斐閣。
◇吉野俊彦『通貨の知識』昭和五七年、日本経済新聞社。

2〔事例研究〕米・イラン金融紛争における邦銀側の対応

一九七九年初頭に起きたイラン革命、同年一一月に起きたテヘランにおける米大使館人質事件、その後の米国によるイラン資産の凍結と一連の国際金融事件の経過や背景については、当時、新聞等で大々的に報じられ、また、その後もかなりの解説書が刊行されているのでここでは割愛し、当時金融関係者、法律関係者の間で議論を呼んだ法律問題、とくに米銀によるイラン預金の相殺をめぐる諸問題を中心に、しかも、当時邦銀側でどのような議論がなされたのかの点に焦点をあてつつ、ここでは述べることにする。

その法律問題であるが、イラン事件においては多岐にわたる問題が議論され、特殊な状況の発生を仮定した議論も含めるとほとんど際限がない程であった。そのような議論をすべてここに網羅することは適当でないと思われるので、ここでは一般に広く議論された次の六つの法律問題についてのみ述べることにする。それはまず第一に、「預金者と債務者の法的同一性」、第二に「相殺適状の問題」、第三に「差押と相殺の優先関係」、第四に「sovereign immunity 上の問題点」、第五に「pro-rata 配分の問題」、第六に「資産凍結令の域外適用問題」である。

①預金者と債務者の法的同一性

米銀によるイラン預金の相殺でまず問題になったのは、預金者と債務者の法的同一性の問題であった。最初に準拠法について簡単に触れておくと、米銀により相殺されたイラン預金の大半は米銀ロンドン支店にあったので、預金についての準拠法は英国法であるとの見方が多かったようである。一方、イラン向けシンジケート・ローン（シンジケート・ローンのことを以下単にローンという）の準拠法はローン・アグリーメント上おおむね英国法と規定されていた。相殺の場合の準拠法に関しては複雑な問題があるが、ここでは実際に問題になった英国法における相殺の場合の、預金者と債務者の法的同一性の問題に絞って議論する。

英国法においては相殺に関する明文の法律の規定はないようであるが、一般に相殺の要件の一つとして「債権と債務が mutual であること」が挙げられている。これは換言すれば当事者が法的に同一でなければ相殺はできないということ、つまり自働債権（ローン）の債権者と受働債権（預金）の債務者が同じであるばかりか、自働債権の債務者と受働債権の債権者が同じでなければならないということである。

因みに、わが国民法上も当事者間に債権債務の対立があることが相殺の一つの要件となっている（「二人互ニ同種ノ目的ヲ有スル債務ヲ負担スル場合ニ於テ……」民法五〇五条一項）。これは前述の英国法における相殺の要件とほぼ同じ内容であると一応考え得るが、個別的には詰めるべき問題がある。

さて、イラン事件においては、前述のとおりイラン預金の大半は米銀ロンドン支店にあったが、一方、ローンは必ずしも米銀ロンドン支店が当事者となっているとは限らなかった。そのため前述の自働債権の債権者と受働債権の債務者の法的同一性が問題となる余地もあった。しかし異なった支店間（あるいは本店と支店間）でも法的同一性はあるとの見方が一連の検討過程においては一般的だったことでもあり、ここでは最も問題となった自働債権の債務者と受働債権の債権者の法的同一性の問題について議論を進める。

イラン事件発生当時、米銀が保有していたイラン預金の大半はイラン中央銀行（Bank Markazi）名義であった。一方、ローンの債務者はイラン帝国政府（Imperial Government of Iran）をはじめ、政府系機関、政府系銀行、国有企業等多岐にわたっており、また、ローンによってはイラン帝国政府保証つきのものと無保証のものとがあった。経済的側面からはイラン中央銀行も、イラン帝国政府その他の債務者もともに国家そのものであり一体と考えられるが、果たして法的にも同様に一体と判断して差支えないかが、正に問題の核心であった。米銀は法的同一性ありとの前提で相殺を実行したと思われているが、英国や日本の関係者の間ではむしろ否定的な見方が多かったように思われる。つまり、イラン中央銀行の法人格については最終的にはイランにおける設立法規や根拠法規をみないと断定的なことはいえないとしながらも、通常どこの国でも中央銀行には別個の独立した法人格が与えられており、中央銀行を政府の一部とみなすのは困難との見方である。ローンの債務者がイラン帝国政府そのものでなく、政府系機関や国有企業の場合はイラン中央銀行との法的同一性を認めることはいっそう困難と見られていた。因みに、政府系機関や国有企業が債務者となっているローンの中でイラン帝国政府の保証がついているものもあり、この場合にはイラン帝国政府とイラン中央銀行の法的同一性を検証すればよいとの見方も一部にあったようである。しかし、ローン・アグリーメント上、主たる債務者が債務不履行（デフォルト）となり、保証人に対し保証履行を請求してはじめて保証人は支払の義務を負う旨を規定しているのが普通であり（ローン・アグリーメントによっては保証履行請求後三〇日程度の支払猶予期間（grace period）を設けているものもあった）、イラン事件ではこのような保証履行請求をしておらず、したがって前述の見方は根拠に乏しいと考えられていた。

最後に当時一部米銀が唱えた"grand mullah theory"について付言しておく。mullahとは、イスラムの法や教義に精通した人に対する尊称のことのようであるが、この理論の論拠は次のとおりである。すなわち、イラン革命（米大使館人質事件の起きた一九七九年年初に発生）前独立の法人格を有した種々の国家機関は、革命後独立の法人格を喪失しており、その結果、相殺に関し独立の法人と考える必要はないというものである。ロシア革命時、この理論は一部英国裁判所でも取られた模様であるが、イラン事件においてこの理論を適用するよう英国裁判所を説得することは困難との見方が英国法関係者の間では多かったようである。

いずれにしても、イラン事件の相殺における預金者と債務者の法的同一性の問題は興味深い問題ではあったが、法廷で争われる前にイラン事件自体が結着の方向に向かったため、この問題は未解決のまま残ることとなった。

②相殺適状の問題

次に、米銀によるイラン預金の相殺は相殺適状との関係で問題となった。英国法における相殺の要件の一つとして「自働債権と受働債権の双方が mature であること（弁済期にあること）」が一般に挙げられている。つまり、ローンも預金も支払期限が到来していることが必要である。

因みに、わが国民法上も双方の債務が弁済期にあることが相殺の一つの要件となっている（「双方ノ債務カ弁済期ニ在ルトキハ……」民法五〇五条一項）。

イラン事件において、まずローンが弁済期にあったかどうかという点から論じる。

ローンの元本返済および利息支払にはローン・アグリーメントに規定された支払期限があるが、ローン・アグリーメント上一定のデフォルト事由（event of default）が発生し、それによりデフォルト宣言が成立した場合には債務の弁済期が繰上り（accelerate）、直ちに期限が到来するとの規定が一般的である。

ここで重要なことは、ほとんどのローンにおいて event of default が発生しただけで自動的にローンが accelerate されるのではなく、デフォルト宣言があってはじめてローンが accelerate されるということである。このため、相殺の正当化を図ろうとした米銀は、event of default の認定と、デフォルト宣言の成立を目論むこととなったのである。

ここで event of default について触れておくと、event of default には大別して客観的事実と債権者銀行の認定する主観的なものがある。客観的事実としては、返済期限の到来したローンの元本または利息を期日に支払わないことや、債務者や保証人が他のローンでデフォルトとなった場合（クロス・デフォルト）などがある。因みに、あるイラン向けローンでは、債務者が決算後一定期間内に決算書を agent bank に送付しない場合、event of default となると規定されており、債務者が一定期間内に決算書を送らなかったため、event of default だとしてデフォルト宣言の可否が論じられたケースもあった。

債権者銀行の認定する主観的なものとしては、いわゆる material adverse change 等がある。これは債務者の債務履行を妨げかねないような借入人の財務状態や資産についての重大な変化があったような場合である。イラン向けのあるローンにおける material adverse change clause の例を参考に掲げておく。

There shall occur any circumstances which materially change the financial condition or assets of the Borrower or which in the opinion of the Majority Banks (which opinion shall be conclusive) may imperil, delay or prevent fulfilment by the Borrower of its obligations hereunder or contemplated hereby.

ところで、この material adverse change clause であるが、他に event of default（たとえばクロス・デフォルト等の）がないローンに関して、米銀の間にはこの条項に基づき event of default の存在を他の債権者銀行に認めさせ、ひいてはデフォルト宣言に賛成させようと働きかける動きもあった。

さて、このようにして event of default が存在しまたは認定されると、次のステップとしてデフォルト宣言の可否が問われることとなった。イラン関係のほとんどのローン・アグリーメント上、過半数の銀行（融資残高に基づく累積投票による過半数）が賛成した場合、デフォルト宣言が成立すると規定されていた。しかし、あるローン・アグリーメントには“The Agent may, and shall if so directed by the Majority Banks, declare……”と agent bank 単独でもデフォルト宣言を出し得ると規定しているものもあった（通常のローン・アグリーメントでは“The Agent may……”の“may”がない）。さらにこのローンにおいては、別途、Agency Agreement (agent bank の権利・義務を規定）において、“The Agent will be entitled to act upon the instructions of the Majority Banks……”と規定されており、両規定を総合すると agent bank は majority banks の指示によりデフォルト宣言を出すのが原則と考えられるが、agent bank 単独でのデフォルト宣言の余地も残されているとの見方が一般的であった。このローンにおいては結局、agent bank が単独でデフォルト宣言を出すこともなく、同宣言は成立しなかったようである。

　ところでデフォルト宣言の可否が問われたとき、米銀はイラン預金との相殺の正当化を図るため、おおむねデフォルト宣言に賛成した。一方、米銀からデフォルト宣言に賛成するよう要請を受けた日本及び欧州の銀行は困難な決断を迫られた。米銀に同調し、デフォルト宣言に賛成しても日・欧の銀行には相殺するだけのイラン預金がないためメリットがあまりなく、逆に同宣言に賛成した場合イランとの関係が悪化するおそれがあるというデメリットがあり、このデメリットの方が大きいとして、日・欧の銀行は同宣言には反対ないし態度を留保した。このためデフォルト宣言が実際に成立したローンは米銀主体の数件に留まったと見られている。

　デフォルト宣言が成立した最初のイラン向けローンは、一九七七年に調印されたイラン帝国政府向け総額五億ドルのローンだったといわれている。デフォルト宣言が成立し、その旨がイラン側に通知されたのは一九七九年一一月一九日のことだといわれているが、このデフォルト宣言の成立により、イラン帝国政府が債務者または保証人となっている多数のローンにおいてクロス・デフォルトが発生することとなった。なお、イラン帝国政府の保証のない政府系機関向けローンについても、米銀よりクロス・デフォルトの可能性が示唆されたケースがあったが、これは結局、法的に無理との結論になったようである。

ところで、前記イラン帝国政府向けローンに関しては、イラン政府は利払のための支払指図を出しており、返済意思はあったのではないかとの噂が市場関係者の間にあった（返済が滞った他のローンについても同様の噂があったようである）。この点に関する実相は次のとおりといわれている。すなわち一一月一五日期日の利払を行うためイラン中央銀行は一一月五日頃にチェイス・マンハッタン銀行ニューヨーク本店宛に支払指図をテレックスで送り、一一月一五日に、利息相当額をイラン中央銀行の預金口座から agent bank であるチェイス・マンハッタン銀行ロンドン支店の口座に振替えるよう指示した。しかし一一月一四日に米政府のイラン資産凍結令が出たため、一一月一五日付の支払指図は実行が不可能となった。このような事情にある場合、ローン・アグリーメント上、債務の履行をしなかったという event of default に該当するかは多少の疑問の余地があるが、それにもかかわらず米銀はデフォルト宣言に踏み切ったわけである。一方、邦銀等はイラン側に返済意思が窺えることもあって、デフォルト宣言にはいっそう慎重となった。

以上述べてきたように、デフォルト宣言が成立しローンが accelerate され弁済期が到来したローンは極めて少数であり、これらのローンを除き、米銀が実行したイラン預金の相殺は自働債権たるローン債権の弁済期に関して英国法上甚だ問題であった。

因みに、わが国民法においても前述のごとく債務が弁済期にあることが要件となっており、債務が弁済期にない場合に相殺をするには債務者の期限の利益を喪失させ、債務の弁済期を到来させなければならない。なお、期限の利益の喪失については、民法一三七条に債務者が期限の利益を主張できない場合として、①債務者が破産宣告を受けた場合、②債務者が担保を毀滅したり減少した場合、③債務者が担保提供義務を負うのに担保を提供しない場合が規定されている（銀行実務上は一般に銀行取引約定書で、一定の事由が生じた場合には債務者は期限の利益を喪失し債務の弁済期が到来し、民法上の相殺が可能となるような特約を設けている）。

次にイラン事件において、預金が弁済期にあったかどうかについて論じる。

米銀により相殺されたイラン預金（大半はイラン中央銀行名義）は大半が定期預金であり、一部を除き預金期日は未到来だったと推測されているが、英国法上、わが国民法におけるごとく、銀行が「期限の利益の放棄」をすることができるかが問題となった。

先にわが国民法を見ておくと、民法一三六条一項に「期限ハ債務者ノ利益ノ為メニ定メタルモノト推定ス」と規定し、さらに同条二項に「期限ノ利益ハ之ヲ抛棄スルコトヲ得但之カ為メニ相手方ノ利益ヲ害スルコトヲ得ス」と規定している。銀行が定期預金を受働債権として相殺しようとする場合には、期日までの預金利息を支払えば相殺できると解釈されている（なお、銀行実務上は通常、銀行取引約定書に相殺実行日に利息の清算をするとの特約を設けている）。

さて、英国法上はどうであろうか。英国法上は期限の利益の喪失という概念はないと一般にいわれている。英国法においては、たとえ定期預金の期日までの利息相当額の損害金を銀行が預金者に払っても、その預金者の同意（consent）がなければその預金の期限をaccelerateする（繰上げる）ことはできない。したがって、銀行が期限の利益を放棄することはできないようである。

このように、米銀によるイラン預金の相殺は受働債権者たる預金債務の弁済期に関しても、英国法上問題であった。

③差押と相殺の優先関係

イラン事件に関しては、差押と相殺の優先関係について種々の議論がなされたが、複雑多岐にわたるので、ここではその概略を述べるに留めたい。

理解を助けるため、まず、わが国における差押と相殺の優先関係について述べる。民法五一一条は「支払ノ差止ヲ受ケタル第三債務者ハ其後ニ取得シタル債権ニ依リ相殺ヲ以テ差押債権者ニ対抗スルコトヲ得ス」と規定している。すなわち、預金が差押えられた場合、差押後に成立した貸金債権によって相殺しても、銀行は差押債権者に対し相殺をもって対抗できない。また、差押前に成立した貸金債権であっても、差押時に相殺適状にあれば相殺できるが、差押時に貸付金の弁済期が到来していない場合は、相殺の可否について判例の変遷があった。その詳細はここでは省略するが、最終的には昭和四五年六月二四日の有名な最高裁判決で、差押前に成立した貸金債権であれば、自働債権と受働債権の弁済期の先後関係にかかわらず相殺をもって対抗できると判断された。

イラン事件においては、一二月四日に有力米銀のケミカル銀行が英国の High Court（高等法院）よりイラン政府、イラン中央銀行の英国裁判所管轄下にある全資産に対し "injunction" を取得したこともあって、差押と相殺の優先関係が活発に議論された。ここで、英国法上の "injunction" について簡単に説明すると、injunction は現状保全のために出されるもので差止請求権に近い性質を持つといわれている。また、原告、被告両当事者にしか通知されないものの、たとえば銀行として injunction が出たことを知り得る状態になった時点から銀行はこの injunction を遵守する義務が生じるといわれており、injunction の対象となっている預金を払戻すことはできなくなるといわれている。このように injunction は差押とは異なっており、injunction と相殺との優先関係自体は問題とならなかった。

英国法上、債権者が injunction の次にとる措置は、本訴で勝訴判決を得た上で行う garnishee order だといわれている。garnishee order とは garnishee（第三債務者）に対して裁判所が出す差押命令で、判決債権者に対する債務の弁済を garnishee に命じるものである。イラン事件では前記ケミカル銀行の injunction 取得を見て、次に想定されるステップとして garnishee order が出た場合、この garnishee order と相殺のいずれが優先するかが銀行関係者の間で議論されたのである。また、この際イラン中央銀行預金に対し sovereign immunity 上の観点から差押の可否が議論されたが、これについては次項で詳述する。

さて、差押と相殺の問題に戻るが、英国法上先例が必ずしも確立されておらず、説が分れているようであるが、結論的には差押の時点で相殺適状となっており相殺すれば相殺が優先し、相殺適状となるのが差押の後であれば差押が優先するようである。なお、付言すれば garnishee order には garnishee order nisi と garnishee order absolute があり、前者は債務者または第三債務者の異議申立可能なもので、いわば「仮差押」であるが、後者はこのような申立が否認され確定的となったものをいい、差押と相殺の優劣については garnishee order nisi が送達された時点をもって決定するといわれている。

以上、ロンドン所在の銀行に所在するイラン預金について述べてきたが、日本の銀行に所在するイラン預金が米銀に差押えられた場合はどうなっていただろうか。ここでは法的側面に限って述べるが、前記のとおり、わが国では第三債務者たる銀行は預金差押前に成立した貸金債権であれば相殺できるとの判例が確立している。そのため、たとえイラン預金が差押えられても、差押前に実行したイラン向けローンは相殺可能であった。もっとも、転付命令（これにより預金名義は差押債権者に変る）が出ると、第三債務者たる銀行は、これに対抗するため執行債務者たるイラン中央銀行に対するローン債権の期限の利益を喪失せしめ、直ちに相殺実行をなすことが必要となったであろうといわれている。ついでながら実際に転付命令が出るためのプロセスとして考えられたのは、差押債権者の執行債務者に対する債権の存在、その債権の期限到来および執行債務者による延滞の事実を確認する裁判所の判決を米国で得ようとすることであり、同国でこの判決が出るには二、三年を要し、さらに日本の裁判所が米国裁判所の判決に基づきスムーズに転付命令を出すかは若干微妙であり、また、日本の裁判所で最初から争おうとすればさらに長時間を要すのではないかと当時見られていた。

④ sovereign immunity 上の問題点

次に sovereign immunity 上の問題点（六二頁以下参照）について述べる。sovereign immunity とは、国家は他国の裁判権・執行権に服さないということをいい、国際法上広く認められている。

イラン事件で問題となったのは、第一にイラン中央銀行預金は sovereign immunity の観点よりみて相殺可能かという点であり、第二に同預金が差押可能かという点であった。英国には、一九七八年制定の State Immunity Act 1978 があり、その第一条で "A State is immune from the jurisdiction of the courts of the United Kingdom except as provided in the following provisions of this Part of this Act." と規定し、例外的な場合を除き主権免除の認められることを明記している。ここでは「例外的な場合」について列挙することは省くが、一つだけ多少議論となった箇所を記すと、第三条において、"A State is not immune as respects proceedings relating to a commercial transaction entered into by the State……" と規定しており、同条に "commercial transaction" の詳細な定義を置いている。そこで、中央銀行の預金は、commercial transaction であり、sovereign immunity の対象外ではないかとの疑問も持たれたが、中央銀行預金は国家資産と同等とみなされ、故に commercial transaction ではなく sovereign immunity の対象と、ともかくも当時においては一般に考えられた。

ところで差押や相殺に関連した規定は、第一三条二項(b)の "...... the property of a State shall not be subject to any process for the enforcement of a judgement ......" との規定である。この規定により中央銀行預金に対しては差押等の行為はできないとみられていた。一方、相殺は判決の執行ではなく、英国裁判所の介入はないとの理由により、相殺の要件を具備していれば実行可能であるともいわれていた。なお、同条三項で、当該国家の同意があれば差押等の行為は認められるとの規定がある。

State Immunity Act 1978 制定前に調印されたローン・アグリーメントにより sovereign immunity が waive(放棄)されている場合、イラン政府または中央銀行の同意なしに差押が可能かどうかについては種々議論があったが、先例もなく、可否両説があるようであった。

⑤ pro-rata 配分の問題

イラン事件において相殺の当否と並んで盛んに議論されたのは pro-rata 配分の問題であった。ローン・アグリーメント上、債権者である銀行（単数または複数の銀行）が「回収」（この表現をめぐる問題については後で述べる）した場合には回収した金額をすべての債権者間で pro-rata (融資残高に比例して)配分するものとするとの趣旨の規定を設けているのが普通である。この規定（sharing clause ともいわれるが、以下においては、pro-rata 配分条項という）は、国際金融市場関係者の間で一般に認められている債権者平等の原則に立脚したものであるが、イラン事件において米銀が相殺により回収した金額の pro-rata 配分を拒みかねない動きもあったため、ローン・アグリーメント上、法的にみて米銀への pro-rata 配分が請求可能かどうかが問題となったのである。

まず「回収」についての表現の問題について述べることにする。ローン・アグリーメント上の pro-rata 配分条項の「回収」についての表現は、ローン・アグリーメントにより千差万別であるが、次の二つのカテゴリーが主として議論の対象となった。

第一のカテゴリーは、債務者が“pay”した場合との表現である。次に一例を示す。

“If the Borrower pays any amount payable by it hereunder directly to a Bank otherwise than to the Agent and as a result such Bank receives a greater payment than it would have been entitled to have received, such Bank shall promptly remit such payment to the Agent which shall promptly distribute the same among other Banks.”

第二のカテゴリーは、債権者銀行が“receive or recover”した場合との表現である。次に一例を示す。

“If any Bank receives or recovers any sum which it is obliged to apply towards payment of any sums of principal, interest, then such Bank shall make such payments to the other Banks as are necessary to ensure that at all times each Bank receives the same proportion of principal, interest owed to it hereunder as each other Bank.”

第一のカテゴリーでは、“pay”に相殺を含むかが問題となったが、この文言は支払を実行する意思をもって借入人がなす積極的な行為を指しており、個々の債権者銀行がなした行為の結果生じた「回収」(recoveries)は除外しようとの意図も窺えるとの理由で、この文言は相殺の方法により回収した金額は含まないとの解釈が有力であった。なお、イラン帝国政府保証付ローンで上記のような pro-rata 配分条項を規定している場合には、その条項は借入人についてのみ適用され、保証人については適用されないといわれている。たとえば何らかの理由で保証人が債権者銀行に対し融資残高に比例しない支払を行った場合、その条項は適用されないといわれている。

次に、第二のカテゴリーでは、"receive or recover" に相殺を含むかが問題となったが、"recover" との文言は債務の弁済に充てるために債権者がなす積極的な行為を指しており、相殺はかかる行為に該当するとの理由で、この文言は相殺の方法により回収した金額を含むとの解釈が有力であった。なお、ローン・アグリーメントによっては、"If any Bank receives payment ……" となっており、"or recover" との文言がないものもあり、このケースでは "receive" に相殺を含むかが問題となった。これについては、借入人の預金として債権者銀行が預かっている金銭を、債権者銀行が自己に対する借入人の債務の弁済に充てることは、"receive payment" といえなくもなく議論の余地があろうとしながらも、この文言には相殺は含まないと解釈すべきだとの見方がむしろ一般的だったようである。

このように、pro-rata 配分条項の文言次第で、米銀に対する pro-rata 配分が法的に請求可能なローンとそうでないものとがあったようである。いずれにせよ、pro-rata 配分を米銀に請求すべきか否かが関係銀行間で検討されている間にイラン事件が解決に向かったため、実際に請求は行われなかったようであり、したがって、法廷で pro-rata 配分条項の文言の解釈について判断が示されるには至らなかった。

次に、pro-rata配分と相殺を繰返すことによりローン総額全額の回収を行うことが英国法上可能か否かが議論された。その際、ある債権者銀行にローン総額と同額以上の預金があること、ローン・アグリーメント上相殺による回収もpro-rata配分の対象となっていること、相殺の要件はすべて充足していること、などの前提を置いていたのであるが、この場合、pro-rata配分を行った債権者銀行は再度相殺できるか否かということが議論の中心となった。ここでは、結論のみ述べるが、配分を行った債権者銀行は他の債権者銀行より配分額に見合って債権譲渡(assignment)を受けるので、債権譲渡を受けた限りにおいて再度相殺が可能であり、さらに順次これを繰返すことにより、最終的にはローン総額まで相殺による回収可能との説が有力であった。因みに、わが国において当事者間に同様の契約がある場合、どうなるであろうか。私見であるが、配分を行う債権者銀行の他の債権者銀行に対する配分は民法上の代位弁済に当たり、その結果債権譲渡を受けるので、英国法におけると同様に再度相殺が可能であり、同様の結論となりそうである。

⑥資産凍結令の域外適用問題

カーター米大統領が一一月一四日に発したイラン資産凍結令は、イラン政府、中央銀行、政府機関が米国の銀行および海外支店に保有している全資産をも含む内容となっていたので、域外適用(extraordinary application)の問題が議論された。すなわち、米国のイラン資産凍結令という強行法規が、米銀の海外支店所在国で適用されるかという問題である。この問題に関連して英仏で米銀とイランの間に訴訟が起きたが（石黒・一頁以下）、この訴訟において米銀側は、ユーロ・ダラー預金の最終的な決済や記帳が米国内で行われることを主たる理由としてユーロ・ダラー預金取引の準拠法は米国法であり、したがって、米国の強行法規も米銀海外支店所在地で適用されると主張した。因みに、訴訟が起きる前のことであるが、イランが米銀海外支店に保有しているドル建以外の預金については上記論拠では律しきれないため、一一月二一日にこれらドル建以外の預金は凍結対象から外されたといわれている。

米銀の主張に対し、イラン側は預金契約が締結され預金が実際に保有されている英仏等の地の法が準拠法であると主張した。この訴訟は、翌年一月に米国とイラン間で人質解放についての合意が成立したため、英仏の裁判所の判断は出ないままになった。

域外適用の問題（石黒・三二頁以下）は国際私法学上も興味深い研究対象として活発な議論を呼んだが、米銀の主張を支持する学説は少なく、批判的な説が多かったようである。ユーロ預金のような国際的預金契約の重点はユーロ預金のなされたユーロ市場内の国に存在し、したがって、ユーロ預金契約の準拠法を原則としてユーロ市場内のアカウント所在地法とする説がユーロ預金取引の実態に最も適しているように思われる（石黒・一六頁以下）。

なお、渉外弁護士の立場からここで論じた事例につき検討したものとして桝田淳二「国際的貸付契約——米国・イラン金融戦争に関連して——」（現代契約法大系八巻（昭五八）一八四頁以下）があるので、そちらも参照されたい（貝　島）。

3 総括と展望

① 本書第2部において取扱った諸問題は、すでにあらかじめ断っておいたように、国際金融取引をめぐって生ずる法律問題のうち、ごく一部であるにとどまる。だが、そこに辛うじて示し得た諸点についてすら、いっそう踏込んだ検討がなされなければ、真に実践的な、生きた法的認識は得られないことも、ある程度ご理解頂けたことと思う。その意味において、本書は、純然たる啓蒙書であり、入門書の域を出ないものである。だが、昨今巷に氾濫するいわゆる「入門書」とは、ひと味違ったものだったはずである。それらの単なる「入門書」は、概して、読み終れば何となくそこに扱われていた問題群の漠然たるイメージをつかみ得たような気にさせるだけのものであって、真の学問的・法実務的ダイナミズムとはかけはなれた、所詮は死んだ知識の集積でしかないものなのかも知れない。全体にサッパリと整理された、簡潔で平易な叙述が何よりも好まれる今日、そのようにして一応得られる入門的知識と、研究・実務の現場でのなまなましい問題意識との間の大きな溝を埋めるものこそが、真の意味での入門書・啓蒙書なのではないか、との認識の上に、本書は成り立っている。これは、それ自体、一つの実験である。その結果がどのような形であらわれるか（または、何らあらわれずに終るか）は、今後の問題である。もう一つ、

実験といえば、本書は、全体を通して、実務家と研究者とが同じ土俵の上で四つに組んで、互いの関心とそれぞれの有する情報とを交換し、かつ、それらを常に共有しあいながら発展させてゆく形で執筆されている。このような作業がスムーズになされ得たのも、国際金融取引という、つねに発展し、急速に変貌を遂げてゆく一連の問題群と取り組むためには、一定の場所に安住し、固定した思考方式を維持することなど、まず捨ててからかからねばならないという、研究者・実務家を問わぬ共通の了解が、暗黙裡に成立していたからかも知れない。このような、動態としての国際金融取引を極力動態のまま取扱いつつ法的分析のメスを入れる作業は、半ば必然的に、個々の問題群に対するアプローチの仕方や、入れられるメスの深さ、内部摘出の程度において、さまざまなレヴェルのものを要求することになる（それがまさに、色褪せた展翅の蝶をただ見るかのごとき、従来のいわゆる「入門書」と本書との、違いと言えば違いであろうか）。そして、この点は、もとより本書第3部でも受け継がれている。

② 本書第3部の構成も独特のものである。一方で、米・イラン金融紛争に際して邦銀側がどのように対応していたかが事実として語られ、他方で、国際私法学における最も基礎的な問題が、あえて研究者と実務家との共同作業の形で取扱われている。これは何を意味するのだろうか。

本書執筆のための共同研究に参画された三井銀行側執筆スタッフの問題意識として共通するのは、従来よりもいっそう本格的かつ基礎的な法的知識、しかも、各国法のさまざまな内容的なくい違いを前提とした国際私法（抵触法）的知識の重要性、ということであった（これは、国際私法研究者の側にとっても意外なほど強いものであった）。頁数や全体の構成との関係もあり、本書が〔実務編〕と切り離されて出版されることになったのは若干残念なことであったが、〔実務編〕の随所にも、各執筆者の国際私法的関心のほどは、それぞれの形で示されているはずである。本書第3部の澤木教授と一沢氏の共同執筆にかかる部分は、かくて、本書〔実務編〕〔法務編〕を通した最も総論的な部分として執筆されたものである。

実務家が、なぜこれほどまでに学問の最も基礎的な部分に対して、強い関心を示すに至ったのか。そこに、本書第3部を「転換期の国際金融法務」と題したゆえんがある。国際金融取引自体の展開の速さと同時に、ひとたび生じた「事件」の投げかける波紋が、各国の法制度の基本的差異と相呼応してあまりに多様であり、しかも急速かつ広汎に及ぶ性格のものであり、「事件」を知らせるテレックス等の情報が入ってからのアド・ホックな対応には限度がある。そうした「現場」での「体験」とその蓄積が、一見、実務とは遠くかけ離れた存在のように受けとられがちな、学問的基礎の重要性に実務家の眼を向けさせたのであろう。

第3部においてこれと並置される〔事例研究〕の部分は、今後期待される、右に示したような学問的基礎から叩き上げられた法的知識の確実性とは、ある意味で対照的なものを含んでいる。たしかに、米・イラン金融紛争に際しては、邦銀側も実に多面的な対応を、しかも短期間に強いられることとなった。だが、当時、邦銀によりなされた検討の骨子を忠実に再現する貝島氏自身の筆が随所に示しているように、そこでの検討の結果には、恐らく……となるであろう、という程度の不確実な部分が、それぞれ重要な点において、少なからず残されていた。紛争が邦銀を直接巻き込む形で本格化せずに終息したからよかったが、そうでなかったとしたら、一体どうなっていたのであろうか（とくに、頼りとするヨーロッパの諸銀行が突然、邦銀側とは別行動をとりはじめたら、一体どうなっていたのだろうか）。そこから生ずる不安が、さらに大きな不安を招き、そして、一から出直して本格的な知識を身につけなければ駄目だという、一沢氏を中心とする三井銀行側執筆スタッフの基本的認識（覚悟）へと至るのである。

このような意味で、本書第3部も、国際金融取引の動態的分析という本書の基調をなすアプローチに沿ったものであり、かくて、すべては、執筆者・読者を含めた関係者全員の、今後なされるべきいっそう突っ込んだ検討へと、委ねられるのである〔石　黒〕。

澤木敬郎（さわき　たかお）
1931年　東京に生まれる
1954年　東京大学法学部卒業
現　在　立教大学法学部教授
主　著　国際私法入門（有斐閣）、国際私法の争点（編、有斐閣）、国際私法演習（共編著、有斐閣）ほか。

石黒一憲（いしぐろ　かずのり）
1950年　福島に生まれる
1974年　東京大学法学部卒業
現　在　東京大学法学部助教授
主　著　金融取引と国際訴訟（有斐閣）、国際私法（有斐閣）、企業の多国籍化と法（総合研究開発機構）ほか。

＊

一沢宏良（いちざわ　ひろよし）
1939年　横浜に生まれる
1963年　東京大学教養学科卒業
現　在　太陽神戸三井銀行取締役・アジア部長
主　著　国際金融取引1〔実務編〕（有斐閣）。

貝島資邦（かいじま　すけくに）
1945年　福岡に生まれる
1968年　東京大学法学部卒業
現　在　太陽神戸三井銀行国際融資部部長代理
主　著　国際金融取引1〔実務編〕（有斐閣）。

国際金融取引2　法務編

澤木敬郎・石黒一憲
三井銀行海外管理部 著

1986年8月20日　初版第1刷発行
1991年10月30日　初版第4刷発行

発行者・江草忠敬　　発行所・株式会社　有斐閣　　〒101東京都千代田区神田神保町2-17
電話（03）3264-1314〔編集〕　印刷・図書印刷　製本・稲村製本
（03）3265-6811〔営業〕　落丁・乱丁本はお取替えいたします

★定価はカバーに表示してあります。

国際金融取引2 法務編（オンデマンド版）

2002年5月23日　発行

著　者　澤木敬郎・石黒一憲
　　　　三井銀行海外管理部
発行者　江草　忠敬
発行所　株式会社有斐閣
　　　　〒101-0051　東京都千代田区神田神保町2-17
　　　　TEL03(3264)1314（編集）　03(3265)6811（営業）
　　　　URL http://www.yuhikaku.co.jp/

印刷・製本　株式会社　デジタルパブリッシングサービス
　　　　URL http://www.d-pub.co.jp/

ISBN4-641-90261-5　Printed in Japan　AA902